KB143198

교재와 EFL/ESL 교사의 역할:
실제와 이론

Teaching Materials and the Roles of EFL/ESL Teachers:
Practice and Theory

© Ian McGrath 2013
Korean translation copyright © 2017 by Dongin Publishing

This translation is published by arrangement with Bloomsbury Publishing Plc.

교재와 EFL/ESL 교사의 역할

실제와 이론

Ian McGrath 지음

•

최수정 옮김

도서출판 ┃동인

역자 서문

　성공적인 언어학습과 교수활동에 있어 교재의 중요성에 이의를 제기할 사람은 많지 않을 것이다. 교재는 교육의 현장에서 학습자들에게 언어체계에 대한 정보 및 언어사용의 예를 제시하는 것뿐만 아니라, 다양한 활동과 과업을 통해 목표언어를 사용하도록 함으로써 효과적이고 의미 있는 언어학습이 수행될 수 있도록 돕는다. 언어적 차원에서의 교재의 유용성에 덧붙여, 교재는 본문의 이야기, 등장인물 그리고 단원의 주제를 통해서 명시적 또는 암시적으로 문화적 내용을 전달하기도 하고, 지시문, 활동의 유형과 수행방식 등에 반영된 저자가 지향하는 교육방법 및 철학을 제시하기도 한다. 또한 교재는 교사교육의 일환으로도 생각될 수 있는데, 특히 교수 경험이 많지 않은 초임교사들에게는 체계적으로 구성된 교수요목과 내용은 안정감과 훈련의 기회를 제공할 수 있다.

　상기 제시한 이러한 교재의 중요성에도 불구하고 그동안 교재는 영어교육의 다른 세부 분야에 비해 학계에서 많은 주목을 받지 못해 왔던 것이 사실이다. 그러나 다행스럽게도 최근 들어 교재 연구 및 개발에 학자들이 관심을 보이기 시작했고, 이러한 흐름에 발맞추어 McGrath는 교재, 교재 개발, 그리고 교재의 효율적 사용과 관련된 다양한 주제들을 폭넓게 아우르는 유용한 개관을 제시한다. 특히 이 책에서 McGrath는 교재 개발은 아직까지 체계적인 이론에 바탕을 두지 않은, 따라서 학문적 성과가 크지 않다는 학계의 우려를 불식시키기라도 하듯, 교재 평가 및 개발의 이론을 다양한 관점에서 포괄적이며 심층적으로 제시한다. 이와 함께 전 세계의 교육환경에서 진행된 실험연구를 바탕으로 실제 교육현장에서 교재가 어떻게 인식되고 사용되고 있는지를 보여줌으로써, 교재 개발과 관련된 이론과 실제를 통합적으로 제시하고 있다. 따라서 이 책은 교재와 관련된 주제를 탐구하고자 하는 대학원생들에게, 교재 및 교재 개발에 대한 이해를 높이고자 하는 예비교사들에게, 그리고 교실수업에서 주어진 교재를 자신의 교수환경에 맞도록 평가, 개작 및 개발하고자 하는 현직교사들에게 꼭 필요한 지침서가 될 것이다. 이와 아울러 교사와 학습자의 효과적인 교재 사용에 도움이 되기를 희망하는 교육부, 교육기관 관리자, 출판사와 저자, 그리고 교사교육자들에게도 의미 있는 조언을 제시할 것이다.

이 책을 번역하면서 특별히 주의를 기울인 부분은 용어의 선택이었다. 기존의 영어교육(또는 교육학) 사전과 논문을 참고하여 영어교육에 몸담고 있거나 또는 교재 개발에 관심이 있는 독자들에게 익숙한 용어를 사용하고자 했으며, 이를 판단하기 어려운 경우에는 역자가 문맥에 맞게 새로운 용어를 제시하였다. 독자의 이해를 돕기 위해 필요하다고 판단될 때는 원어를 함께 제시한 부분도 있다. 또한 직역하기보다는 우리말의 어법에 맞도록 번역하고자 노력했다.

이 번역서가 출간되기까지 도움을 주신 도서출판 동인의 이성모 대표님에게 감사를 드린다. 편집 과정에서 원고를 세심히 작업해주신 동인의 박하얀 선생님에게도 감사의 마음을 표한다. 무엇보다 번역 기간 동안 따뜻한 격려와 지원을 아끼지 않은 사랑하는 가족에게 존경과 감사의 마음을 전한다.

2017년 2월 1일
최 수 정

| 차례 |

서문

1. 교사, 학습자, 교육환경

이 책의 제목에서 언급된 교사들은 한 가지 공통점을 가지고 있다. 모두 영어가 모국어가 아닌 학습자들에게 영어를 가르친다는 것이다. 이러한 학습자들은 영어가 모국어, 제2언어 또는 외국어로 사용되는 나라에서 영어를 특정 목적을 위해서 배우거나 또는 특정한 이유 없이 학습하는 아동, 10대 혹은 성인일 수 있다. 교사들은 영어 원어민이거나 원어민이 아닐 수 있으며, 교육, 훈련과 경험의 수준이 서로 다를 것이고, 개인 특성도 다양할 것이다. 그들이 가르치는 교육환경 또한 가용할 수 있는 자원이나 학급 규모에서뿐만 아니라 교육기관의 기대와 교사에게 주어진 위상(예를 들어, 업무량, 보수와 자율성에 반영된)에 있어 서로 매우 다를 것이다. 그렇다면 이 교사들이 모두 영어를 가르친다는 사실과는 별개로 서로 공통점을 가지고 있는가? 아마도 그럴 것이다. 그들은 모두 교재를 사용하는 공통점이 있다.

2. 교재의 가치

언어교수와 학습에 있어 교재의 중요성은 널리 알려져 있다. Richards(2001a)는 다음과 같이 이야기 한다:

> 교재는 대부분의 언어 프로그램의 주요 구성요소이다. 교사가 교과서를 사용하든지, 교육기관이 만든 교재, 또는 교사 자신이 만든 교재를 사용하든지 상관없이, 교수용 교재는 일반적으로 학습자들에게 주어지는 대부분의 언어입력과 교실 안에서 일어나는 언어연습의 기본이 된다. 또한 경험이 부족한 교사의 경우에 교재는 교사교육의 한 형태가 될 수도 있다ー 즉, 교재는 어떻게 수업을 계획하고 실행할 수 있는지에 대한 아이디어를 제공한다. (Richards, 2001a: 251)

다른 학자들은 교과서가 수행하는 특별한 기능에 대해 설명한다. 예를 들어, 학습목표가 이미 교수요목의 형태로 구체화된 경우에, 교과서는 그 교수요목에 대해 '더 자세한 내용을 덧붙일 수' 있으며(Nunan, 1991: 208), '특정 교수요목 항목과 과업이 필요로 하는 시간, 관심, 세부사항의 양을 배정하면서 교수요목 항목들을 다룰 강도를 제시할 수도' 있다(Richards & Rodgers, 1986: 25). 좀 더 일반적으로 교과서는 학습을 지원하고 흥미를 북돋으며, 언어에 대한 정보를 제공한다(Cunningsworth, 1995; Dudley-Evans & St. John, 1998). 요약하자면 교과서는 교사를 지원하고 보충하며 학습자를 지원한다. 따라서 '전 세계의 제2언어 또는 외국어 수업 시간에 가장 흔하게 발견되는 요소가 교사, 학습자 그리고 교과서'라는 것은 전혀 놀랍지 않다(Richards, 1998a: 125). 그러나 Richards가 같은 논문에서 지적하듯이, '교사, 교수활동, 그리고 학습자의 역할은 지난 수년 동안 방대한 양의 토론과 연구의 초점이었지만, 교과서에는 많은 관심이 없었다'(ibid.). 이것이 암시하는 바는 명확하다: 교과서, 좀 더 일반적으로는 교재가 언어교실에 그렇게 중요한 구성요소라면 이제 우리는 교재의 적절성과 유용성을 분석적으로 살펴보아야 한다.

3. 학문과 연구의 대상으로서 교재

Richards는, 상대적으로 본다면 그리고 그가 논문을 썼던 시대에는, 교재보다는 교사, 교수활동 그리고 학습자에 더 초점을 두어 연구가 진행되었다고 주장했는데, 이러한 그의 주장은 옳은 듯하다. 그렇다고 해서 우리가 이러한 그의 주장 때문에 지금까지 영어교육 문헌에서 교재에 대한 관심을 거의 찾을 수 없었다고 추론할 수는 없다. 특히 영어교육의 한 분야에서는(특수목적영어 —ESP) 1960년대 이래로 교과목 그리고 교재 디자인에 대해, 특히 과학과 기술을 위한 영어English for Science and Technology, EST와 관련해서 많은 이들이 관심을 보이며 활동해 왔다. 이러한 활동은 1970년대의 주요 출판물에 잘 반영되어 있는데, 이러한 주요 출판물에는 Allen과 Widdowson의 *English in Focus* 시리즈, Bates와 Dudley-Evans의 *Nucleus* 시리즈, Moore가 책임을 맡은 네 권의 책으로 이루어진 *Reading and Thinking in English*, 그리고 Perren(1969, 1971, 1974), 영국문화원British Council(1975, 1978), Richards (1976), Holden(1977), Mackay와 Mountford(1978), Todd Trimble, Trimble과 Drobnic(1978)과 같은 학술적 편저들이 있다. 영국에서는 1972년에 외국 학생들을 위한 예비과정을 책임지고 있는 교수들이 교재를 나누려는 목적으로 외국 대학생들을 위한 특별영어교재Special English Language Materials for Overseas University Students, SELMOUS라고 알려진 기구를 설립했으며(Cowie & Heaton, 1977; Johnson, 1977 참조), 교재 개발은 ESP와 학문목적영어EAP와 같은 다양한 하위분야에서 계속해서 초점이 되어 왔다―예를 들어, Alexander(2007)를 참조하라. Robinson(1980)은 초기 출판물에 대한 매우 유용한 리뷰review와 자세한 참고문헌을 제공한다.

교재에 대한 관심은 ESP에만 국한된 것은 아니다. Richards의 논문이 출간되었던 1998년에는 이미 교재에 관한 좀 더 일반적인 책 분량의 출판물 다수가 출현했으며(Madsen & Bowen, 1978; British Council, 1980; Cunningsworth, 1984; Grant, 1987; Sheldon, 1987; McDonough & Shaw,

1993; Byrd, 1995a; Cunningsworth, 1995; Hidalgo, Hall & Jacobs, 1995), 이러한 흐름은 꾸준히 계속되었다(Tomlinson, 1998a; Fenner & Newby, 2000; McGrath, 2002; Renandya, 2003; Tomlinson, 2003a; Mishan, 2005; Tomlinson, 2008a; Harwood, 2010a; Mishan & Chambers, 2010; Tomlinson & Masuhara, 2010a 참조). Tomlinson(1998)의 제2판은 2011년에 출간되었고, Masuhara가 제3저자로 참여한 McDonough와 Shaw의 제3판은 2012년에, 그리고 McGrath의 제2판은 2013년에 나오기로 계획되었다. 좀 더 광범위하게는 이러한 교재의 중요성에 대한 인식은 교재라는 주제에 초점을 둔 학회와 영국에 근거지를 둔 교재개발협회Materials Development Association, MATSDA의 설립, 그리고 미국에 근거지를 둔 타 언어를 쓰는 화자들에게 영어를 가르치는 국제 영어교사 협회인 TESOL 안의 교재저자 특별관심부서Materials Writers Special Interest Section에 반영되어 있다. 영어교육 학계 밖에서는, 교과서와 교육미디어에 관한 연구를 위한 국제협회International Association for Research on Textbooks and Educational Media, IARTEM가 1991년에 설립되었다. 이 협회는 2년마다 한 번씩 학회를 개최하며 학회보고서(www.iartem.no/)와 전자저널을 (http://biriwa. com/iartem/ejournal/)을 출간한다.

4. 이 책의 초점

그렇다면 교재는 상당 기간 Richards가 요구했던 진지한 관심을 받아오고 있었던 듯하다. 하지만 교재 개발은 여전히 응용언어학 학계에서는 '근본적으로 이론에 바탕을 두지 않은 활동이며 따라서 연구를 하기에는 큰 성과가 없는 분야'(Samuda, 2005: 232)라고 생각되고 있으며, 지금까지 진행된 연구들은 너무 지엽적으로 초점을 맞추어 왔음이 지적되어 왔다(Tomlinson & Masuhara, 2010b). 예를 들어, 교사와 학습자를 제외하고 교과서에 초점을 두는 것은 이들 간의 서로 연결된 역동적인 관계를 설명할 수 없을 것이다. 교재가 더 좋을수록 잠재적으로 당연히 학습에 더 도움이 될 수 있다; 그런데 교재는 교수와 학습에 도움을 주는 것으로서만 개발되기 때문에, 교재의 효과는 특정 상황에 얼마나 적합한지(이는 부분적으로는 선정 과정에 달려있다) 그리고 교사와 학습자가 교재를 어떻게 인식하고 사용하느냐에 달려있게 된다. Graves(2000)는 교과서를 피아노에 비교하며 다음과 같이 설명한다:

> 피아노는 ... 그 자체로만은 음악을 만들어 낼 수 없다. 당신이 피아노를 연주했을 때에만 음악은 만들어진다. 피아노를 잘 치는 것은 곡에 대한 연습과 친숙함을 필요로 한다. 당신이 더 능숙할수록, 음악은 더 아름다워진다. ... 악기의 품질 또한 분명히 음악의 질에 영향을 줄 수 있다. 하지만 조율이 잘 되어 있다면 가장 초라한 피아노라도 능숙한 음악가의 손에서 아름다운 음악을 만들어 낼 수 있다. 이러한 음악적 비유에는 부족한 점이 있다. 교과서를 가지고 가르치는 것의 성공은 교과서를 사용하는 학생들에게도 달려있는 반면, 상기 제시한 피아노 연주 비유는 한 명의 연주자만을 포함하고 있기 때문이다. (Graves, 2000: 175-6)

교재를 향상시키고자 하는 노력은 중요하지만, 교재의 선정, 사용 그리고 효과에 대한 연구에 관심을 가지는 것 역시 필요하다(Hutchinson & Torres, 1994; McGrath, 2002; Tomlinson & Masuhara, 2010c). Littlejohn(2011: 181)이 지적하듯이 '교재를 분석하는 것은 ... "사용 중인 교재"materials-in-action를 분석하는 것과는 상당히 다른 문제이다.' Littlejohn의 책은 교사의 교재 평가와 사용에 관해 이미 존재하고 있는 많은 연구를 폭넓게 검토하고 있지만, 이보다 더 많은 것들이 필요하다.

물론 교재의 특성 및 교재가 개별 교사에 의해서 어떻게 사용되고 있는지에 대해 잠재적으로 영향을 줄 수 있는 이들이 교실 밖에도 존재한다. 이들 중에는 교재를 선정하고 선정된 교재를 바탕으로 교수활동과 평가를 조율하는 교육기관에서 권위적인 위치에 있는 사람들(교육기관 관리자); 소언과 아이디어를 제공하거나 또는 반대로 실험하는 것을 말리는 동료 교사들; 그리고 이들 외에 교과과정, 교수요목 그리고 국가시험을 개발하고 교과서를 출판하거나 승인하는 교육부가 포함된다. 교과서가 주요 교수-학습의 도구인 곳에서는 출판사와 교과서 저자는 명확한 역할을 가지고 있는데, 그 이유는 '교과서가 … 교사가 무엇을 가르치고, 학습자가 무엇을 그리고 어떻게 학습하는지에 영향을 주기'(McGrath, 2002: 12) 때문이다. 교사교육자 역시 교재 선정과 사용에 지침을 줄 것이라고 기대된다.

궁극적으로 이 책은 이러한 관계망에 관한 것이다. 이 책은 출판된 문헌을 바탕으로 교과서와 같은 상업적 교재의 생산에 영향을 주는 요인들을 살펴볼 것이며, 영어교사와 교재 및 학습자들의 관계, 그리고 각 교육기관의 상황 및 좀 더 광범위한 교육적 상황의 영향력을 종합적으로 제시할 것이다. 또한 이 책은 학습을 더 효과적이고 즐겁게 만들 수 있는 교재를 선정, 개작 그리고 디자인 할 수 있는 지식, 능력과 자신감을 개발하도록 교사를 돕는 교사교육의 역할에 대해서도 설득력 있는 주장을 펼칠 것이다.

5. 목적과 대상

몇 년 전에, 저명한 저자이며 교사교육자인 Alan Maley는 ELT 분야에서 어떤 변화가 있기를 바라느냐는 인터뷰 질문을 받았다. 그는 다음과 같이 대답했다:

> 학문적 연구/이론 공동체와(대부분의 권력과 명예를 가지고 있는) 교실교수 공동체(대부분의 실제 일들이 수행되는) 사이의 힘의 재균형 상태를 보았으면 합니다. 교수들이 하는 일은 그들의 공동체에서는 아주 적합하며 타당합니다. 하지만 그들이 하는 많은 일들은 그들의 것과는 다른 필요, 목적과 열망을 지닌 완전히 다른 공동체에게도 관계가 있을 것이라고 잘못 받아들여지고 있습니다. (Maley, 2001)

여기에서 Maley는 다수의 명제를 제안하고 있다(물론 이 명제 모두가 관련된 사람들에게 받아들여지지는 않을 것이다):

- 연구/이론 공동체(즉, 대학교수들)는 교실교수 공동체(아마도 학교의 교사들 – 물론 이 명제에 동의할 대학에 근무하고 있는 언어교사들도 많이 있지만)보다 더 권력이 있고 명망이 있다.
- 교실교수 공동체가 대부분의 일을 한다.
- 교실교수 공동체는 더 높은 위상을 누릴 자격이 있다.
- 교수와 교사가 무엇을 하도록 기대되는지와 그들이 일하는 상황 간의 차이는, 대학에서 생성된 아이디어가 학교에서 근무하는 교사들에게는 대체로 관계가 없다는 것을 의미한다.
- 하지만 대학에서 생성된 이러한 아이디어는 교실교수 상황과 관계가 있다고 가정된다.

이는 상아탑에 있는 교수들에 대한 공격은 아니다. Maley 스스로도 대학에 재직하고 있으며, 그 역시 교수들이 하는 일은 '그들의 공동체에서는 아주 적합하며 타당하다'고 언급하며 이 문제에 신중하게 접근한다. 이는 오히려 하나의 상황에서 개발된 이론은 다른 상황에 적용되지 않을 수도 있다는 경고이며, 교사의 활동은 그들만의 타당성이 있으며 그 자체로 인정을 받아야 한다는 것을 암시하는 주장이라고 할 수 있다.

　이 책의 목적 중 하나는 상기 제시한 두 공동체가 하고 있는 일을 나란히 제시하여 그 간극의 본질을 제시하고, 이를 메우기 위해 필요한 일들이 무엇인지 제대로 인식시키는 것이다. 하지만 이 책의 주제가 교수·학습 교재에 있기 때문에, 두 개의 또 다른 공동체 역시 중요하다: 바로 상업적 교재를 제작하는 공동체(출판사와 교과서 저자)와 교재의 평가, 사용 그리고 개발에 있어 교사를 교육하도록 기대되는 공동체(교사교육자)가 그들이다. 이러한 각각의 공동체가 – 그리고 교수요목 저자, 교육기관 관리자, 교육행정가와 같이 기득권을 가지고 있는 다른 공동체들이—서로 다른 공동체가 하는 일을 더 잘 이해하게 되어 혜택을 받아야 한다는 것이 이 책의 의도라 할 수 있다.

이 책의 주요 목적은 다음과 같다:

● 교육부 및 그 외 언어교사교육 제공자들에게 예비교사와 현직교사를 위한 언어교사교육 프로그램(TESOL/TESL/ELT/응용언어학의 대학원 프로그램을 포함하여)에 있어 교재 평가와 디자인 구성요소의 필요성 —그리고 중요성—에 대한 의식을 고취시키기.

● 이러한 프로그램을 계획하고 가르치는 책임을 진 교사교육자들에게 교실 현실과 교사의 필요에 대해서 의식을 고취시키고, 교사교육 프로그램의 목표, 내용과 방법론에 대한 논의를 북돋우기.

● 교사가 필요로 하고 기대하는 것이 무엇인지에 대해 출판사와 교과서 저자의 의식을 고취시키기.

● 교사들이 자신의 책임을 다하고 전문가로서 계속해서 발전하기 위해서 필요로 하는 지원에 대해 교육기관 관리자들의 의식을 고취시키기.

● 교사들의 성찰 및 이론에 근거한 교수활동을 격려하기.

● 교사와 교사교육자의 효과적인 교수활동의 예를 밝힘으로써 교사교육의 지식 근간을 강화하도록 향후 연구를 활성화하기.

6. 책의 구성

이 책은 주요 주제(교재, 교사와 학습자의 역할, 교사교육)를 소개하는 서론(1장)에 이어 세 부분으로 구성되어 있다. 제1부는 교실 외부의 관점에서 교재 및 교사의 교재 사용에 대한 견해를 제시하는 세 장을 포함한다. 이 세 개의 장은 각각 출판사와 교과서 저자의 관점(2장), 교재 및 교재 사용에 대해 집필하는 이들로 정의되는, 따라서 Maley의 '학문 공동체'보다는 좀 더 포괄적인 용어로 정의될 수 있는 전문가 집단의 관점(3장), 그리고 교사교육자, 특히 교재 평가와 디자인 교사교육에 대해서 집필한 적이 있는 교사교육자의 관점(4장)을 다룬다. 종합하면, 이 장들은 이 책 제목의 이론을 대표한다—즉, 교실 외부의 단체들이 교사에 대해 가지는 기대, 그리고 교사가 교재 및 학습자들과의 상호작용 속에서 맡는 역할에 대한 그들의 기대를 대표한다고 할 수 있다. 제2부는 이러한 교사의 역할이 교재 평가(5장) 및 교재 개작(6장)과 관련한 교사의 교수활동에 얼마나 반영되어 있는지, 그리고 교재를 평가하거나 제공하는 데 있어 학습자 참여의 가치에 대해 교사는 어떻게 생각하는지(7장)를 고려한다. 이 장들에서 드러난 것은 교사의 교수활동과 앞선 장에서 논의된 이론 사이에 간극이 존재한다는 것이다. 제2부의 마지막 장인 8장은 이러한 간극에 대한 설명을 제공한다. 제3부는 두 장으로 이루어져 있으며 모두 제언을 염두에 두고 있다. 9장은 교사들에 대한 제언, 교사의 교수활동에 영향을 미치는 다른 집단—즉, 출판사와 교과서 저자, 교육기관 관리자, 그리고 교육부—에 대한 제언, 그리고 연구를 위한 제언을 제시한다. 10장은 교재 평가 및 디자인 교사교육을 위한 실용적인 제안의 개요를 제시한다.

7. 개인적인 메모

이 책을 집필할 때 나는 싱가포르의 National Institute of Education에서 근무하고 있었고, 현직교사를 위한 학, 석사 프로그램의 일부로 교재에 대한 강의를 하고 있었다. 이전에는 유럽, 중동, 인도, 동남아, 남미 그리고 오랫동안 영국의 에든버러 대학과 노팅엄 대학에서 영어교사를 위한 교재 평가 및 디자인에 관한 워크숍과 교과목을 운영해 왔다. 상황은 다 다르지만, 참여자들은 세 가지 공통점을 가지고 있는 듯했다. 그들은 교재가 중요하다고 생각했고(종종 자신이 사용해야 하는 교재에 비판적이었다), 교재를 선택하거나 자신만의 교재를 개발하는 능력을 발전시키는 데 관심이 있었으며, 교재 평가와 디자인에 대해 거의 또는 아무런 *실질적인* 교육을 받지 못했다는 것이다.

교사교육자로서 이보다 더 기쁠 수는 없었다. 배우고자 하는 동기와 비슷한 시작점 ─ 무엇을 더 바랄 수 있었을까? 그러나 더 넓고 객관적인 시각에서 본다면 교사의 교육 부족은 꽤나 큰 걱정거리의 원인이다. 나는 스스로에게 물었다: 만약 대부분의 교사들이 교재와 관련하여 그 어떤 체계적인 교육도 받지 못했다면, 그들이 교재를 선정하고 사용하는 방식에 어떤 영향이 있을까? 이러한 상황을 향상시키기 위해서 무엇을 할 수 있을까? 이들이 내가 이 책을 집필하도록 한 질문들이다. 하지만 종종 그렇듯이, 연구를 하는 과정에서 또 다른 흥미로운 질문들이 생겨났다. 그 중에는 다음의 질문도 있었다: 왜 교사들은 그들이 할 것으로 기대되는 것들을 하지 않는가? 이러한 질문들 어느 것도 간단한 대답을 기대하기는 어렵다. 또한 교사, 교재와 교사교육을 연결하는 영어교육 문헌은 너무나 제한되어 있고, 교재, 교육환경과 개별 교사는 너무나 다양하기 때문에, 내가 이 책에서 제시하는 답은 필연적으로 부분적이며, 어떤 점에서는 개인적일 것이다. 내가 제시하는 대답이 그럼에도 불구하고 유용하기를 바라며, 더 중요하게는 이러한 질문들이 다른 연구자들로 하여금 자신들의 상황에 의미 있는 새로운 질문들을 만들고, 그에 대한 해답을 출간할 수 있도록 하기를 희망한다.

싱가포르
2011년 12월 1일

1장

서론: 교재, 교사와 학습자의 역할, 그리고 교사교육

... 너무 많은 교육기관에서 교재와 교육 기자재를 학생이나 교사보다 더 중요하게 여기는 듯하다. ... 우리는 교재를 가르치는 것이 아니라 학생을 가르치는 것이다.

(Edwards, 2010: 73)[1]

교사교육이 증가함에 따라 교과서의 중요성은 줄어든다.

(McElroy, 1934: 5)

1. 서론

서문에서는 언어교육에 있어 교재의 중요성 및 교사가 교재를 선정하고 사용하는 방식에 대해 더 잘 이해할 필요가 있음을 강조했다. 이와 아울러 교사교육의 중요성에 대해서도 언급했다. 이번 장에서는 서문에서 살펴 본 위의 세 가지 주제를 세 부분으로 나누어 다시 소개할 것이다. 2절에서는 '교재'의 징

---

1) 역자: 본 번역문의 인용방식은 원저자의 것을 그대로 따른다.

의, 교과서에 대한 찬성의 의견, 그리고 교과서에 대한 비판에 대해서, 3절에서는 교재 및 학습자와 관련하여 교사의 역할에 대해서, 그리고 4절에서는 교사교육에 대해서 좀 더 자세히 다룰 것이다.

2. 교재

2.1 '교재'는 무엇을 의미하는가?

만약 우리가 서로 다른 교육환경에서 서로 다른 학습 필요를 가지고 있는 다양한 연령대의 학습자를 가르치고 있는 100명의 영어교사에게 어떤 교재를 사용하는지 물어본다면, 그들의 대답은 서로 상당히 차이가 있을 것이다. 누군가의 목록에는 한 가지 교재 항목만 있을 수 있는 반면, 또 다른 교사의 교재 목록은 훨씬 더 광범위할 것이다. 어떤 교재 항목은 대부분의 교사 목록에 있을 수 있지만, 어떤 항목은 훨씬 덜 자주 등장할 것이다. 각각의 교사 목록에 있는 모든 교재 항목을 포함한 마스터 목록은 다음을 포함할 것이다:

- 상업적 출판사(즉, 이윤을 위해), 교육부 또는 대형 교육기관(예, 대학 부설 언어교육기관, 사립어학원 체인)에서 출판된 교과서; 이러한 교과서는 보통 다음과 같은 부록을 수반할 것이다. 교사 노트, 학생용 연습문제집workbook, 시험, 시각 자료(예, 월차트wallcharts, 플래시카드flashcards, 읽기 교재reader, 오디오와 비디오 자료 / 컴퓨터기반(CALL) 연습 자료 /스마트보드 소프트웨어Smartboard software / 웹 기반 자료.

- 교과서 패키지의 일부로 제공되지 않은 상업적 교재: 예를 들어, 참고자료(사전, 문법책, 불규칙동사 차트)나 연습용 자료(보충용 언어능력 책, 읽기 교재).

- 개별 교사 또는 한 그룹의 교사들이 함께 작업하면서 선정하거나 고안해낸 교사가 준비한 교재teacher-prepared materials:

- 실제 프린트 자료(예, 신문이나 잡지 기사, 문학 작품의 발췌본, 광고, 메뉴, 도표 그리고 언어교육을 위해 만들어지지 않은 인터넷에서 내려 받은 인쇄 자료)

- 실제 녹음 자료(예, 노래, 방송 중 녹음한 것이 아닌 녹음 자료off-air recordings, 강의를 녹음한 것, YouTube와 같은 인터넷 자원)

- 인터넷에서 내려 받거나 다른 자료로부터 복사한 연습문제지 worksheets, 퀴즈와 시험

- 교사가 개발한 자료(예, 실제 자료authentic materials나 교과서와 함께 사용하도록 개발된 구두oral 또는 서면written 활동, 단독으로 사용할 수 있는 과업과 연습문제, 시험, OHP 자료, PPT, CALL 자료)

- 게임(보드게임, 빙고 등)

- 실물 교재realia(교실에 있는 물건을 포함한 실제 물건)와 그림 representations(칠판에 그린 것을 포함한 사진, 그림)

어떤 교사들은 교재를 제공하거나 만드는 데 있어 학생들의 도움 역시 위의 목록에 포함할 것이다. 실제로 우리는 교재의 개념을 학습자와 교사가 사용하는 모든 목표언어를 포함하여 확장시킬 수도 있는데, 이는 이러한 언어사용의 예가 특히 녹음되었거나 서면의 형태로 되어있다면 학습을 위한 잠재적 입력 자료input가 될 수 있기 때문이다. 우리가 교재의 개념을 좀 더 확장시키고자 한다면, 아마도 교사와 학습자가 의미를 전달하거나 언어사용을 촉진시키기 위해서 사용하는 모든 또 다른 시청각 수단(예, 얼굴 표정, 제스처, 무언극, 시범 설명demonstration, 소리)까지도 포함할 수 있을 것이다. Tomlinson(2001)은 이러한 확장된 관점을 견지하면서, 교재를 '언어학습을 촉진시키기 위해 사용될 수 있는 모든 것이라고 정의하며 다음과 같이 덧붙인다. 교재는 언어적, 시각적, 청각적, 운동적일 수 있으며, 출판물이나, 라이브 공연 또는 전시의 형태로, 또는 카세트, CD-ROM, DVD, 인터넷의 형태로 제시될 수 있다'(p. 66).

2.2 몇 가지 차이점

상기 제시된 목록은 몇 가지 뚜렷한 차이점이 명확하게 보일 수 있도록 정리되었다. 예를 들어, 교과서 패키지와 (보충) 상업적 교재, 그리고 교사 스스로 준비한 교재의 차이; 참고자료와 연습용 자료의 차이; 교사가 준비한 교재 중서로 다른 다양한 자료의 차이 등. 특별히 텍스트로 된 자료에 대해서 논하면서, McGrath(2002: 7)는 다음의 네 가지 범주의 교재를 구분한다:

> 특별히 언어학습과 교수를 위해 만들어진 교재(예, 교과서, 연습문제지, 컴퓨터 소프트웨어); 교사가 교수목적을 위해 특별히 선정하거나 활용한 실제 자료(예, 방송되지 않은 녹음 자료, 신문 기사); 교사가 집필한 교재; 그리고 학습자가 만든 교재.

교재는 또한 어디에서 제작되었는지('글로벌' 대 '지역' 교과서), 교재가 목표한 대상(일반 영어—때때로 Teaching English for No Obvious Reason, TENOR로 불리는—또는 특수목적영어), 그리고 교재가 강조하는 언어적 초점(문법이나 음운체계와 같은 언어체계, 또는 듣기나 말하기와 같은 언어능력)에 따라서 구별될 수도 있을 것이다.

하지만 상기 제시된 것과는 다른 구별법도 존재한다. 이들은 교재가 하는 역할에 관한 것이기 때문에 더 중요할 수도 있는데, 예를 들어 비언어적non-verbal 교재와 언어적verbal 교재, 내용으로서의 교재materials-as-content와 언어로서의 교재materials-as-language, 그리고 Tomlinson(2001)이 제시한 네 가지 방식의 구별법도 있다. Tomlinson(2001)은 교재를 '학습자들에게 언어에 대해서 알려주기 때문에 교육적instructional, ... 사용되고 있는 언어에 노출시킨다는 점에서 경험적experiential, ... 언어사용을 촉진시킨다는 점에서 유도적elicitative, 그리고 언어사용에 대해서 학습자 스스로 발견할 수 있도록 돕는다는 점에서 탐구적exploratory'(p. 66, 강조 추가2))으로 구분하여 설명하였다.

---

2) emphasis added

그림과 같은 비언어적 교재는 단어와 물체 사이의 직접적 연결고리를 형성하고 의미를 명확하게 하는 데 도움이 될 수 있다. 또한 학습자들로 하여금 구어spoken language나 문어written language로 언어를 생성해내도록 자극하는 데 사용되기도 한다. 하지만 언어학습에 있어서는 언어적(또는 문자적) 교재보다는 훨씬 더 제한적이다. 여기서 언어적(또는 문자적) 교재라 함은 (1) 교실 안에서의 대화의 형태나 녹음된 형태의 구어, (2) 문어를 포함한 교재, 그리고 (3) 멀티미디어 교재(말 그대로 하나 이상의 매체를 결합한 모든 것)를 말한다. 아이디어가 이러한 언어적 교재에 표현되는 형식form은 언어사용의 예, 특히 담화구조의 예가 되기도 한다; 이러한 언어는 또한 내용, 즉 학습자가 반응하거나 또는 배울 수 있는 아이디어를 담아내기도 한다.

내용으로서의 교재의 중요성이 과소평가 되어서는 안 될 것이다. 의사소통 접근법Communicative Approach을 직접 교수법Direct Method과 같은 한 세기 또는 그 이전의 방법론들과 연결 짓는 신념 중 하나는, 언어 말하기를 학습하는 것은 다음의 세 가지 조건, 즉 '발화 대상자, 발화할 내용, 그리고 이해하고 이해시키고 싶은 욕망'(Howatt, 2004; 210, 강조 추가)에 의해서 촉진되는 자연스러운 능력이라는 것이다. 언어교실에서 위에서 언급한 '발화할 내용'은 언어 자체의 어떤 측면에 대한 것을 포함하여 교사가 선정하거나 또는 학습자가 제시한 주제일 수도 있고, 또는 교재에 있는 주제, 본문이나 과업일 수 있다. 언어학습 차원에서 중요한 것은 발화할 내용이 학습자로 하여금 이해하고 이해시키고 싶은 '욕망'을 촉진시켜야 한다는 것이다. 이것이 제시하는 바는 명확하다: 교재의 내용이 재미있을수록 학습자의 의사소통 상호작용을 활성화시킬 수 있다는 것이다. 따라서 학습은 언어에 노출되어 언어를 사용하면서, 또는 Tomlinson(2001)의 말처럼 언어를 경험하고 언어의 자극에 반응하면서 이루어지게 된다. 학습자의 학업적 또는 직업적 필요에 의해 선정된 교재의 내용은 당연히 더 큰 학습목표를 달성할 수 있도록 한다. 내용언어 통합학습법Content and Language Integrated Learning, CLIL은 최근 많은 관심을 불러 일으켰다.

사전이나 문법책과 같은 참고자료에서 언어는 내용이다. 그리고 연습문제를 포함하여 언어에 대한 구체적인 정보 역시 대부분의 학생용 연습문제집과 교과서를 차지한다. Tomlinson은 이를 교재의 '교육적' 역할이라고 칭했다. 비록 언어에 대한 이러한 접근법이 분석적 성향이 강한 학습자에게 도움이 된다고 하더라도, 언어의 사용을 보여주는 지문으로 된 예 역시 함께 제시되어야 할 필요가 있다. 모든 지시문과 예를 포함하여 이러한 구어와 문어를 담은 지문은 최신의 정확하고 자연스러운 언어를 보여주어야 한다. 그럴 때에 이러한 지문이 학습자가 언어사용의 법칙을 '발견'해 낼 수 있는 언어 샘플의 역할을 할 수 있고–Tomlinson이 말하는 교재의 '탐구적' 역할–학습자 발화의 모델로서 역할을 할 수 있다. 교재를 이렇게 바라보는 것을 언어로서의 교재(내용으로서의 교재가 아니라)로서 설명할 수 있을 것이다.

2.3 교과서 그리고 교과서의 장점

언어학습에 있어 내용으로서의 교재의 중요성은 의사소통 상호작용을 위한 촉진제로서의 가치에 있으며, 언어로서의 교재의 중요성은 목표언어에 대한 정보를 제공하고 신중히 선택된 언어사용의 예를 제공한다는 것에 있다. 보통 한 교과목course의 근간으로서 사용되기 때문에 '코스북'coursebook[3])이라고 불리는 현대의 교과서textbook는 이러한 두 가지 기능을 염두에 두고 만들어진다.

왜 교과서가 그렇게 인기가 있는지를 이해하는 것은 쉽다. 교과서의 장점에는 다음과 같은 것들이 포함된다:

1. 교과서는 수업 준비에 필요한 시간을 줄여준다. 매 수업마다 독창적인 수업을 만들어 낼 시간이 충분치 않은 전임교사에게 교과서는 매우 가치가 있다.

2. 교과서는 한 눈에 보이는 일관성 있는 프로그램을 제공한다. 교사들

---

3) 역자: 이하 coursebook 및 textbook은 교과서로 칭한다.

은 일관성 있는 프로그램을 만들기에 시간과 전문성이 부족할 수도 있다. 교과서 저자는 언어의 내용을 선택하고 체계적으로 정리하는 것뿐만 아니라, 이러한 내용을 가르치고 배울 방법 역시 제공한다. '전문적인 교과서 저자들의 가장 근본적인 업무는 이론 및 실제, 활동, 설명, 본문, 시각 자료, 내용, 포맷 그 외 최종 결과물을 만들어 내는 모든 다른 요소들을 일관성 있게 종합하는 것이다'(Byrd, 1995b: 8). 이와 아울러 교과서는 자신의 어린 자녀가 무엇을 하고 있는지 알기를 원하고, 필요하다면 도움을 주고자 하는 학부모에게도 안심이 되도록 하는 역할을 한다.

3. **교과서는 지원체계를 제공한다.** 교사교육을 받지 않았거나 경험이 부족한 교사에게 교과서(그리고 교과서와 함께 수반되는 교사용 책)는 방법론적 지원체계를 제공한다. 스스로의 목표언어 능력에 대한 자신감이 부족한 교사들은 언어적으로 정확한 입력자료나 목표언어 사용의 예를 교과서에서 찾을 수 있다(Richards, 2001b). 교과과정이 바뀌는 시기에, 교과서는 경험이 없는 교사나 숙련된 교사 모두에게 구체적인 지원체계를 제공한다(Hutchinson & Torres, 1994).

4. **교과서는 학습자에게 매우 편리한 자원이다.** 위에서 언급한 한 눈에 보이는 일관성 – 또는 목표와 방향성 – 역시 학습자에게 도움이 된다. 교과서가 학습자들이 수업 시간에 다룰 내용을 미리 보거나 또는 복습하는 것을 가능하게 해주기 때문에, 학습자들은 '진전progress과 안정감이라는 느낌'(Harmer, 2001:7)을 동시에 느낄 수 있다. 다시 말해, 교과서는 교수뿐만 아니라 학습에 대한 틀을 제공한다 – '교과서가 없는 학습자는 좀 더 교사에게 의존하게 된다'(Ur, 1996: 184). 유인물과 비교해도 교과서는 훨씬 더 편리하다.

5. **교과서는 통일성 있는 교수활동을 가능하게 한다.** 학습자들이 비슷한 속도로 같은 내용을 공부하고, 같은 내용에 대해 시험을 본다면(Richards, 2001b), 서로 다른 학급에서 학습자들이 무엇을 배우고 있는지를 파악하고 그들의 실력을 비교하는 것은 쉽다. 이러한 점에서 교과서는 편리한 행정적 도구이다.

6. 교과서는 시각적으로 매력적인 문화적 산물이다. 글로벌 교과서에 대해서 학습자가 느끼는 매력은 시각적인 부분 - 색채, 사진, 만화, 잡지스타일 형식의 사용 - 이 많은 것을 차지한다. 문화적 정보는 각 페이지의 단어를 통해서뿐만 아니라 이러한 시각적 수단에 의해서도 전달된다(Harmer, 2001).

7. 교과서 패키지는 '풍부한 추가 자료'를 포함한다(Harmer, 2001:7). 현대 교과서 패키지에는 학생용 책뿐만 아니라 수업에서 사용할 수 있고 수업 외 학생 스스로 사용할 수 있는 다양한 추가적인 자원들이 있다.

마지막 요점은 McGrath(2007)가 여덟 권의 글로벌 교과서 패키지를 분석한 것(표 1.1 참조)에 잘 드러나 있다. McGrath가 살펴 본 교재는 다음과 같다:

케임브리지	*face2face* (1)	*Interchange* (3rd edn) (2)
롱맨	*Cutting Edge* (3)	*Total English* (4)
맥밀란	*Straightforward* (5)	*Inside Out* (6)
옥스퍼드	*New English File* (7)	*New Headway* (8)

McGrath(2007: 347-8)가 주지하듯이, 이러한 패키지의 특징 중 하나는 교사들에게 통합적 자원을 제공한다는 것이다. 예를 들어, 교사용 책(또는 리소스 팩resource packs)은 복사해서 사용할 수 있는 활동, 영어실력이 다양한 학생들이 혼재되어 있는 반을 위한 '추가 지원/어려운 문제'를 제공하는 보충 자료와 예비 활동(*New English File*) 등을 포함한다. 교사들을 위한 또 다른 추가 자원은 다음을 포함한다:

● 교사용 비디오 가이드(*Inside Out*은 지침과 연습문제지가 있다)
● 사용자화 할 수 있는 지문(*face2face*)

- CD에 담긴 사용자화 할 수 있는 시험(*Inside Out*)
- 특정 수업과 연결된 출판사 웹사이트(옥스퍼드 웹사이트는 기사, 내려받기가 가능한 연습문제지와 활동, 그리고 토론 그룹을 포함한다)
- 교사가 사용할 수 있는 출판사 웹사이트 (예, 맥밀란의 *onestopenglish.com*).

표 1.1 교과서 패키지의 내용

	C		L		M		O	
	1	2	3	4	5	6	7	8
학생용 책	V	V	V	V	V	V	V	V
교사용 책	V	V	V	V	V	V	V	V
교사용 리소스팩		V			V	V		V
연습문제집(다양한 형태)	V	V	V	V	V	V	V	V
오디오 테이프	V	V	V	V	V	V	V	V
오디오 **CD**	V	V	V		V	V		V
랩(lab) 오디오 **CD**		V						
비디오 테이프		V		V		V	V	V
DVD		V				V		
비디오 사용을 위한 교사 지침서					V			
시험		V			V	V		V
CD-ROM	V	V					V	V
연결된 웹사이트	V	V	V	V		V	V	V
다른 웹사이트 자원(교사용)	V	V			V	V	V	V
다른 웹사이트 자원(학생용)							V	V

(McGrath, 2007: 347-8)

학습자를 위한 추가 자료 역시 제공되는데, 그 예는 다음과 같다:

- 학생용 책에 수반되는 CD-ROM(*face2face*) 또는 연습문제집(*New English File*은 비디오 발췌문과 활동, 쌍방향 문법 퀴즈, 어휘 은행, 발음 차트, 그리고 듣고 연습하기 오디오 자료; *Inside Out* 연습문제집은 오디오 테이프나 오디오 CD가 있다)

- 특정 수업과 연결된 학생들을 위한 출판사 웹사이트(예, *New English File*)

- 모든 학습자들을 위한 출판사 웹사이트.

특정 수업과 연계하여 사용할 수 있는 자원도 있는데, 특별히 만들어진 보충 교재나 독립적으로 사용할 수 있는 자원이 그것이다. 그 예는 다음과 같다:

- 비즈니스 리소스북resource books(*New English File*)

- 발음 수업; CD-ROM에 있는 쌍방향 연습 자료(*Headway*)

- 발음, 번역과 상황이 함께 제시된 단어/숙어 목록이 있는 이중 언어(네덜란드어/프랑스어/독일어) '자매편'(*Inside Out*).

이러한 발전은 놀랍다: '25년 전만해도, 교사와 학습자를 위한 수업과 연계된 웹사이트 자료 또는 무료로 사용할 수 있는 일반 웹사이트 자료가 있을 것이라고 누가 꿈꿀 수 있었겠는가? 그리고 거의 매일 새로운 것들이 더 많이 제공되고 있다. 예를 들어, 두 권의 케임브리지 책에는 화이트보드whiteboard 소프트웨어가 제공되고, 학습자들은 맥밀란 교재의 무료 전자수업e-lessons에 등록할 수 있다'(McGrath, 2007: 348). 이 글을 쓰고 있는 순간에도 전자도서e-books나 전자도서독자들e-readers은 영어교육 출판에 영향을 미치기 시작하고 있다. 맥밀란의 다이내믹-북스Dynamic-Books 소프트웨어는 교사가 학생들의 필요에 맞도록 맥밀란 교과서의 전자도서 판editions을 편집할 수 있도록 만들 것이라고 한다(Salusbury, 2010). 아마도 곧, 다른 혁신들도 분명히 소개될 것이다.

2.4 의심의 목소리

이러한 잠재적 장점들을 생각해 보면, 비록 기술의 발전에 직면하여 인쇄된 교과서는 사라질 것이라는 경고가 종종 있음에도 불구하고, 교과서가 계속해서 출판되고 있다는 점은 놀랍지 않다. 특히 비원어민 교사가 외국어로서의 영어를 가르치는 상황에서 교과서는 '우리가 좋아하든 그렇지 않든, 교사와 학습자들에게 영어교육 프로그램의 핵심을 대표한다'(Sheldon, 1988: 237). 여기서 Sheldon이 덧붙인 '우리가 좋아하든 그렇지 않든'은 현실을 잘 보여준다고 하겠다. 분명한 매력에도 불구하고 지금까지 교과서는 수많은 비판을 받아왔는데, 이러한 비판의 핵심은 Rinvolucri(2001)의 '인간의, 문화적이고 언어적인 대재앙'(Harmer 2001: 5에서 재인용)이라는 문구에서 잘 드러난다.

교과서는 전인격적 인간이라는 개념을 수용하지 않는다; 또한 학습 선호도의 차이를 고려하지 않는다. 1960년대의 인본주의 접근법은 교수활동이 효과적이기 위해서는 학습자의 인지적 측면뿐만 아니라 정서적 측면 역시 고려해야 한다는 믿음에 근간을 두는데, 이러한 믿음이 교과서를 비판하는 하나의 축을 형성하고 있다. Tomlinson(2003b: 162)은 자신이 사용한 많은 교과서들이 '학습의 언어적이고 분석적 측면에 집중한 반면 ... 육체적으로 무언가를 하면서, 감정을 느끼면서, 마음속으로 무언가를 경험하면서 배우는 학습자들의 능력은 충분히 사용하지 않는다'고 지적했으며, 이러한 비판은 Rinvolucri 2002의 *Humanising the Coursebook*이라는 책의 제목에서도 드러난다. Tomlinson(2011b: 18)은 또한 '대부분의 최신 교과서가 ... 학구적인 학습을 선호하는(즉, 언어 형식과 정확성에 초점을 두는) 학습자들 위주로, 그리고 모든 학습자들이 이러한 학습 스타일로부터 좋은 영향을 받을 수 있다는 가정하에서' 쓰였지만, 사실 이러한 학습자들은 소수에 불과하다는 점을 지적한다. 아울러 그는 청각적 또는 경험적 스타일과 같은 다른 학습 스타일(선호도)도 다루어져야 한다고 주장한다. Botelho(2003) 역시 다중지능을 염두에 둘 필요가 있음을 지적한다.

글로벌 교과서(즉, 국제 시장을 염두에 두고 출판된 교과서)는 영어권 나라 밖에서 영어를 학습하는 대부분의 학습자들과는 관계가 거의 없는 영국 중심의 세계관과 문화적 현실을 바탕으로 쓰인다; 따라서 원어민 관점이 주를 이룬다. 이러한 '서구' 가치관의 전파는 문화 제국주의의 한 형태이다. 영국중심주의에 대한 비판은 보통 영국, 호주와 북미Britain, Australasia and North America(Holliday, 1994에 의해 BANA로 축약됨) 이외의 국가에서 가르치는 교사들이나 또는 이들의 관점을 대표하는 연구자들(Canagarajah, 1993; Altan, 1995; Gray, 2000 참조)에 의해서 제기된다. 이들은 영국과 미국의 출판사들이 교재를 시장에 내놓을 때 보통 BANA 국가에서 영어를 배우는 학습자들 ─이민자나 장기/단기 학생 방문자들─과 BANA 국가 외의 나라에서 영어를 학습하는 학습자들의 학습환경 및 학습목표의 실제 차이를 모호하게 하는 경향이 있다고 지적해 왔다(Masuhara & Tomlinson, 2008). BANA 국가에서 사용될 교재가 원어민과의 상호작용 및 특정 BANA 국가의 문화에 익숙해질 수 있도록 하는 것에 초점을 두는 것은 당연히 자연스러운 것이지만(그리고 이는 학생들의 환영을 받는다─예, Crawford, 2002 참조), 영어사용의 대부분이 비원어민 사이에서 이루어지는 언어학습 환경에서 교재가 이러한 점에 초점을 둔다면 이는 정당화하기 어려울 것이다. 특히 언어 측면에서, 영어의 역할(링구아 프랑카/국제어로서의 영어)에 대한 논의는 적절한 학습모델 및 지역과 관계있는 영어 변이형varieties에 대한 노출이라는 문제로 이어질 수 있는데, 사실 이 문제는 매우 복잡하며(Gilmore, 2007 참조) 어떻게 이 문제가 교과서에 반영될 수 있을지는 아직 불투명하다. 영어학습자를 위한 핀란드 교과서에 수반된 녹음 자료에 쓰인 영어액센트에 대한 두 개의 최신 연구는 (Kopperoinen, 2011; Kivistö, 2005) 당분간은 원어민 기준이 계속해서 지배할 것이라는 것을 보여준다.

문제는 단순히 지역과의 관계성만이 아니다. '서구'에서 만들어진 글로벌 교과서는 불가피하게 서구의 가치관을 구현하게 되는데, 이는 교과서의 내용 및 교육적 접근법에 반영되어 있다. 이러한 가치관이 단순히 낯선 것뿐만 아니라 그 영향력에 있어 잠재적으로 해가 될 수 있다고 생각하는 사회에서는 글로벌 교과서를 문화제국주의의 수단이라고 여겨왔다(Alptekin & Alptekin, 1984; Dendrinos, 1992; Phillipson, 1992; Canagarajah, 1999 참조). Pennycook(1994)은 글로벌 교과서가 교과서에 담긴 내용, 교수방법 및 내포된 학습자와 교사의 관계를 통해서 '특정한 삶의 방식, 세상을 이해하는 특정한 신념'(p. 178)을 대표한다고 강력하게 주장했다. 그럼에도 그는 '저항과 전유appropriation, 그리고 변화에 대한 가능성은 있다고'(p. 179) 결론짓는다. 이는 아마도 교사가 학생들에게 교과서 및 다른 언어학습 교재를 비판적으로 접근하도록 격려하거나(Paran, 2003; Haig, 2006 참조) 또는 학습자들의 본능적인 교재에 대한 반응을 통해서 가능할 것이다. 이와 관련하여 Altan(1995)은 다음과 같이 이야기 한다: '우리가 사용하는 교재 또는 교재를 사용하는 방식이 문화적으로 적대적이라면, 학습자들은 어쩔 수 없이 교재에 관심을 끄고 자신을 보호하기 위해 자신만의 내적 세계로 도피할 것이다'(p. 59). 도피만이 유일한 전략이 아닐 수도 있다. 어떤 상황에서 학습자들은 좀 더 적극적으로 저항할 수도 있다. 예를 들어, Canagarajah(1993)의 연구에서 스리랑카 학생들은 그들이 사용한 글로벌 교과서에 나온 역할놀이나 대화 활동에 참여하는 것을 거부했을 뿐만 아니라, 교사가 수업 전에 원 형태로 만들어 놓은 의자를 좀 더 전통적인 형태로 바꾸어 놓음으로써 그들이 교사에게 무엇을 기대하는지를 보여주기도 했다.

상기 제시된 비판은 보통 글로벌 교과서를 중심으로 이루어져 왔다. 하지만, 이데올로기는 한 국가의 사회 응집이라는 목표를 강화하기 위해서(Lund & Zoughby, 2007 참조)−또는 좀 더 악의적인 목적을 가지고−국가 가치관과 문화를 의도적으로 장려하는 '국정'교과서에서도 구체적으로 드러날 수도 있다는 점을 상기할 필요가 있다. 특히 국정교과서는 그 안에 포함된 지시문이나 활동을 통해 언어학습의 본질 및 교사와 학생의 역할과 관계에 대한 암시적인 메시지를 구현하려고 한다는 점에서 다른 교재들과 다르지 않다. Graves(2000: 202)는 교과서의 은폐된 교과과정hidden curriculum을 분석할 때 우리가 물어봐야 하는 수많은 질문들을 제시한다. 과업분석이 무엇을 드러낼 수 있는지에 대해서는 Jazadi(2003)와 Littlejohn(2007, 2011)을 참조하라.

교과서는 언어, 언어사용 또는 언어습득에 대한 연구 결과를 반영하고 있지 않으며, 문화적 현실에 대한 묘사가 제한적이고 편파적이며 부정확하다. 교과서의 언어내용에 대해 비판하는 사람들은 교과서가 실제적인 언어사용의 예를 보여주고 있지 않다고 주장하는데, 특히 다음의 영역에 대해서 자신들의 관점을 보여준다: 간접 화법(Barbieri & Eckhardt, 2007), 법성 modality 언어(Holmes, 1998), 제안(Jiang, 2006), 불평(Boxer & Pickering, 1995), 대화 전략(McCarten & McCarthy, 2010), 대화 마무리하기(Bardovi-Harlig, Hartford, Mahon-Taylor, Morgan & Reynolds, 1991), 전화 대화(Wong, 2001), 그리고 구어 문법과 문어 문법 사이의 차이(Cullen & Kuo, 2007). Harwood(2010b)는 이러한 내용분석에 대한 유용한 개관을 제시한다. 다른 저자들은 특정 언어능력을 교과서에서 다룰 때 응용언어학 연구를 고려하고 있는지를 살펴보았다. 예를 들어, McDonough와 Shaw(2003: 6-10장)는 각각의 주요 언어능력 분야와 통합적 언어능력에 관한 연구를 요약하고, 이러한 연구가 교재에 어느 정도 반영되어 있는지를 조사했다. ESP 교과서에 대한 연구 역시 상기 제시된 것처럼 언어학 연구의 결과와 교재 사이에 간극이 존재함을 보여준다. Ewer와 Boys(1981)는 특히 ESP 분야에서 교과서는 불안정한 언어학적 기초 위에 쓰였다는 것에 주목한다. 20년 후 Candlin, Bhatia와 Jensen(2002: 300)은 법과 관련된 영작문을 가르칠 수 있는 적절한 교재를 찾아보았지만, 그들이 연구한 56권의 책 중 '극소수만이 법률 문서와 용어에 대한 언어학적 분석에 근거하여 쓰였다고'(Harwood, 2010b: 10에서 재인용) 결론지었다. EAP 교과서에 대한 Harwood(2005)의 리뷰 역시 코퍼스corpus 연구에 근거하여 쓰인 단 한 권의 책(Swales & Feak, 2004)만을 찾아냈다 (EAP 분야의 영작문에 관해서는 Hyland, 1994; Paltridge, 2002 참조).

Angouri(2010: 373)는 회의와 관련된 비즈니스 영어 교재에서 사용된 영어와 실제 상황에서 사용된 영어 사이의 '차이'를 밝혀냈다(Williams, 1988; Chan, 2009 참조). Gilmore(2007)는 실제 담화와 교과서 담화를 비교한 연구들을 폭넓게 검토했는데, 그는 기존의 학자들과는 조금 다르게 실제성authenticity이 무조건적으로 '좋고', 만들어진 예나 담화는 '나쁘다고' 생각하지는 말아야 한다고 주장하며, 판단의 근거는 '목적에 맞는가'여야 한다고 주장했다(Hutchinson & Waters, 1987: 159).

교과서의 언어 교수요목, 그리고 교수요목에 암시된 교육방법 역시 집중 조명을 받아왔다. Auerbach과 Rogers(1987, Graves, 2000에서 재인용)는 미국의 성인학습자를 위한 '서바이벌' 교과서에 제시된 언어 기능들이 학습자들로 하여금 문제를 제기하고 분석 및 해결하도록 하기보다는 현 상태에 대해 순종적인 역할만을 강조했다며, 이는 결국 '은폐된 교과과정'을 보여주는 것이라고 주장했다. 최근에는 제2언어 습득 분야에서의 연구가 주요 원동력이 되었는데, 이 연구들은 전통적 문법위주의 교수요목이나 1960년대 후반의 교과서 및 그 이후에 나온 의사소통 중심의 교과서들이 기반한 제시presentation-연습practice-표출production(또는 3Ps) 접근법의 타당성에 의문을 제기해왔다. 예를 들어, Thornbury와 Meddings(2001: 12)는 다음과 같이 설명한다: '불행히도 수업에서 전달되는 순서와 속도에 맞게 문법이 내재화되는지를 보여주는 연구는 많이 없다.' Tomlinson과 Masuhara(2010b)도 23개의 연구를 살펴보며, '어느 연구자도 전형적인 교과서의 제시-연습-표출 접근법이나 듣고 따라하기, 대화 따라 하기, 빈칸 채우기 또는 이해질문에 답하기와 같은 전형적 교과서의 절차를 지지하는 증거를 제공하는 것 같지 않다'(p. 399)고 결론지었다. 이는 아마도 상기 제시된 연구가 이러한 절차의 효과를 평가하는 것에 초점을 두지 않고, 오히려 실제 자료를 사용하는 것, 읽기와 듣기를 통해 지속적인 언어사용에 노출시키는 것, 또는 발견학습discovery learning이 동기 부여에 미치는 영향에 대해 중점을 두었기 때문일 수도 있다. 앞서 언급한 연구 모두 긍정적 결과를 가져왔음에도 불구하고, 이들은 언어습득의 과정과 증거

사이의 명확한 인과관계를 보여주기에는 부족하다. 문법교수에 관한 제2언어 습득 이론과 연구의 효과에 대한 최신 리뷰(Ellis, 2010) 역시 위에서 언급한 것과 비슷하게 결론이 명확하지 않다. Ellis는 비록 의사소통 과업 만들기와 문법의식고양grammatical consciousness-raising 테크닉이 제2언어 습득 연구에 영향을 끼쳐 왔다고 주장하면서도, 이러한 연구가 언어교수에 직접적으로 응용될 수는 없다는 것을 인정한다. '전형적인' 교과서 접근법과 절차는 의심스러울 수도 있지만, 아직까지는 이에 대응할 만한 연구에 근거한 명확한 대안은 나타나지 않았다.

교과서에 대해서 많이 제기되는 또 다른 비판은 교과서가 소수자들을 배재하거나, 세상은 아무런 문제가 없는 듯이, 또는 불편한 사실들은 배재한 채 묘사함으로써, 성gender 그리고 다른 고정관념들을 영속시키고 현실을 잘못 전달한다는 것이다(Littlejohn & Windeatt, 1989; Thornbury, 1999, 2010; Gray, 2002; McGrath, 2004; Arikan, 2005; Lund & Zoughby, 2007 참조). 글로벌 교과서 출판사들은 저자들을 위한 지침서를 통해 고정관념에 맞서 대응할 수 있도록 노력하지만, Gray(2002)가 언급한 PARSNIP[4]에 반영되었듯이 그들의 눈가림식의 접근법은 원칙이 있다기보다는 실용적인 선택에 가깝다. 물론 이것은 글로벌 교과서에만 해당되는 문제는 아니다.

이러한 비판의 기저에는 교과서의 세계에는 변화가 거의 없다는 인식이 깔려있다. Sheldon(1988)이 주지하듯이, 교과서에 대한 광범위한 비판에도 불구하고 '교과서는 다른 교과서들을 모방하거나 단순히 조금씩 더 나아질 뿐, 연구나 방법론적 실험 또는 교실로부터의 피드백에서 오는 변화의 바람을 수용하지 않는다'(p. 239). 최근 대용량의 말뭉치의 개발로 인해, 적어도 언어 연구에 있어서만은 Sheldon이 위의 글을 썼던 때보다는 아마도 좀 더 나아졌을 것이다(Stranks, 2003; Richards, 2006; Harwood, 2010a에 있는 논문 참조). 그러나 교과서의 재미없는 내용에 대한 불만은 계속되고 있으며

---

4) 정치politics, 술alcohol, 종교religion, 성sex, 마약narcotics, 공산주의communism와 같은 -주의 -isms, 그리고 돼지고기pork에 대한 언급을 피하는 것.

(Masuhara, Hann, Yi & Tomlinson, 2008), 연구자들은 여전히 교과서 속에서 고정관념에 대한 증거들을 찾아내고 있다(예, Mukundan & Nimehchisalem, 2008).

교과서는 교사들을 소외시킨다. 교과서는 리소스북으로 대체되어야 한다. 모든 외부 자료들은 실제 의사소통에 방해가 된다. 겉으로 봤을 때는 현대의 글로벌 교과서 패키지가 제공하는 다양한 자원은 교과서의 장점 중 하나이다. 그러나 이에 대한 걱정의 목소리도 있다. 20년도 더 전에 Rossner (1988)는 다음과 같이 말했다. '최신 교재는 너무 많은 것을 제공함으로써 사용자들에게 부담을 주고 … 교사에게는 새로운 교재를 제대로 이해하기 위해서 더 많은 시간을 보내도록 함으로써 더 많은 업무를 만들어 내는 경향이 있다'(p. 214). 이러한 증가된 복잡성의 결과 중 하나는 '교과서의 구조가 미리 준비된 대본처럼 더욱 촘촘하고 명확해지고, 교사가 결정하고 해결해야 할 일은 점점 더 없어지는 듯하다'(Hutchinson & Torres, 1994: 316)는 것이다. 이는 Littlejohn(2011)도 지적한 바 있다. '이제 교재가 멀리서도 수업 시간을 효과적으로 체계화할 수 있는 정도는 … 상당히 증가하였다'(p. 180). 이 관점에 의하면 교사는 소외되는 위험에 처하게 된다.

이제 문제는 단순히 사용 가능한 자원을 확장하는 것이 아니다. 이는 좀 더 근본적으로는 교과서와 교사의 역할에 관한 것이다. Brumfit(1979: 30)은 '최상의 교과서조차도 교사와 학생의 문제를 해결할 수 있는 "전문가"가 어딘가에 있다고 암시함으로써 교사로부터 주도권을 빼앗아 버린다'고 했다. 이렇게 교사의 주도권을 가져가 버리는 것(또는 잃어버리는 것)의 결과는 교사의 '탈숙련화'de-skilling(Shannon, 1987, Richards, 1993, 1998a에서 재인용)이다. 교사가 결정권이라는 책임을 교과서에 넘겨준다면, 이는 교사의 역할을 단순한 기술자로 전락시키는 것이다. 교과서를 선정하는 것이 학습목표, 학습자의 필요 그리고 교사의 능력과 선호도를 고려한 이후 자연스럽게 따라오는 단계가 아니라 단지 교과목 계획의 시작점이라면, 교사는(또는 교과목 계획을 결정하는 그 누구라도) 중요한 책임감을 포기한 것이다. 이제 교과서가 교과목의 목표, 내용과 평가방식을 결정하게 되는 매우 위험한 상황에 이른 것이다. 사실상 책이 교과목이 되었고, 교사는 그저 책을 가르치는 것이다. Swan (1992)은 이에 따르는 잘못된 안도감에 대해 경고한다:

> ... 교과서는 ... 교사를 책임감에서 벗어나게 하는 듯하다. 무엇을 어떻게 가르쳐야 하는지에 대한 매일 매일의 결정 대신 이제 편안히 앉아서 시스템을 작동하는 것은 쉬울 것이다. 교과서를 만든 현명하고 고결한 사람들이 자신들에게 무엇이 좋은지를 알고 있다고 믿으면서 말이다. 불행히도 이런 경우는 거의 없다. (Swan, 1992: 33, Hutchinson & Torres, 1994: 315에서 재인용)

Allwright(1981)은 교재의 역할과 교사-교과서 관계에 대한 두 가지의 상반되는 관점을 제시한다. 만약 교사가 능력이 *부족하다고* 여겨진다면, 교과서는 교사의 부족한 점(한계)에 대한 하나의 보험이 된다. 따라서 교재는 교사의 영향을 받지 않도록 만들어질 필요가 있다. 다름difference의 관점에서 교사는 교재 저자와는 다른 그러나 서로 보완하는 전문성을 가지고 있다고 여겨진다. 따라서 교재는 자원으로 여겨진다. 후자의 관점을 견지하며, Allwright은 '학습을 관리하는 것은 너무나 복잡해서 교재에 구현된 미리 만들어진 결정들에 의해서 만족스럽게 해결될 수는 없다'(p. 9)고 결론 내린다.

교과서의 대안으로 Brumfit과 Allwright은 비슷한 제안을 한다. Brumfit (1979: 30)은 '리소스팩, 즉 교사가 어떻게 내용을 개작하고 변경할 수 있을지에 대한 조언을 담은 교재 세트'를 구상한 반면, Allwright(1981: 9)은 학습자에게는 '언어학습에 대한 지침서'를, 교사에게는 '아이디어 책'과 '해설서' rationale book를 생각했는데, 이와 함께 학습자 훈련과 교사교육에서의 적절한 교육이 함께 지원되어야 한다고 생각했다. 이때 이러한 훈련과 교육은, 학습은 학습자와 교사의 협동적 노력에 의해 이루어지는 것으로 바라보는 틀 안에서, 즉 과정 교수요목process syllabus하에서 진행된다.

결국, 이러한 주장은 교과서를 다른 종류의 교재로 대체해야 한다는 것이다. 좀 더 극단적인 관점은 보통 교재라고 여겨지는 것들을 모두 없애는 것이다. Underhill은 자신이 교과서를 사용했던 방식 및 교과서에 대한 자신의 태도 변화를 추적한 짧은 논문에서 다음과 같이 이야기 한다: '교재, 특히 교과서는 나와 학생들 사이를 방해한다는 것을 알게 되었다. … 내가 조심하지 않으면 나는 학생들과는 멀어지고, 그저 "교재를 작동시키는 사람"으로 전락하게 된다.' Thornbury는 이 논문의 영향력을 인정하면서 2000년에 영어교육에 있어 '도그마'dogme에 관한 일련의 논문 중 첫 편을 출판했다('도그마'라는 용어는 영화 제작에 있어 기본으로 돌아가자고 주장하는 덴마크 필름 단체가 출판한 도그마 95 선언문에서 나온 것이다). 현재 사용 가능한 수많은 출판된 교재들을 가리키며, Thornbury(2000)는 '이 모든 교재 어디에서 학생들의 내적 삶을 찾을 수 있는가? 어디에 진정한 의사소통이 존재하는가?'라고 묻는다. 이러한 질문을 통해 그는 동료 학자들에게 '교수활동은 교사와 학생이 교실로 가지고 오는 자원들만을 ─ 즉, 교사와 학생 그 자신들만을 ─ 그리고 교실 안에 있는 것들만을 사용해서 이루어져야 한다'(Thornbury, 2000)는 격언에 잘 간직된 '영어교육 순수의 서약'에 참여할 것을 촉구했다. 한 때 Sylvia Warner 의 예를 따라 교과서를 태우는 것이 지지를 받는 듯했지만(Thornbury & Meddings, 2001), 후에 쓰인 논문은 교과서도 교사와 학생이 교실로 가지고 오는 자원 중 하나일 수도 있음을 인정하며, 교과서를 잘 활용할 수 있는 다수의 재미있는 아이디어를 제공하기도 한다:

> '도그마' 접근법이 꼭 교과서의 사용을 배제하는 것은 아니다. … 핵심은 교과서를 사용하되 가끔씩만 사용한다는 것이다. … 그러나 이것이, 예를 들어, 복사해서 사용할 수 있는 연습문제의 형태로 더 많은 자료들을 수업에 가져와서 책의 약점을 채우는 것을 의미하지는 않는다. … 핵심은 최적의 노출, 주의attention, 출력output과 피드백을 제공하는 활동을 포함함으로써 언어가 자연스럽게 발달할 수 있는 기회를 극대화하는 것이다. (Thornbury & Meddings, 2002: 36-7, 원문 강조5))

---

5) original emphasis

교과서를 가끔 사용하는 것은 괜찮지만, 테크놀로지는 명백한 금기사항이다. 이 단체의 아카이브에 저장된 웹사이트의 표제를 사용해서 말하자면, 이러한 '가장 기본적인 교육방법'pedagogy of bare essentials은 현재 'Teaching Unplugged'로서 장려되고 있는 듯하다. 다음의 웹사이트, 즉 http://www.thornburyscott.com/tu/sources.htm에서는 Underhill이 쓴 것을 포함하여 다양한 초기 논문들과 다수의 자료들을 쉽게 찾아볼 수 있다; 토론 그룹은 http://groups.yahoo.com/group/dogme에서 찾을 수 있고, *Teaching Unplugged*(Meddings & Thornbury, 2009)라는 책에 상기 제시된 주장들이 잘 나타나 있다. Edwards(2010)는 이 책에 대한 서평을 쓰며, 이러한 접근법이 교과서를 사라지게 한다거나 테크놀로지의 성장에 영향을 주거나 하지는 않을 것이라고 언급하며, 도그마 접근법의 기저에 있는 우려사항에 동의한다고 했다. 즉, '교사로서 나의 걱정거리 중 하나는 너무 많은 교육기관에서 교재와 교육 기자재를 학생이나 교사보다 더 중요하게 여기는 듯하다는 사실이다. ... 우리는 교재를 가르치는 것이 아니라 학생을 가르치는 것이다'(p. 73).

이러한 비판들을 염두에 두고 본다면, Hutchinson과 Torres(1994)가 말한 것처럼 '교과서가 단순히 살아남은 것일 뿐만 아니라 승승장구하고 있다'(p. 316)는 사실은 놀라운 일일 듯하다. 의심의 여지없이 이러한 이유 중 하나는 앞서 확인한 바와 같이 교과서의 편리성에 있다. Hutchinson과 Torres가 지적한 것처럼 교과서는 '교수-학습의 체계-특히 변화하고 있는 체계-가 필요로 하는 구조'(p. 317)를 제공한다. 물론 우리는 이러한 비판 중 상품으로서의 교과서와 관계있는 처음의 세 가지 비판과 교과서가 인식되고 사용되는 방식에 관한 마지막 비판을 구분할 필요가 있다. Harmer는 교사가 교과서에 좌지우지될 것이라는 두려움은 조금은 과장된 것이라고 주장한다:

교과서 비평가들은 자신들의 주장을 펼치기 위해 *아무 생각 없이* 교과서를 사용하는 것-그리고 마치 모든 교사가 항상 이러한 방식으로 교과서를 사용할 것이라는 듯-에 초점을 두는 것 같다. 하지만 이러한 주장은 모든 교사가 잘못된 방식으로 교과서를 생각하고 있음을, 즉 마치 대본처럼 글자 그대로 따라야만 하는 유일한 매뉴얼로서 여기고 있다는 것을 제안하는 것이다. 그러나 교과서는 그렇지 않으며, 사실 이제까지 그랬었던 적이 없다. 교과서는 수업계획서와 같이 교수활동을 위한 *제안서*이지 사용설명서가 아니다. 교사들은 이러한 제안서를 보고 그것에 동의하는지, 책이 제안한 방식대로 교수활동을 하고 싶은지, 아니면 반대로 변화를 시도하고, 활동을 대체하거나 변경할지, 본문을 다른 방식으로 접근할지, 또는 경험을 통해서 알게 된 26페이지에 나온 연습문제보다 더 효과적인 방식으로 문법을 다룰지를 결정할 것이다. 교사는 교과서에 나온 모든 것을 그대로 따라 하지 않고도 교과서를 사용할 수 있다; 마치 우리가 친구가 하는 말의 모든 것에 동의하거나 그가 하는 방식과 똑같이 모든 것을 하지 않으면서도 그를 사랑하는 것처럼 말이다. 능력 있는 교사의 손에서 교과서는 무조건 따라야 하는 구속이 아니라, 창조의 원동력이고 시작점이며 교사가 함께 작업해 나가야 할 그리고 동의하거나 반대할 수 있는 그런 존재이다. (Harmer, 2001: 8, 원문 강조)

Harmer가 주장한 것처럼 많은 교사들은 자신의 신념이나 경험을 바탕으로 교과서를 바꾸며, 특히 능력 있는 교사들은 교재를 단순히 지지대로서만 사용한다. 그러나 이 책의 후반부에서 살펴보겠지만, 어떤 이유에서든지 교과서를 꼭 따라야 하는 매뉴얼이나 대본처럼 취급하는 교사들도 있다.

이러한 것을 부적절하다고 비판하기보다는, 만약 교사가 교과서를 대본처럼 사용한다면, 왜 그런지 그리고 누가 책임이 있는지를 질문해야 할 것이다. 테크놀로지를 포함하여 교과서 패키지의 요소들이 서로 잘 통합되어 있다면, 이것이 한 요인일 수도 있지만(McGrath, 2007), 여기에는 교육기관의 교사 관리 및 교사교육에 시사하는 바도 있다.

2.5 교과서 없이 하는 교수활동

모든 교사가 교과서를 사용하는 것은 아니다. 원하는 교재는 무엇이든지 사용할 자유가 있는 환경에서 근무하는 자신감 있고 경험이 있는 교사들은 다양한 상업적 또는 실제 자료에서 가져온 교재를 사용하는 것을 선호하거나 또는 스스로 만들어서 사용하는 것을 선호할 수도 있다. 적절한 교과서가 없다고 느끼는 특수목적 교수활동을 하는 교사들, 특히 1:1수업을 하는 교사들은 선택이라기보다는 필요에 의해서 위와 같이 교재를 다양한 자료에서 찾거나 만들어야 하는 상황에 있기도 하다. 특정 시험을 대비해야 하는 교사들은 주로 기존의 시험에 근거해서 교수활동을 할 수도 있다. 또한 교과서에 바탕을 두지 않은 접근법 또는 교수법을 사용하는 교사들도 있을 수 있다. 예를 들어, 싱가포르에서는 교육부가 큰 책 함께 읽기shared reading of Big Books에 바탕을 둔 접근법을 선호하면서, 초등학교에서 영어교과서의 사용을 점차 줄여나가고 있다. 이 책들은 목표언어 항목을 학습하도록 하는 상황을 제공하고 토론과 쓰기 활동을 활성화시킨다; 추가적인 자원은 교육부에서 제공한다. 결국 이는 교과서에 대한 반대일 뿐만 아니라 교과서에 근거한 교수활동에 대해서도 반대하는 것이다. 또 다른 예는 1960년대에 나타난 세 가지의 혁신적인 '인본주의적' 교수법이다. 예를 들어, 집단 언어 학습법(Community Language Learning, CLL −Counseling Learning으로도 알려져 있다)은 학생들이 발화하고 선생님이 녹음해서 기록한 언어를 학습의 기초로 한다. 전신 반응법Total Physical Response, TPR과 무언 교수법Silent Way의 초기 단계는 완전히 말하기에 초점을 둔다; 전신 반응법에서 학습자들은 구두 지시를 따른다; 그리고 무언 교수법은 퀴즈네르 막대(원래는 수학을 위해서 만들어진 작은 색깔이 있는 나무 막대기)와 이 교수법을 위해 특별히 만들어진 다른 자료들, 예를 들어, 음소를 나타내는 색깔 블록을 포함한 소리/색깔 차트를 사용한다. (이러한 교수법에 대한 추가 논의를 살펴보기 위해서는 Stevick, 1980; Richards & Rodgers, 2001 참조) Richards(1985)는 교과서가 없다는 점이 이러한 교수법이 널리 퍼져나가는 것을 제한했다는 흥미로운 주장을 하기도 한다.

어떤 교육 상황에서는 전통적인 교수자원이 존재하지 않을 수도 있다. Gebhard(1996)는 이러한 상황을 Ed Black의 말을 인용해 설명한다: '저는 자메이카에서 중국인 이민자들에게 영어를 가르쳤습니다. 그곳엔 분필도 종이도

책도 없었어요. 저는 중국어를 몰랐고, 그들은 영어를 몰랐습니다'(p. 107). Gebhard는 다음과 같이 말한다:

> 이런 상황에 매우 익숙합니다. … 가르칠 때 사용할 교재나 미디어를 얻는 것은 종종 어렵죠. 하지만 … 저는 일상의 것들로 교재를 만들어 내는 도전을 즐깁니다. 예를 들어, 학생들에게 허공에 또는 땅에 쓰라고 가르칠 수도 있고, 구름이나(뭐가 보이나요? 난 말이 보여요) 접힌 나뭇잎이나 나뭇가지를(예를 들어, 방향을 알려주는giving directions 연습을 위한 마을을 만들기 위해서) 사용할 수도 있고, 숫자 세기를 연습하기 위해서 손가락을 사용할 수도 있습니다. (Gebhard, 1996: 107-8)

그는 또한 다음과 같이 덧붙인다:

> 어려운 환경에서 교육할 수 있는 행운을 가진 사람들은 유리한 고지에 있다고 믿습니다. 그곳에서는 자신의 창조적 자아와 깊게 조우하고 일상의 것들을 사용 가능한 교재로 바라보도록 도전을 받죠. 이 자체가 또 다른 교육이라고 생각합니다. 가르친다는 것은 무엇보다 사람들 사이에 무슨 일이 일어나는지에 관한 것이라는 것을 깨닫게 해주고, 우리 손끝에 교육을 위해 사용 가능한 수많은 교재들이 있다는 것을 깨닫게 해주는 교육 말이죠. (Gebhard, 1996: 108)

Gebhard의 열정은 전파력이 크다. 가르친다는 것은 본질적으로 사람 사이의 상호작용이라는 점, 그리고 교사는 그러한 상호작용이 유용하고 기억에 남을 수 있도록 사용 가능한 모든 수단을 온전히 활용할 수 있어야 한다는 것은 맞는 말이다. 또한 교수자원이 제한되었거나 전무한 상황뿐만 아니라 과밀학급과 같은 어려운 상황이야말로 책임감 있고 창조적인 교사의 최선을 끄집어 낼 것이며, 이러한 방식으로 교사의 전문성 개발에 도움이 될 것이라는 그의 말은 옳다. 하지만 그러한 상황에서 일하는 교사들 또는 이보다 교수자원이 더 없는 곳에서 일하는 교사들이 그들 스스로 '운이 좋다'고 느낄 지는 확실치 않다. 책이 있고 없고의 선택과 마주한다면 대부분의 교사들은 적어도 책이 또 다른 자원이라는 점에서 책이 있는 것을 선택할 것이다. 애석하게도 이러한 부분은 Gebhard 책의 2판(2006)에서는 빠졌고, 이는 상기 제시한 어려운 상황이 더 이상 존재하지 않는 듯한 인상을 준다. J. Hadfield와 C. Hadfield (2003a, 2003b)가 쓴 두 편의 짧은 논문에서는 주어진 자원이라고 할 만한 것이 '거의 없거나'(종이와 펜 그리고 칠판만 있는 상황) 또는 아무것도 없는 환경에서 일하는 교사들에게 좀 더 정확하고 실전에 도움이 되는 다양한 제안을 한다. 이 논문들은 또한 테크놀로지와 관련하여 교사가 원하고 필요로 하는 것에 대해 흥미로운 질문들을 던진다. 이러한 질문들은 4장에서 다룰 것이다.

그렇다면 우리는 이제 어떤 이유에서든지 교사가 한 교과목의 기초로서 교과서를 사용하지 않는 상황이 있을 수 있다는 것을 알게 되었다. 결국 중요한 것은 어떤 종류의 교재가 사용되느냐가 아니라 그러한 교재가 바람직한 학습의 결과를 성취하도록 돕느냐라는 것이며, 이것은 어느 정도는 교재가 어떻게 여겨지고 사용되는지에 달려있을 것이다.

3. 교사와 학습자

3.1 교사의 교재 및 학습자와의 관계

Bolitho(1990)는 교사, 학습자와 교재의 관계를 상징적으로 나타내는 네 가지 방식의 개요를 설명한다. 약간의 재편성을 거친 개요는 아래와 같다:

(i) Bolitho에 따르면 가장 일반적인 표현방식은 교재에서 교사, 그리고 교사에서 학습자로 가는 하나의 선이다(그림 1.1.):

이는 교사가 교재와 학습자 사이에서 중재하는 역할을 하는 것뿐만 아니라 학습자들은 교재에 직접적으로 접근할 수 없음을 나타낸다–학습자들은 교사를 통해서만 교재에 접근할 수 있다.

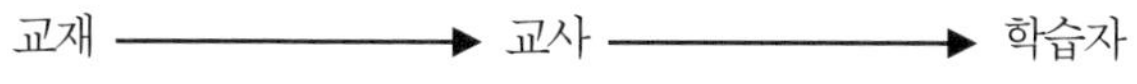

교재 ──────────▶ 교사 ──────────▶ 학습자

그림 1.1
(Bolitho, R. 1990. 'An eternal triangle? Roles for teacher, learners and teaching materials in a communicative approach'. In Anivan, S. (ed.) *Language Teaching Methodology for the Nineties* (pp. 22–30). Singapore: SEAMEO Regional Language Centre.)

다이어그램이 또한 암시하는 것은 당연히 교재는 외부에서 제공된 것, 즉 교사가 선정한 것이 아니라 교사에게 주어졌다는 것이다.

   (ii)   그림 1.2에서 교사와 교재의 관계가 변했다. 교사는 이제 교재와 동등한 위상을 갖는다.

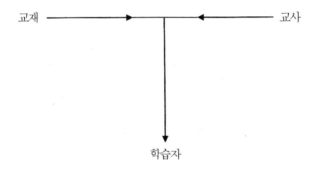

그림 1.2
(Bolitho, R. 1990. 'An eternal triangle? Roles for teacher, learners and teaching materials in a communicative approach'. In Anivan, S. (ed.) *Language Teaching Methodology for the Nineties* (pp. 22–30). Singapore: SEAMEO Regional Language Centre.)

Bolitho는 다음과 같이 설명한다: '교사와 교재는 학습자의 삶을 어렵게 만들려고 공모한(한 교사가 반농담식으로 얘기하듯이) 상위의superordinate 개념으로 여겨진다'(p. 23). 학습자와 교재 사이에 화살표가 없다는 점을 주목하라.

(iii) 세 번째 표현방식(그림 1.3)은 화살표가 원 안의 세 점 사이에서 양쪽 방향으로 향하고 있다. 이는 Bolitho가 언급하듯이 학습자가 교사를 통해서뿐만 아니라 직접 교재에 접근할 수 있는 것의 중요성을 인정한다는 점에서 위의 두 가지 방식과 명백히 다르다.

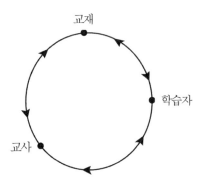

그림 1.3
(Bolitho, R. 1990. 'An eternal triangle? Roles for teacher, learners and teaching materials in a communicative approach'. In Anivan, S. (ed.) *Language Teaching Methodology for the Nineties* (pp. 22–30). Singapore: SEAMEO Regional Language Centre.)

세 번째 표현방식의 네 가지 측면에 대해서 좀 더 설명해 보자. 첫째, 교재가 외부의 자료에서 온 것처럼 보이지 않는다; 따라서 교재는 상업적 교재뿐만 아니라 교사가 만들었거나 학습자들이 제공한 것들을 포함할 수도 있다. 둘째, 교재는 다이어그램의 한 쪽에서는 교사와 학습자를 위한 자원으로서 표현되어 있지만, 또 다른 쪽에서는 교사와 학습자는 외부 교재의 영향력에서 자유롭다. 다시 말해, 그러한 외부 교재가 수업의 모든 상호작용을 결정짓지 않는다는 것을 암시한다. 셋째, 우리가 교재를 학습에 도움을 주는 모든 것이라고 생각한다면, 교사와 학습자 간의(또는 학습자 사이의) 자유로운 상호작용이 *참여자가 함께 만든*co-constructed 교재를 만들어 내고, 이러한 교재를 우리가 다이어그램의 빈 자리에 배치할 수 있기를 바랄 수도 있다. 마지막으로 이러한 원형의 표현방식은 우리가 교재를 순차적인 방식으로 취급할 필요가 없다는 점도 설명해 준다("3과를 끝냈습니다. 4과를 시작합시다."). 학습자와 교사 모두 이미 '끝낸' 것을 복습하기를 원할 수도 있다; 학습자들은 또한 다음 과에서 무엇이 다루어질지를 보고 싶어 할 수도 있다.

(iv) 겉으로 봤을 때는 아래에 그려진 삼각형(그림 1.4)은 (iii)의 원과 같아 보인다.

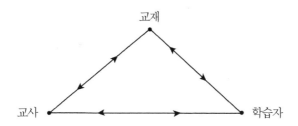

그림 1.4
(Bolitho, R. 1990. 'An eternal triangle? Roles for teacher, learners and teaching materials in a communicative approach'. In Anivan, S. (ed.) *Language Teaching Methodology for the Nineties* (pp. 22–30). Singapore: SEAMEO Regional Language Centre.)

하지만 모든 삼각형의 면이 다 똑같은 것은 아니다. 만약 밑면이 다른 두 면 보다 짧다면, 이는 교사와 학습자 모두 교재가 너무 어렵거나 또는 많이 사용 되지 않기 때문에 교재와 거리가 멀다는 것을 뜻할 수 있다. 반면에 만약 교 재와 교사를 잇는 면이 짧다면, 이는 교사가 교재와 가깝다고 느끼고 있음을 의미할 것이다. Bolitho가 설문 조사한 교사들은 위에 그려진 것과 같은 삼각 형은 위계를 암시하는 꼭짓점과 밑면이 있다는 점, 특히 교재가 장악하는 구 조라는 점을 지적하기도 했다; 한 교사는 위의 다이어그램이 '교사가 무언가 잘못되었을 때 교재(또는 학습자)를 비난해야만 하거나, 학습자들이 교사(또는 교재)를 비난하는 경향'(p. 23)을 보여준다고 느꼈다.
　이러한 논의의 중심에는 물론 교재에 대한 교사와 학습자의 태도가 있다. Richards(1998a, 131)는 교사에 의한 교과서의 '구체화'reification('탁월함, 권 위, 당위성이라는 성질을 부당하게 귀속시키는 것')의 위험에 대해 언급했는데, 특히 어떤 곳에서는 이러한 경향이 문화적 조건에 의해 더 강화될 수도 있다는 점을 덧붙이며 다음과 같이 설명했다: '교사들은 ... 교과서에 포함된 모든 것은 학생들에게 중요한 학습 요소이며, 저자가 제공한 설명(예, 문법규칙 또는 관용구에 대한 설명)이나 문화적 정보는 진실이고 따라서 문제제기 되어서는 안 된다고 가정하는 경향이 있다'(ibid.). 또한 '그들은 교과서를 개작할 권위나 지식을 가지고 있지 않다고 생각한다'(ibid.). 학습자들 역시 출판된 교재가 교사가 만든 것보다 더 권위가 있다고 여겨서 더 가치를 둘 수도 있다.

3.2 학습자의 새로운 역할

Bolitho(1990)는 교재, 교사와 학습자의 관계에 대해 다수의 중요한 논점들을 제시한다.

> 다른 무엇보다 교과서라는 것으로 대표되는 *교재*부터 이야기해보자. 교과서를 이야기 할 때 전통의 무게는 무겁다. 중세시대의 인쇄된 활자의 도래 이후로, 교육에 있어 교과서는 지식을 대표해 왔다. 교사가 교과서를 학급에 전달하는 것은 상징적 중요성을 담은 행동이다. 즉, '여기 교과서가 있습니다. 교과서에 있는 내용을 공부한다면 당신은 성공할 것입니다'를 암시하는 것이다. 이러한 전통은 여전히 전 세계적으로 놀랄 정도로 많은 대다수의 교육적 환경에서 유효하다. (Bolitho, 1990: 23)

이러한 전통에서 책은 교과목의 구성요소가 된다. 교사의 역할은 책을 가르치고 끝내는 것이다. 학습자들은 책에 있는 것을 기반으로 시험이 치러질 것을 (어떤 경우에는 본문에 있는 언어뿐만 아니라 내용에 대해서도) 안다. 책이 무엇을 가르치고 배울 것인가를 정의하는 것이다.

> 학습자들은 책을 집에 가져가서 같은 전통에서 교육을 받은 부모님의 도움을 받으며 복습하고, 성공을 위해 필요한 모든 자료를 공부했다는 자신감을

가지고 학기말 시험을 치를 수 있었다. 어휘목록과 문법규칙은 외워서 언어 능력 시험에 적용될 수 있었다. 문학 작품의 시험 지정도서는 외워서 문학 시험에 자유롭게 인용될 수 있었다. 언어를 배우는 것은 언어능력을 개발시 킨다기보다는 지식을 습득하는 것과 더 관계가 있었던 것이다. (Bolitho, 1990: 24)

의사소통 접근법의 도래와 함께 교재가 변화했고 교사와 학습자의 기대가 변했다. Bolitho는 다음과 같이 설명한다:

> ... 출판사, 방법론 학자 그리고 교과서 저자들은 교사들이 의사소통 중심의 교과서를 학습을 위한 무조건적 틀이라기보다는 한 과목을 가르치는 데 참고할 만한 자원 또는 수업활동을 위한 출발점으로 바라보도록 장려해 왔다. 하지만 학습자들에게 이러한 것을 이야기해 주기는 했는가? ... 학습자들은 왜 자신들이 특정한 방식으로 행동하도록 요구받는지 ... 그리고 어떻게 가장 효과적으로 학습할 수 있을지를 알 권리가 있다. 하지만 얼마나 많은 교사들이 수업에 들어가서 설명도 없이 학습자들이 자신들이 요구한 대로 행동하기를 기대하는가? (Bolitho, 1990: 24-5)

당연히 Bolitho의 주장은 옳다. 최근에는 많은 교과서가 '학습하는 법 배우기' 라는 부분을 포함하는데, 특히 학습자들에게 기대하는 바가 문화적 전통과의 단절을 의미할 때는 이에 대한 설명이 제공되어야 하며, 교사는 이러한 설명을 제공할 수 있는 최고의 위치에 있다. 이 요점은 학습자에게 더 많은 책임을 주고자 할 때 더욱 중요하다. 예를 들어, 이와 관련하여 다음과 같은 제안들이 있어왔다:

● 학습자는 교과서 평가와 선정 또는 교과서의 어느 부분을 학습해야 하는지에 대한 결정을 내리는 데 참여해야 한다.

● 학습자는 어떻게 수업 자료와 수업 외 학습자원을 독립적으로 사용할 수 있는지에 대해 지도를 받아야 한다.

- 학습자는 교과서와 그 외 교재의 내용을 비판적으로 다루도록 장려되어야 한다.

- 학습자는 수업에서 사용할 보충 교재를 제공해야 한다.

- 학습자는 다른 학습자가 사용할 수 있는 교재를 만들어야 한다.

(Wright, 1987; Clarke, 1989; Tudor, 1993; Deller, 1990; Campbell & Kryszewska, 1992 – 그리고 이 논문들과 다른 논문들에 대한 리뷰를 보려면 McGrath, 2002 참조)

이러한 제안의 기저에는 학습자가 자신의 학습을 어느 정도 통제했을 때, 그리고 무엇을 어떻게 학습할 것인가에 대한 결정권이 강요되었다기보다는 교사와 함께 또는 학습자 스스로 만들었을 때 학습동기가 향상된다는 믿음이 있다. 그러나 이러한 아이디어가 자리 잡기 위해서는 교사가 학습자와 책임을 나눌 준비가 되어있어야 하며, 학습자도 이러한 새로운 역할을 기꺼이 받아들여야 한다. 또한 교사와 학습자 모두 교재를 새롭게 바라봐야 한다. 7장에서 학습자와 교재라는 주제를 다시 다룰 것이다.

3.3. 교사의 역할

3.3.1 선택

한 종류 이상의 교과서가 사용 가능하거나 또는 교과목이 교과서가 아닌 다른 교재에 기반을 두고 있는 상황에서는 선택에 대한 필요가 존재한다. 선택은 일반적으로 좋은 것이라고 여겨지지만, 이는 간단한 일만은 아니다. 지금보다도 더 선택권이 없던 상황에서조차도 교과서 선정은 아래의 인용문에서 미국 교육자가 설명한 것처럼 다양한 요인들에 의해서 영향을 받을 수 있다.

판매업자의 넥타이 색깔, 바지의 주름, 제본과 삽화의 아름다움, 그리고 참견 많은 행정 직원의 의견, 이 모두가 책을 선정하는 데 중요한 요인이다.

더 결정적인 것은 저자와 출판사의 명성 그리고 현재 많은 곳에서 사용되는
지의 영향력이다. (McElroy, 1934: 5)

McElroy 이후 거의 반세기가 지났음에도 여전히 영국 평론가들은 교사들이
교묘한 마케팅(Brumfit, 1979)이나 화려한 표지(Grant, 1987: 119)에 속지 않
도록 경고하고 있다; 판매액(Sheldon, 1988)으로 증명되는 인기, 또는 가장
잘 팔리는 교과서의 주요 출판사나 저자의 명성 역시 교과서의 품질을 보증하
는 것으로 여겨지고 있다. 그러나 McElroy는 '저자가 유명하거나 그렇지 않
거나, 출판사가 힘이 있거나 또는 무명이거나, 마지막 결정 요인은 책 그 자
체여야 한다는 것, 즉 책이 어떤 내용을 담고 있으며 어떻게 교수 자료를 제
시하고 있는지여야 한다는 것'(ibid.)을 확신한다.

많은 것들이 책의 선정에 달려있기 때문에 선정 과정에 주의가 필요하다.
McElroy는 다음과 같이 지적한다:

새로운 책으로 무턱대고 실험을 하는 것은 그 대가가 값비싸다. 예전에는
교육위원회가 책을 선정하는 데 있어 단독 책임을 졌다. 오늘날의 규모가
더 커진 학교 체제에서는, 교육감, 교장, 또는 장학사가 실질적으로 마지막
결정 권한을 갖는다. 좀 더 선호되는 방식은 이러한 권한을, 법적 권한을
책임지고 있는 사람들뿐만 아니라 교사도 포함하여 구성된 소규모의 교과
서 위원회에 위임하는 것이다. (McElroy, 1934: 5-6)

이 인용문의 첫 부분에 언급된 잘못된 결정을 내렸을 경우의 경제적 여파도
하나의 고려 대상이다. 교육기관이나 학부모가 교과서가 다시 사용될 것이라
는 기대를 가지고 구입하는 경우에는, 교과서는 투자의 일종으로 여겨진다.
부적절한 교과서의 선정은 교사에게도 영향을 줄 것이다. 새로운 책이 채택될
때마다 교사는 교과서와 익숙해지기 위해 시간을 보낸다. 만약 교과서가 적절
하지 않다고 판단되면 그 부적절함을 메우기 위해서 더 많은 시간이 필요할
것이다. 더군다나 학습자들에게 부적합한 교과서는 학습자원으로서의 가치가

제한적이다. 만약 교과목이 하나의 교과서에 기반하지 않는다면 문제는 덜 심각하지만, 소중한 시간이 여전히 낭비되었으며 학습할 기회도 없어졌고, 적합한 교재를 찾기 위한 노력이 다시 시작되어야 하는 것이다.

　　적어도 이론상으로는 적절한 과정이 있다면 잘못된 선택은 피할 수 있다. 상기 제시된 인용문에서 보았던 것처럼, 1930년대 미국에서 '선호했던 방식'은 교재 선정을 교사들을 포함하는 소규모 위원회로 위임하는 것이었다. 오늘날 교재는 교육기관의 관리자, 한 그룹의 교사들, 또는 특정 수업을 가르치는 교사에 의해 선정될 수 있다. 후자의 경우, 잘못된 결정의 영향력은 소수의 사람들에게 영향을 미칠 것이지만, 여전히 그 영향력은 클 것이다. 따라서 교사는 정보를 잘 알고 교재 선정을 결정하거나 또는 결정에 영향을 줄 수 있어야 한다. 3장에서 교과서 선정 과정과 교재 평가에 대하여 살펴볼 것이다.

3.3.2 관리

상업적 교과서는 가능한 많은 사람들의 관심을 끌 수 있도록 쓰인다. 심지어 국정교과서도 다양한 학습자, 교사와 학습환경을 어느 정도는 고려해야만 한다. 따라서 우리가 특정 교사와 학습자들을 위한 완벽한 교과서는 존재하지도 존재할 수도 없다는 것을, 그리고 교과서는 기본적으로 *리소스북*으로 여겨져야 한다는 것을 인정한다면, 교과서에서 무엇을 어떻게 사용할지를 결정하는 책임은 교사에게 있게 된다:

> 교과서는 처음부터 부여되지 않았던 권한이 있는 것처럼 여겨져서는 안 되며 따라서 학습에 '도움이 되지' 않는다고 비난받을 필요도 없다. 이보다는 교과서는 학습할 부분이나 학습방법에 대해서 알려주는 친절한 지침서로서, 그리고 자신이 가르치는 학생들과 그들의 특정 필요를 가장 잘 '아는' 교사가 언제든지 조정할 수 있는 것으로서 여겨져야 한다. (Acklam, 1994: 13)

요약하면, 수업을 어떻게 진행할지를 관리하거나 운영하는 것은 교사이지 교과서가 아니며, 그러한 권한을 실행하는 방법 중 하나는 교과서를 창조적으로 사용(또는 Acklam의 용어로는 '조정')하는 것이다.

3.3.3 창의성

특수목적영어에 대해 집필하면서, Dudley-Evans와 St. John(1998)은 '영어교육 실무자는 교재를 잘 제공할 수 있어야 한다'(pp. 172-3)고 했다. 그들에게 교재를 잘 제공한다는 것은 다음과 같은 능력이 있어야 한다는 것을 의미한다:

1. 이용 가능한 것들 중에서 적절하게 선택하는 능력
2. 이용 가능한 것을 창조적으로 사용하는 능력
3. 학습자의 필요에 맞게 활동을 변경할 수 있는 능력
4. 추가 활동(그리고 추가 입력)을 제공하는 것을 통해 보충하는 능력.
    (Dudley-Evans & St John, 1998: 173)

영어교육 실무자의 이러한 능력은 특수목적영어에만 국한된 것이 아니고 모든 영어교육에 적용 가능하며, 앞 절에서 밝힌 교사의 역할과 매우 일치한다: (1) 즉, 교사의 역할은 이미 제공된 교재(예, 교과서)에서 잘 선택하거나, 만약 가능하다면 적절한 교과서를 선정하는 것으로 이해될 수 있다; (2) 교사의 역할은 또한 교재에서 무언가 새로운 것을 얻어내는 것, 즉 활용하는 것을 말하며; (3) 개작하는 것과; (4) 목표언어에 더 많은 노출이 있을 수 있도록 그리고 더 많은 연습의 기회를 줄 수 있도록 보충하는 것을 의미하는데, 다른 출판된 교재에서 빌려오는 것이 아마 가장 소극적으로 보충하는 방법일 것이다. 네 번째 방법은 실제 자료를 선택해서 적절하게 활용 가능한 활동을 만들거나 또는 연습문제지나 과업과 같은 완전히 새로운 연습 자료를 만드는 것으로 확장될 수 있다. Samuda(2005: 236)가 인용한 홍콩 중등학교 교사들을 위한 교육과정 문서에는 다음과 같이 명시되어 있다: '모든 영어교사는 다양한 교재에서

적절한 과업을 선정하고 개작하거나 또는 자신이 가르치는 학습자를 위해 과업을 개발할 책임을 가지고 있다'(Curriculum Development Council, Hong Kong, 1999: 48). Samuda(ibid.)는 또한 다음과 같이 덧붙인다: '교육과정 문서에서 명확하게 드러난 것은 재설계redesign하거나 또는 새롭게 만들어내는 original design 능력 모두 제2언어 교사의 "일반적인" 전문성 목록에 포함될 것이라는 것이다.' Dudley-Evans와 St. John의 교사 역할에 관한 목록에는 새로운 교재를 만들어 내는 것에 대한 언급은 없다. 실제로 그들은 '특수목적영어의 오류 중 하나는 교사는 자신만의 교재를 집필해야 한다는 것이었다'라고 명확하게 언급한다. 그럼에도 불구하고 교재를 창조적으로 개발하는 것은 그들이 명시해 놓은 일련의 교사 역할 전반을 관통한다; 교과서의 특정 부분을 사용하지 않겠다는 결정 역시 교재를 개조reshaping하거나 재설계하는 활동으로 여겨질 수 있는 것이다. 이에 대해 Madsen과 Bowen은 다음과 같이 설명한다:

> 모든 교사는 진정한 의미에서 자신이 사용하는 교과서나 교재를 개작하는 자이다. ... 교사가 책에 없는 예를 첨가하거나 학생들에게 '짝수로 된 문제만 준비해오라는 숙제를 내줄 때에도 그는 개작을 하는 것이다. 교사가 앞에서 이미 다룬 연습문제를 언급할 때에도, 그가 보충 사진, 노래, 실물 교재 또는 보고서를 소개할 때에도 그는 개작을 하는 것이다. (Madsen & Bowen, 1978: vii)

경험이 쌓이면서, 모든 교사는 본능적으로 Madsen과 Bowen이 설명한 다수의 또는 모든 방식으로 교재를 개작할 것이다. 하지만 만약 우리가 교사들이 상기 제시된 것과 같은 낮은 수준의 개작 또는 보충을 넘어서서 창조성, 전문성 그리고 시간 차원에서 좀 더 어려운 방식으로 교재를 다룰 수 있기를 희망한다면, 우리는 그 필요성에 대해 그들을 설득하고 자신감과 기술을 개발할 수 있도록 도움을 제공해야 할 것이다. 이와 아울러 그들에게 학습자는 교재와 가르침을 받기만 하는 존재라기보다는 적극적인 파트너라는 점을 받아들일 수 있도록 격려해야 할 것이다. 따라서 교사교육의 필요성은 명백한 듯하다.

4. 교재 평가와 개발에 대한 교사교육

4.1 필요성

교재 평가와 개발에 있어 교사교육의 필요성과 초점은 교사의 역할에 대해 논한 앞 절에서는 명확하게 드러나지 않았을 수 있다. 하지만 이에 대한 중요성은 이미 충분히 인지되어 왔다. 교사의 필요에 대한 인식을 살펴본 국제 설문연구(Henrichsen, 1983)에서는 미국 및 30개가 넘는 다양한 국가에서 근무하는 500명의 교사와 고용인에게 설문을 실시했다. 설문 참여자들은 8개의 그룹으로 나누어진(예, 교육학, 언어학, 문학, 제2언어/외국어로서의 영어교수방법론, 영어교육교재) 60개의 설문 문항(예, 교육심리학, 미국문학, 문화 간 이해, 변형문법, 전신 반응법)의 중요성을 평가해야 했다. 영어교육교재는 교재 선정과 평가 그리고 교재 개발과 제작이라는 두 개의 문항으로 구성되어 있었다. 총 30개 국가에서 153명으로부터 설문을 회수했으며(31% 회수율), 이들의 응답은 다양한 측면에서 분석되었다. 전체적으로 교재 선정과 평가에 대한 교육이 미국 외 지역에서 응답한 참여자들에게는 가장 중요한 것으로 평가되었고, 모든 참여자들을 고려했을 때는 두 번째로 중요한 것으로 여겨졌다. 참여자들의 교육기관 유형과 지역으로 나누어 분석했을 때, 교재 선정과 평가는 교재 개발과 제작보다 '상당히' 더 중요하게 여겨지고 있음을 알 수 있었다.

교재와 관련하여 교사교육의 중요성에 대해 교사와 고용인들이 던진 이 강력한 메시지는 Cunningsworth(1979)의 관점을 다시 확인시켜 준다. Cunningsworth는 'EFL 교사교육 과정에서 연수생들은 수업 교재를 평가할 때 무엇을 살펴봐야 하는지를 배워야 하고, 새롭거나 익숙하지 않은 교재와 맞닥뜨렸을 때 전문적 판단을 내릴 수 있는 기준을 스스로 개발할 수 있도록 도움을 받아야 한다'(p. 31)고 강조한다. Hutchinson과 Torres(1994)는 그러한 교사교육 프로그램이 다룰 내용은 광범위해야 한다고 말하며, '모든 교사교육의 핵심 특징'은 교사가 '교과서를 제대로 평가하고, 수업에서 잘 활용하며, 필요할 때는 개작하고 보충할 수 있도록'(p. 327) 돕는 것이어야 한다고 주장한다. Richards(2001b)는 '교사는 *실제 자료를 사용하고 자신만의 교재를 만들어 내는 것뿐만 아니라* 교과서를 개작하고 변경하는 교육과 경험이 필요하다'(p. 16, 강조 추가)고 덧붙인다. 상기 학자들이 제시한 교사교육의 필요성은 앞 절에서 Dudley-Evans와 St. John(1998)이 설명한 필요성과 완벽히 일치한다. 아주 오래 전에 McElroy(1934)는 공식적인 교사교육 및 경험의 가치에 대해 생각하면서, 다음과 같이 이야기했다: '교사교육이 증가함에 따라 교과서의 중요성은 줄어든다'(p. 5). 교재 평가와 개발에 있어 교사교육에 대한 주장으로서 이 말은 그 당시만큼이나 지금도 유효하다.

4.2 교사교육 제공

이러한 요구에도 불구하고 교재 연구는 예비교사교육 프로그램에서조차도 보편적으로 인정되는 핵심 구성요소로서 여겨지지 않는다. Fredriksson과 Olsson(2006)의 소규모 연구에서 영어 및 다른 언어를 가르치는 4명의 스웨덴 경력교사들은 '교재와 관련된 지침서나 문헌을 들어본 적이 없다'(p. 7)고 했고, 저자들은 스웨덴에서는 '교재 평가는 ... 잘 알려진 개념이 아니라고'(ibid) 결론 내렸다. González Moncada(2006)는 콜롬비아의 12개 대학의 교사교육 과정을 설문 조사했는데, 자신의 대학 외에 한 대학만이 교재에 대한 교육을 제공하고 있다는 것을 발견했다. Bahumaid(2008)는 아랍만 국가의 상황에 대해 보고하면서 사르자아메리칸 대학의 TESOL 대학원 프로그램에는 교재 제작 과정이 있지만, 오만Oman의 술탄콰부스 대학, 아랍에미리트연합 대학 그리고 쿠웨이트 대학의 TESOL 대학 및 대학원 프로그램에는 비교할 만한 과정이 없다며, 이 지역의 교사와 장학사에게 교재 평가와 개발을 위한 교육 프로그램이 필요하다고 결론 내린다. 좀 더 일반적인 관점에서 서술하면서, Canniveng과 Martinez(2003)는 '교사교육 과정에서 이 분야는 중요하게 여겨지지 않거나(때로는 무시된다고)'(p. 479) 주장한다.

　　이러한 명백한 부재에 대한 가능한 설명 중 하나는 교재가 좀 더 큰 그림에서 하나의 요소로 다루어지거나(예를 들어, '교육과정개발'이나 '교수요목계획'을 다루는 교과목 안에서), 또는 Tomlinson(2001)이 제시했듯이, 방법론의 하부 항목으로 여겨진다는 것이다. Block(1991)이 '교재 선정, 개작 그리고 개발은 저절로 될 것이라는 가정이 있는 듯하다'(p. 211)고 언급했을 때, 그는 영어교육 문헌의 빈틈에 대해 생각하고 있었는데, 어쩌면 언어 교사교육을 지칭하고 있었을 수도 있겠다. 이 책에서 내가 주장하고자 하는 바는 만약 교사가 Dudley-Evans와 St. John(1998)이 제시한 교사의 역할 중 단지 세 가지만을 수행해야 한다고 하더라도-주어진 것 중에서 적절히 선택하고, 이용 가능한 것을 창조적으로 사용하고(즉, 잘 활용하고), 학습자의 필요에 맞게 활동을 변경하고-여전히 교사들은 교재 개발 관련 수업의 형태로 도움을 받아야 하고 실제 연습이 필요하다는 것이다. 만약 교사들이 추가 활동을 제공하며 핵심 교재를 보충해야 한다면(Dudley-Evans와 St. John이 제시한 네 번째 역할을 최소한 적용시켜서), 또는 몇몇 저자들이(예, Block, 1991; Richards, 1998a; Tomlinson, 2003c; Jolly & Bolitho, 2011) 지지하는 바와 같이 그리고 홍콩에서는 필수화된 것과 같이 교사들이 자신만의 교재를 만들어야 한다면, 교사교육의 필요성에 대한 주장은 더욱 강력해진다. 4장과 10장에서 교사교육에 대한 주제로 돌아올 것이다.

제1부

외부 관점:
'이론'

2장

출판사와 교과서 저자 관점

우리도 출판사처럼 혁신과 원칙에 입각한 교수방법에 관심이 있었다; 하지만
우리의 관점은 달랐다.

(Mares, 2003: 136)

교과서를 사용할 때 ... 교사는 교과서 출판 과정에서 잃어버렸을 수도 있는
독창성을 다시 찾아야 한다.

(Richards, 2001b: 14)

1. 서론

상업적으로 출판을 한다는 것은 복잡한 비즈니스이다. 비즈니스인 이유는 출
판사가 기본적으로 금전적으로 이득을 보는 것에 동기 부여가 되어 있기 때문
이다. 복잡한 이유는 서로 매우 다른 역할을 하는 많은 사람들이 연관되어 있
고 너무나 많은 요소들을 고려해야 하기 때문이다. 이는 특히 교과서 패키지
에 해당하는 얘기이며, 특별히 수많은 나라에서 판매되도록 목표한 교과서(소
위 말하는 글로벌 교과서)일 때 더욱 그렇다.

이 장에서 우리는 상업적 교재 개발의 과정을 두 가지 주요 관점, 즉 출판사(또는 출판사를 대표하는 이들)와 저자의 관점에서 살펴볼 것이다. 2절은 개발 과정에 대해서, 특히 개발 단계와 이와 관련된 사람들을 참조하여 간략히 설명할 것이다. 3절은 일반적으로 출판 전에 진행되는 다양한 연구의 형태를 논할 것이다. 4절은 최종 결과물을 결정하는 제약과 타협에 대해 탐구할 것이다. 5절은 교재의 최종 사용자로서 교사에 대한 주로 저자의 관점을 제시할 것이다.

교육기관(즉, 비상업적인) 교재 개발에 대한 논의는 Hidalgo, Hall과 Jacobs(1995), Tomlinson(2003a), Alexander(2007), Harwood(2010a), Tomlinson과 Masuhara(2010a)가 편집한 책과 Carroll과 Head(2003) 그리고 St. Louis, Trias와 Pereira(2010)가 쓴 논문에서 찾을 수 있다.

2. 개발 과정

ELT 교재 출판사들은 교과서, 사전 그리고 문법책에서 가장 많은 돈을 번다. 출판사들은 다른 유형의 교재를 집필하는 유망한 저자들의 접근(자발적 제안)에 관대한 편이지만, 교과서와 관련해서는 적어도 주요 출판사들의 경우 그들이 알고 있는 저자들에게 새로운 시리즈를 의뢰해서 안전하게 가거나 또는─돈이 좀 덜 드는 선택으로서─인기 있는 시리즈의 신판을 출판하려는 경향이 있다.

출판사 입장에서 개발 과정의 가장 중요한 것은 일반적으로 커미셔닝 commissioning 편집장 또는 프로젝트 개발 편집장으로 알려진 사람이다(원고가 접수되었을 때 원고를 꼼꼼히 살펴보는 일을 하는 데스크 편집장이나 교열 편집장과 혼동해서는 안 된다). Wala(2003a: 58)가 설명했듯이 프로젝트 개발 편집장은 '균형을 유지하고 프로젝트가 반드시 출판으로 진행될 수 있도록 하며, 교재 개발 프로젝트의 버팀목 역할을 한다. 프로젝트 개발 편집장은 또한 저자가 집필한 내용, 그리고 레이아웃, 디자인, 삽화, 마케팅과 프로모션을 통한 교재 내용의 발현, 이 둘 사이의 필터이며 중요한 연결고리의 역할을 한다.' 이러한 설명이 암시하듯이, 프로젝트 개발 편집장은 한 명 이상의 데스크 편집장과 디자이너를 포함한 팀을 감독하고, 이와 함께 프로젝트의 처음부터 출판 후의 단계까지 꾸려나간다.

새로운 교과서 프로젝트의 경우, 초기 단계는 시장분석과 계획을 포함한다. 그 후 저자에게 제안서를 제출하라고 한 후 검토를 맡긴다. 제안서가 승인이 되면(이는 시간이 좀 걸릴 수도 있다) 계약을 하고, 본격적으로 집필이 시작된다. 이 기간 동안 저자(들), 편집자 그리고 제작팀의 일원, 특히 디자이너가 빈번히 연락을 하게 되고, 교재는 수정된다. 교재의 견본을 검토하고, 시범적으로 사용해 보는 과정을 거치며, 주요 시장(들)을 방문하고, 추가 수정 작업이 이루어진다. 끝이 보인다. 이제 인쇄된 교재의 교정쇄가 나오고 저자들이 이를 확인하게 된다. 다시 변경을 하고, 초고는 서점과 학술지 논평가들에게 보내지고, 홍보 간담회와 방문이 시작된다.

Wala(2003a)는 '교과서는 교과서가 해야 하는 것 때문에 교과서이다'(p. 60)라고 강력하게 주장한다. 여기서 교과서가 해야 하는 것은 특정 상황에서 특정 역할을 수행하는 것이다. 이 관점에서 봤을 때 만약 교과서가 성공하지 못한다면 이는 특정 상황에 부적당하거나 부적절했기 때문이다. 따라서 세심한 연구가 필요하다는 것은 자명하다.

3. 출판 전 연구

3.1 시장분석

아래에 오스트리아의 고교 수준의 비즈니스 학교를 위한 *Focus on Modern Business*를 출판하려고 한 회사의 결정 이면의 생각에 대해 설명되어 있다.

무엇보다 오스트리아의 고교 수준 비즈니스 학교의 시장 크기가 꽤 크다. 두 번째로, 이 시장에 대해 정부가 정한 책 가격의 한도가 비교적 높다. 또한 경쟁은 약했고, 이 책의 1권이 출판될 무렵에 새로운 교수요목이 막 도입되었다. 마지막으로 시장조사에 따르면 교사들이 - 이들은 어떤 책이 학교에서 사용될지를 정한다 - 새로운 교과서를 기다려 왔다는 것이 명백했다. 그 결과 기대한 매출액과 수익 견적이 꽤 높았다. (Pogelschek, 2007: 101)

상기 제시한 시장분석의 예는 잠재적 판매(시장의 크기와 예상되는 수요와 관계있는), 이윤의 폭, 그리고 시장 점유율과 같은 요인들을 강조한다. 물론 시장분석은 이를 넘어 최종 사용자(교사와 학습자)의 구체적인 특성을 살펴볼 수도 있다. 미국영어 회화 교재를 위한 일본 시장을 묘사하면서, Richards (1995)는 말하기 능력이 일본의 대학입학시험에서 평가되지 않기 때문에, 학교에서 회화책에 대한 수요가 거의 없다는 것에 주목한다. 따라서 주요 시장은 전문대학, 대학 그리고 사립어학원이라고 할 수 있는데, 이러한 기관에서 '교사는 보통 영어 원어민이고, 이 중 몇몇은 교사연수를 거의 받지 않았거나 아예 받지 않았으며' 그 외 '다른 사람들은 영어실력이 다양한 일본인 교사들이다'(p. 95). 이 특별한 경우에 있어, 출판사는 '일본 그리고 관련된 시장을 위한 회화 교재 분야에서 시장 주도 출판사로서의 현 지위를 유지할 수 있도록'(p. 96) 출판을 하기로 이미 결정을 내렸었다. 따라서 핵심 질문은 무엇이 필요한가였다. 이 질문에 답을 하기 위해 다양한 방식으로 다양한 자원 - 일본, 대만, 한국의 교사; 출판사의 마케팅 담당자; 자문위원(새로운 교재가 사용될 법한 교육기관에서 일하는 경력교사); 그리고 자문위원들을 통해서 얻게 된 학습자들의 관점 - 을 통해 정보를 모았다.

그렇다면 좀 더 넓은 관점에서 보자면, 시장분석이란 책이 출판되었을 때 잠재적으로 이익을 낼 수 있을 만큼 충분히 큰 잠재적 시장이 있는가, 그리고 이러한 시장의 본질은 어떠한가를 보여준다고 하겠다. 당연히 그러한 잠재적 시장이 더 넓을수록 더 좋다. Amrani(2011)가 말하듯이, 출판은 '기본적인 최소한의 소비자 기대를 저버리지 않으면서 투자 대비 가능한 가장 큰 수익을 가져다 줄 수 있는 교재를 개발하는 것에 관한 것이다'(p. 273).

3.2 저자 연구

저자들이 진행하는 연구의 유형은 그들의 시장에 대한 사전 지식과 교재의 본질에 좌우될 것이다. 시장이 생소하지만 잠재적인 보상이 충분이 크다면, 이러한 연구는 긴 과정이 될 수 있다. Greenall(2011)은 중국 중학교와 고등학교를 대상으로 한(거대한 시장) 책 시리즈를 개발했던 첫 4-5년 동안, 중국의 편집장, 출판사와 교수들과 '21세기 중국이 필요로 하는 영어'에 대해 논의하고 '중국의 교수 및 출판의 전통'에 대해 연구하면서 많은 시간을 보냈다고 언급한다.

Wala(2003b)는 저자와 교사 간의 접촉을 포함하는 이러한 연구의 필요성을 강조하는데, 이때 교수활동에 대해 *제안*을 하는 교육과정 설계자, 교수요목 디자이너 및 교과서 저자, 그리고 이러한 제안을 실제 도입해야 하는 교사 사이에 내재하는 긴장감이 있음을 지적한다.

> 교수요목 디자이너와 교육과정 설계자는 미래를 바라본다. ... 그들은 이상[,] ... 추상적인 것[,] ... 목표 [그리고] 결과를 염두에 두고 일한다. ... 반면 교사는 현재에 발을 디디고 있다. 그들은 오늘의 교육과정, 체제와 학교환경 속에서 오늘의 수업에서 오늘의 학습자를 가르쳐야 한다. 교사에게 교수요목은 이론이며, 교과서는 교수활동을 가능하게 하는 매뉴얼이다. 교사는 수중에 몇 년 전에 개발된 교과서를 가지고 그들 앞에 있는 실제 현실과 마주하며 일한다. 이러한 상황에서 교사는 교재를 평가하게 될 것이다. 교재 개발자는 일종의 중간 지대를 차지하고 있다─ 즉, 교재는 미래의 교육목표를 달성하고자 하는 관점을 가지고 내일의 수업을 가르쳐야 할 현재의 교사의 필요에 답을 해야 한다. 이러한 서로 다른 구별되는 지점을 보았을 때, 교재 개발 과정에 대화의 요소를 가지고 있는 것은 중요하다 ... (Wala, 2003b: 157)

저자들은 또한 영어교육 문헌을 살펴보거나 언어사용에 대해 연구할 수도 있다. 주로 일본 시장을 대상으로 회화 능력에 대한 책을 계획할 때, Richards (1995)는 이미 존재하는 회화책과 대화 전략에 관한 문헌을 살펴보았다. 오늘날 많은 저자들은 교재 속의 예가 실제 언어사용을 반영하는지 보장하기 위해 인터넷을 사용하여 어휘빈도나 용어색인concordances을 확인할 것이다. 인터넷은 또한 교재의 본문을 위한 이상적인 자원이기도 하다. "'google'이 승인된 동사가 된 작금의 세상에는, 나중에 사용하기 위해 아껴둔 누런 신문 기사와 잡지로 가득 찬 파일과 상자의 시절은 끝났다'(Prowse, 2011: 167). 웹 본문은 또한 쉽게 저장하고 편집할 수 있다는 장점이 있다(Sharma, Prowse, 2011에서 재인용).

3.3 피드백 받기

3.3.1 검토자

출판사는 프로젝트의 본질에 따라 다양한 단계에서 다양한 목적을 위해 검토자를 사용한다. 출판을 하겠다고 자발적으로 제안한 경우, 검토자들은 제안서의 교육적 가치와 상업적 잠재성에 대해서 평가하도록 요청받고, 이때 부정적인 평을 받는다면 출판은 정중히 거절될 것이다. 위탁받은 프로젝트는 매우 다르게 다루어질 것이다. Richards의 회화책 레벨 1의 초안은 일곱 명의 검토자에게 보내졌다(Richards, 1995). 편집장이 그들의 평을 요약했고, 일본 시장에 '기능적 교수요목에 기반을 둔 책이 넘쳐난다'는 것을 지적했으며, 자신의 의견도 덧붙였다:

> 언어의 기능에 따라 정리된(예, 장소와 방향, 도시와 장소, 레저와 오락) … 단원들은 저에게는 가장 흥미가 없는 부분이었습니다. 학생들에게 정말 흥미가 있을 주제에 기반을 둔 단원들(음악, 영화, 텔레비전, 휴가 중)은 … 현재 시장의 추세와 가장 비슷합니다.

이 원고가 가야 할 방향은 명백합니다: 좀 더 주제에 기반을 둔 단원들, 좀 더 현실적인 내용 그리고 학생들의 세상에 좀 더 초점 맞추기 ... 몇 가지 빠진 중요한 주제들이 있습니다: 예를 들어, 데이트 하기, 여행, 관습, 직업, 환경문제, 대학생활, 학생들의 생활방식, 다른 나라에서 해야 할 것과 하지 말아야 할 것. 이 중 몇 가지는 레벨 2에 더 적절합니다. 다른 것들은 이 책에 있는 단원의 초점이 될 수 있습니다. (Richards, 1995: 106-7에 인용된 편집장)

단원의 수를 20단원에서 15단원으로 줄이고 완전히 새로운 단원 몇 개를 집필하는 결정이 내려졌다. Richards는 두 번째 원고의 60%가 새로운 내용이었다고 추측한다.

테크놀로지의 발전은 출판사와 검토자 사이의 의사소통이 이제 과거보다 훨씬 더 빨라졌음을, 따라서 개발 과정이 가속화되었음을 의미한다. 교재는 이제 검토를 받기 위해 PDF나 워드파일의 형태로 이메일 첨부를 통해서 보내지고, 이에 대한 평은 보통 워드의 변경추적기능을 사용해서 같은 방식으로 돌려받을 수 있다. 전자출판의 진보는 또한 검토를 받기 위해 보내지는 교재가 완성된 상태에 훨씬 더 가깝다는 것을 의미하기도 한다.

교과서 교재를 위한 검토자는 교재가 얼마나 자신의 상황에 효과적일지 평가할 수 있는 경력 교사, 그리고 특정 이론적 또는 연구 관점에 영향을 받은 교수를 포함할 수도 있다. 이 두 유형의 검토자에게 교재의 일정 부분뿐만 아니라 이론적 근거와 내용 목차의 형식으로 기본 배경 정보가 보내질 것이고, 피드백지를 완성하도록 요청될 것이다(Amrani, 2011). 이는 표준형식으로 되어 있기 때문에 쉽게 하나의 보고서로 편집할 수 있다.

3.3.2 파일럿하기Piloting

교과서 제작에 드는 비용을 감안하면 우리는 출판사가 완전히 제작에 들어가기 전에 교재 초안을 파일럿함으로써(또는 실제 교육 현장에서 시험해 봄으로써, field testing) 위험을 최소화하고자 한다는 것을 예상할 수 있다. 그러나

Richards(1995: 100)는 다음과 같이 이야기 한다: '최근에 개발 및 제작 비용으로 미국 달러로 적어도 50만 달러를 들여 출판되었지만 출판하자마자 실패로 판명된 주요 교과서 시리즈 몇 가지를 떠올릴 수 있다.' 각 경우마다 이유는 같았다: '출판사와 저자 모두 자신들이 해야 할 일을 하지 않았다—즉, 그들이 계획하고 있었던 교과서가 정말로 교사와 학습자들의 필요에 부응하는지 확인하기 위해 최종 사용자와 상의하는 것에 실패했던 것이다.'

Pogelschek(2007)은 오스트리아 시장을 위해 *Focus on Modern Business*를 제작할 때 '거의 어떤 연구도 고려하지 않았음을' 인정한다. 파일럿은 하지 않았으며 '교과서의 권위, 다양한 교수teaching 스타일, 교과서에 대한 교사의 태도, 교과서의 잠재적인 이미지와 역할, [또는] 교육 자료의 디자인 과정'(p. 103)에 대해 전혀 고려하지 않았다. 그렇다고 연구를 하나도 하지 않았다는 것은 아니다: '저자와 조언자들과 논의한 전형적인 주제에는 주제의 영역, 지문의 길이, 연습문제 유형, 내용의 순서'가 있었는데, 이렇게 제안된 주제의 정당성은 깊이 있게 고려되지 않았다. '이전의 다른 모든 교과서처럼 *Focus on Modern Business*를 제작하자는 암묵적 동의가 있었던 듯했다'(p. 104). 이에 대한 이유 중 하나는 시간의 압박이었다. Pogelschek이 언급한 유형의 연구를 하지 않았음에도, 첫 아이디어를 내고 초고를 제작하기까지의 기간은 49개월, 즉 4년이었고, 시장에서 기선을 제압하기 위해서 책은 새로운 교수요목이 발표되었을 때 출판되었어야 했다.

Donovan(1998: 186)은 검토와 파일럿하기 간의 차이를 명확하게 설명한다:

연습문제와 과업뿐만 아니라 주제와 내용은 교재가 실제로 사용 중일 때에만 제대로 판단될 수 있다. 평범하고 예측 가능하게 보이는 내용 목차도 적절한 본문과 과업을 선정하거나 구성할 수 있는 저자의 능력을 통해서 실제 교재 속에서 활기를 띨 수 있다. 또한 수업에서 이들을 사용할 때에만 우리는 이러한 교재가 학습자들에게 매력적인지, 그들의 필요와 관계가 있는지, 그리고 그들의 흥미와 참여를 촉진시킬 수 있는지를 알게 될 것이다.

파일럿하기는 출판사와 저자(그리고 그들의 교재)에게 다양한 방식으로 혜택을 준다. 예를 들어, 파일럿하기는 유행의 선도자로 알려진 파일럿하는 사람들piloters 또는 검토자들을 통해서 시장에 새로운 교재의 인지도를 높이는 방법이다. 이는 또한 판매개발팀의 의식을 고취시키고, 이들이 잠재적인 고객을 참여시키도록 함으로써 교재가 고객의 필요를 감안할 수 있도록 장려하는 방법이다(Amrani, 2011). 무엇보다 파일럿하기는 교재를 '확인하는' 기회이다(Donovan, 1998). 파일럿하기를 통한 피드백은 두 가지 차원에서 얻을 수 있다. 즉, (1) 교재가 목표 교육환경의 주요 특징에 얼마나 잘 부합하며 학습자의 흥미와 필요를 충족시키는가에 대한 피드백, 그리고 (2) 좀 더 미시적 차원에서 구체적 활동들이 얼마나 효과적인가에 대한 피드백을 얻을 수 있다.

Cambridge English for Schools(Cambridge University Press)는 당시 상당한 재정 투자를 해서 제작했기 때문에, 1990년대에 2년의 기간 동안 수많은 다양한 나라에서 약 5,000명의 학습자를 대상으로 파일럿을 했다. 이미 살펴봤듯이 출판사에게는 시간 역시 중요한 요인이다. 비록 같은 교육기관(들)에서 전 레벨(일 년 동안 사용될 교재)을 파일럿하는 것이 바람직했을 수도 있지만, 파일럿하는 기관 전역에 교재의 일부를 배포한 것은 이 과정을 가속화하기 위한 수단이었다.

Donovan은 1990년대 중후반의 ELT 출판에 대해서 설명했는데, 약 13년 후 Amrani(2011)는 '[그 당시] ELT 출판의 세계는 … 전혀 달랐다'(p. 267)고 말한다. 이러한 다른 점 중 하나는 파일럿하는 것에 대한 상대적인 중요성이다―'파일럿하는 것이 여전히 교재를 평가하는 방법 중 하나이지만, 더 이상 출판사들이 교재를 평가하는 주요 방법은 아니다'(ibid.). 이러한 변화의 이유에는 교재 개발 기간이 더 짧아졌다는 사실(예전에는 4년 이상이었다면 현재는 2-3년)이 포함된다; 또한 '교과서 내용, 접근법 그리고 과업' 디자인은 유럽공통기준Common European Framework이나 시험 교수요목과 같은 표준에 의해서 좌우될 수도 있다; 그리고 디지털 교재는 만약 제대로 평가되고자 한다면 거의 최종본이어야 한다. '오늘날 ELT 출판사가 당면한 어려움은 주요 교과목 개발을 위한 기본적인 교재 디자인을 변경하는 것이라기보다는 어떻게 주제나 형식을 이미 존재하는 잘 확립된 핵심 교과목의 내용과 조합하느냐와 더 관계가 있을 것이다'(p. 268).

　　Amrani(2011)에 의하면 최근의 파일럿하기는 보통 파일럿을 하는 사람이 파일럿 교재의 일정 부분을 자신의 실제 교수 프로그램에 도입하고, 교재의 페이지에 노트를 하거나 교수일지를 쓰는 것을 포함한다. 파일럿하는 사람들은 어떤 것이 효과적이었고, 덜 효과적이었는지(그리고 왜), 활동의 순서, 연습문제 지시문의 명확성과 시간, 학생들은 어떤 질문을 하는지, 그리고 새로운 것이 추가되어야 하는지에 대해 평을 해야 한다. 그 후 편집장은 이러한 피드백을 모아서 종합적인 보고서를 만든다. 편집장의 제안이 담긴 이러한 종합보고서는 다시 저자에게 보내진다. Amrani가 지적하듯이, 이러한 유형의 파일럿하기 약점 중 하나는 파일럿에 참여하기로 자원한 경력교사들은 사실 교재가 목표로 한 대상 중 소수만을 대표할 수도 있다는 것이다. 이는 개발 단계에 다른 형식의 피드백이 필요하다는 것을 알려준다.

3.3.3 방문(관찰, 포커스 그룹, 토론)

Prowse(2011)는 그가 저자로서 함께 했던 프로젝트에 대해 언급하면서, 프로젝트가 개발 중일 때 그리고 집필 과정 중에 저자들과 편집장들이 목표 시장을 반복적으로 방문했다고 말한다. 이러한 방문은 보통 '다양한 학교에서의 수업관찰, 학생들과의 관심사에 대한 토론, 교사들과의 개별 또는 포커스 그룹 토론, 교육자문단과 설계자들과의 회의, 그리고 목표 시장에서 일하는 방법론 학자들과 교사교육자들과의 토론'(pp. 166-7)을 포함한다.

　　Amrani(2011: 290)는 포커스 그룹을 실행하는 것에 대해 의미 있는 조언을 한다:

　　포커스 그룹 토론을 주관하는 사람이 사용하는 테크닉에는 토론을 시작하기 위해 사용하는 즉각 질문prompt questions과 깊이 뿌리박힌 신념과 반응을 탐구하기 위해서 사용하는 탐구 질문probe questions이 있다. 보통 다음과 같은 일반적인 즉각 질문을 한다. '책의 단원 중 좋아하는 단원이 있나요?' '3과요.' 이후 다음과 같은 wh-질문을 할 수 있다. '이 단원에서 특별히 무엇을 좋아하나요?' '단원이 구성된 방식입니다.' '왜 그러한 구조를 좋아하나요?' '명확한 예비 활동, 제시 활동, 문법 활동, 어휘 활동, 4기능 활동, 검토 그리고 괜찮은 연습문제 활동이 있기 때문입니다.' '언제 연습문제 활동을 사용할 건가요?' '숙제로요.' '왜 나머지 두 단원은 좋아하지 않나요?'

포커스 그룹은 토론 주관자와 교사가 수월하게 소통할 수 있도록 하는 기회를 제공할 뿐만 아니라 교사 전체가 중요 이슈—어떤 경우에는 토론 주관자가 아니라 교사들에 의해서 제기되는 이슈—에 대해서 어떻게 생각하는지를 평가할 수 있는 방법이기도 하다(Amrani, 2011). 실제 포커스 그룹을 진행하기 위한 실행상의 문제를 극복하기 위해서 원격으로 진행될 수도 있다(Prowse, 2011).

지금까지 방문은 출판 후에도 홍보의 목적으로 계속되어왔다. 이제 방문은 사용 중인 교재에 대한 피드백을 모으기 위한 목적으로 사용되며, 교재의 다음 판을 개발하는 데 정보를 주는 역할을 한다(Prowse, 2011).

4. 제약과 타협

4.1 시간과 돈

출판사는 출판하고자 하는 결정을 쉽게 생각하지 않는다. 출판사는 자신들의 평판을 위해서 그리고 균형적인 목록을 갖추기 위해서 특정 유형의 출판에 참여하는 것이 바람직하다는 것을 인정할 수도 있지만, 교과서를 출판하고자 하는 결정은, Pogelschek(2007: 100)이 인정하듯이, '대부분의 경우 상업 지향적이며 운영상의 문제와 관련이 있다.' 교과서는 꽤 많은 시간과 돈을 투자하여 전념해야 하는 것이다. 시간과 관련해서 주요 변인 중 하나는 파일럿하기의 특성이며, 또 다른 변인은 교육부 승인을 받아야 하는 필요일 것이다. 또한 시간은 목표 시장에 새로운 교수요목이 소개되었을 때나(Wala, 2003b), 경쟁 출판사에서 비슷한 교재를 시장에 출시한다는 것을 출판사가 알았을 때 고려해야 할 요인이 될 수 있다(Richards, 1995). 출판사는 상업 세계에서 성공적인 교재는 곧 모방될 것이라는 것을 인정한다. 따라서 시장 점유율을 많이 확보하기 위해 첫 주자가 되는 것은 중요하다. 출판사는 또한 교재의 최종 외관과 느낌에 영향을 주는 수많은 결정을 경제적인 측면을 고려해서—특히 제작비용, 예상 판매가 그리고 예상 판매량의 관계를 고려해서—내리게 될 것이다. 판매 부수는 출판사가 통제할 수 없는 변수이고, 판매가는 주로 교재가 경쟁력이 있어야 할 필요에 의해 제약을 받기 때문에, 출판사는 교재의 질과 경쟁력을 유지하면서 이윤을 극대화하기 위해서 제3의 변수, 즉 제작 비용을 통제하려고 할 것이다. 이러한 고려사항은, 예를 들어, 책의 길이와 사이즈, 삽화의 유형과 수, 종이의 질 그리고 추가 구성요소(연습문제집, 평가문제집, CD 등)의 제공에 영향을 미칠 것이다.

Tomlinson, Dat, Masuhara와 Rubdy(2001)는 성인 대상 여덟 권의 교재를(네 곳의 주요 출판사에서 각 두 권씩) 조사했고, 몇 년 후에 이와 비슷한 방식으로 여덟 곳의 출판사에서 나온 한 권의 교과서 패키지를 집중 검토했다(Masuhara, Hann, Yi & Tomlinson, 2008). 상기 제시한 두 연구는 특히 디자인 요소에 비판적이었다. Tomlinson 외 3인(2001)은 그들이 살펴본 교재 중 몇 개는 '각 페이지에 글이 꽉 차 있어 어수선하고 빽빽했으며 안정감과 가시성을 제공할 여백이 충분히 없었다'고 평했다; 또한 페이지가 '뚜렷하게 구분되어 있지 않고 순서에 맞게 잘 배열되어 있지 않다고'(p. 89) 했다. Masuhara 외 3인(2008) 역시 비슷한 결론에 도달했는데, 이들이 살펴본 여덟 권의 책 중 세 권은 '어수선하고 복잡하다'는 평을 받았다. Masuhara 외 3인은 이 교과서들에 있는 삽화가 '상상력을 자극하지 못한다'고 생각했으며, 이를 Tomlinson 외 3인(2001)이 살펴본 삽화와 비교하면서 다음과 같이 궁금해했다:

흥미로운 토론과 유용한 활동을 이끌어낼 심미적 그림, 모조 문서simulated documents(예, 논문, 문고본), 만화, 그리고 호기심을 자극하는 삽화는 어디에 있는가? 삽화들은 더 작아지고, 더 기능에 치우친 듯하다. 심지어 제목과 아이콘조차도 더 작아지고 덜 중요해진 듯 보인다. (Masuhara et al., 2008: 303)

교사용 책은, 만약 있다면, 경험이 부족한 교사나 교과서를 처음 사용하는 교사에게는 매우 중요한 자원이 될 것이다. 가장 유용한 교사용 책의 유형은 개작에 대한 제안을 하는 것뿐만 아니라 추가 활동에 대한 아이디어를 제공하는 것일 것이다(Tomlinson et al., 2001: 91). 디자인도 중요하다. Tomlinson 외 3인(2001)이 검토한 여덟 권의 교사용 책 중 한 권을 제외한 모두는 '외관 상 매력이 없고 디자인이 형편없다'(ibid.)는 평을 받았다.

이러한 연구가 시사하는 바는 시간과 돈이라는 서로 연결된 압박은 타협이 이루어질 것을 의미할 수 있는데, 이때 타협에는 저자도 포함된다.

4.2 저자의 관점

출판사와 같이 저자도 제작된 교재가 수익을 내기를 희망한다. 저자 역시 많은 시간과 노력을 투자한 것이다. 하지만 경제적 수익이 저자의 주요 또는 유일한 동기는 아니라고 말하는 것이 공정할 것이다. 저자들은 '일반적으로 교사들이 생각하기에 혁신적이고 창조적이며 학생들의 필요에 부응하고, 또한 그들이 즐겁게 가르칠 수 있는 교재를 만드는 데 관심이'(Richards, 2001: 14) 있다; 아마도 저자들은 어느 날 '얼굴에 미소가 만면하여 "당신 책을 가지고 영어를 배웠어요."라고 말하는'(Prowse, 2011: 172) 학생을 마주칠 수도 있을 것이다. Bell과 Gower(1998)는 '우리에게 전문가로서 만족감을 주고, 동료들에게는 학문적으로 신뢰할 수 있는, 우리가 자랑스러워할 만한 교재를 만들기 원했다'(p. 146)고 말한다. Harmer(Prowse, 2011: 171-2)에게 교과서 집필은 다음에서부터 나온다:

... 어떤 수업이든지 수업을 밝게 만들 수 있는 교재를 제공하기 위한 진심 어린 소망; 대부분의 혹사당하는 교사들을 위해 믿을 만한 교재를 제공하고 자 하는 욕망; 흥분과 타협의 문제; 너무나 자주 숨 막히게 하는 창조적 활동. 하지만 온갖 악조건 속에서도 그리고 언어적, 방법론적 제약 속에서도, 당신이 실제로 효과가 있을 것이라고 확신하는 교재를 만들어 냈을 때, 그 기분은 말할 수 없이 좋다. 사실 이는 학생들을 가르치는 것과 많이 다르지 않다; 우리가 항상 멋진 수업을 해내지는 않지만, 정말 좋은 수업을 했을 때 우리는 온 세상 사람들이 다 알도록 외치고 싶다. 이것이 교과서 저자가 교재를 잘 만들어 내는 그런 흔하지 않은 경우에 느끼는 기분이다.

처음으로 교재를 집필하는 저자들은 그들이 이전과는 획기적으로 다른 것을 제공할 수 있다고 느낄 수도 있다.

원래 1980년대 후반에 쓰인 우리 교재는 단계별 문법 교수요목이 없었다. 사실 그 교재는 한 단원의 길이나 템플릿에 있어 사실상 어떠한 관례적인 제약에서도 자유로웠다. 우리는 풍부한 언어적인 입력과 흥미로운 과업을 제공하는 것의 중요성을 믿었다. 우리 교재의 각 단원은 템플릿에 구속받지 않고, 학생들이 하기에 흥미로운 교재라고 우리가 느끼는 것에 영향을 받았다. 우리는 서로 다른 주제를 흥미로운 방식으로 다루기 위해서는 필요한 시간이 달라야 한다고 생각했다. 각 단원 당 페이지 수나 활동 수 등에 있어 모든 단원을 똑같이 다룰 필요는 없었다. (Mares, 2003: 136)

Mares와 그의 동료 저자가 깨닫지 못한 것은 그들이 '잘 확립된 원칙에 따라 작동하는' 세상으로 들어가고자 했다는 것이다. 이러한 원칙 중에서 '가장 중요한 것은 출판은 비즈니스이고 비즈니스는 이익을 내기 위해 운영된다'(ibid.) 는 것이다. 결국은 출판사가 가장 잘 알고 있다는 사실을 그들이 알게 되기까지는 얼마의 시간이 걸렸다.

오랜 기간 우리는 우리가 믿는 교재를 집필하는 것과 다른 이들이 잘 팔릴 것이라고 믿는 교재 사이에 존재하는 갈등으로 힘들어 했다. 우리도 출판사처럼 혁신과 원칙에 입각한 교수방법에 관심이 있었다; 하지만 우리의 관점은 달랐다. 우리가 믿는 원칙에 입각한 교수방법은 교사들로 하여금 제2언어 습득 분야의 연구결과에 바탕을 둔 교육과 훈련을 받은 특정 교수세대 teaching generation에 속하도록 요구했다. 우리는 사실상 매우 제한된 시장을 목표로 하고 있었던 것이다. 우리는 이 정보를 우리가 온전히 이해하기 전에 들었다. 우리의 신념이 우리의 실용적 감각보다 더 강력했던 것이다. ... (ibid.)

이 인용문의 마지막 부분이 보여주듯이, 처음 교재를 집필하는 저자가 가지고 있는 독자에 대한 기대는 출판 현실에 의해 담금질될 필요가 있다. Mares (2003)는 다음과 같이 덧붙인다: '나는 영어실력에 자신감이 낮은 비원어민 교사를 대상으로 집필하지 않았다. 하지만, "시장"이라는 세상에는 이러한 교사들이 상당 부분을 차지하고 있다'(p. 131). 결국 그와 그의 동료 저자는 타협은 필수적이지만 다양한 형태를 띨 수 있다는 것-'대부분의 신념을 포기하는 것을 포함한 완벽한 타협에서부터 올바른 교수방법의 틀 안에서 공익을 위해서 내린 원칙에 입각한 선택까지'-을 이해하게 되었다. 그들은 '후자가 받아들일 수 있는 대안이라는 것을 이해하기 전까지는 전자를 두려워했다'(ibid.)고 덧붙였다. 저자들의 이러한 자유로운 접근법에 대한 선호도, 그리고 출판사의 표준화된 단원과 페이지 형식에 대한 선호도 사이의 예측 가능한 부조화를 감안했을 때, 타협을 볼 수 있는 한 분야는 디자인 부분이었다. 따라서 Mares와 동료 저자는 '템플릿의 필요성을 받아들였지만' '일정한 페이지 제한 내에서 다양한 템플릿을 사용하는 것으로' 합의를 보았다. 그들은 또한 '듣기 지문에 특정 행 수 제한이 있어야 한다는 것'에 동의했고, "여백"이라는 개념과 ... [,] 어떤 활동을 하든지 모든 단계가 명확하고 할 만한 것이어야 하는, 즉, 사용자에게 친절한user-friendly 페이지의 개념을 억지로 받아들이고자 했다'(p. 137).

다른 저자들도 책의 디자인과 관련된 갈등의 가능성에 대해서 언급한다. 예를 들어, Bell과 Gower(2011: 140)는 페이지 형식과 단원 표준화에 대한 집착에 의문을 갖는다.

우리는 ... 디자이너들이 성공한 책의 디자인을 혹독하게 비판하면서도, 교사들의 입장에서는 디자인이 잘 되었다고 생각하지 않는 책의 디자인을 칭찬하는 것을 들은 적이 있다. 한 페이지에 하나, 둘 또는 세 개의 세로줄이 있거나, 또는 각 단원의 페이지 수가 모두 통일된 길이로 되어있는 것이 교사에게 중요할까? 어떤 교사에게는 중요할 수도 있겠지만, 우리의 경험으로 봤을 때 더 중요한 것은 한 페이지 안에 어디에 무엇이 있고 이러한 것들의 목적이 무엇인지가 확실하게 명확한 것, 그리고 시각적인 것과 본문 간의 균형(그리고 색조)이 학생들에게 적절한지이다.

경험이 있는 교과서 저자는 디자이너와 저자의 관점 차이를 다음과 같이 요약한다. '디자이너는 ... 교재의 디자인이 미학적으로 만족스럽기를 원하고, 당신은 교육학적으로 효과가 있기를 원한다'(Prowse, 2011: 161에서 인용된 교과서 저자).

삽화 역시 저자에게는 불만의 원인이 될 수도 있다. 교재에 삽화를 넣기를 원한다면, 저자는 디자이너에게 '삽화요약'artwork brief(또는 'artbrief')—즉, 필요한 것에 대한 설명—을 제공하도록 요청받을 것이다. 만약 삽화요약이 사진을 포함한다면, 이러한 사진은 사진 도서관에서 찾을 수 있을 것이고, 선택된 사진이 제공될 수도 있을 것이다. 만약 그림이 필요하다면, 한 명 이상의 삽화가가 참여할 것이다. 상기 언급된 교과서 저자는 냉담한 어조로 다음과 같이 말한다.

... 어느 삽화가든지 읽거나 또는 그리는 것 중 하나만 할 수 있다. 즉, 삽화가는 당신의 삽화요약을 세심히 읽고 그것을 따르기 위해 주의를 기울일 것이고, 그 결과 당신의 일곱 살짜리가 그렸을 법한 그런 지루하고 평범한 삽화를 만들어낼 것이다. 아니면 삽화가는 학생들의 마음을 끌어들이고, 페이

지를 눈에 띄고 매력적으로 만들 멋진 삽화를 제작할 것이다 … 그러나 이 경우 삽화의 몇몇 요소가 잘못되거나 빠졌기 때문에 학습자들이 삽화에 일 치하는 연습문제를 하지 못할 수도 있다. … 당신은 삽화가에 대해 그 어느 것도 미리 가정해서는 안 된다. 당신이 '사막 장면'이라고 말한다면, 거기에 이글루는 없어야 한다고 구체적으로 말하는 것이 가장 좋다. 만약 그렇게 하지 않고 삽화 도안에 있는 이글루에 대해 불평한다면, 그건 당신의 실수 였다는 얘기를 들을 것이다. 빈틈없는 삽화요약 작성법을 익히는 것은 EFL 저자가 가지고 있어야 할 가장 어려운 부수적인 능력일지도 모른다. (Prowse, 2011: 162에 인용된 이름이 밝혀지지 않은 교과서 저자)

이상적으로는 디자이너와 저자 간의 쌍방 타협이 있을 것이다. 때로 삽화는 일련의 서로 연결된 활동을 위한 충분한 공간을 마련하기 위해서 삭제되어야 할 수도 있고, 다른 경우에는 그 반대가 될 수도 있다. Tomlinson 외 3인 (2001)과 Masuhara 외 3인(2008)의 연구에서 제기된 비판을 보면 적절한 균 형이 항상 가능한 것은 아니라는 것을 알 수 있다.

4.3 교육부 승인의 검인

교과서가 교육부 승인 기준에 부합해야 할 때에도 타협이 필요할 수 있다. Pogelschek(2007)이 설명하듯이, 오스트리아에서는 정부가 교과서 구입에 대 해 보조금을 주고(학부모는 비용의 10%를 지불한다) 취학 연령의 학습자들이 한 해에 교과서에 써야 할 총액에 제한을 둔다. 따라서 출판사는 책의 가격을 책정하는 데 이러한 제한을 염두에 두고 일해야만 한다. 오스트리아 정부는 또한, 다른 많은 나라에서처럼, 학교 교과서가 부합해야 하는 기준을 정하고, 승인을 받기 위해 원고를 제출하도록 요구한다. 싱가포르에서 중등 저학년 교 과서를 승인받기 위해 준비하는 과정에 대한 Wala(2003b)의 설명은 출판사가 맞추어야 하는 촉박한 마감에 대해 우리의 이목을 집중시킨다. 이 경우 교육 부 교수요목의 출간에서부터 학교가 교육부의 승인을 받기 위해 원고를 제출 하기까지의 총 기간은 단 1년이다. 그 후 승인을 받기 위해 6개월이 소요되고,

그 이후에 추가 수정이 요구된다. Pogelschek(2007)이 설명한 오스트리아 출판의 예에서, 제출하고 초기 승인을 받는 과정은—교육부에서 출판사로의 피드백, 수정 그리고 다시 제출하는 것을 포함하여—9개월이 걸렸다. 중국의 교과서 프로젝트의 첫 10년을 설명하면서, Greenall(2011)은 다음과 같이 설명한다: '우리는 교육부의 승인을 받기 위해 17권의 주 교과서를 제출해야 했다. 교사용 책과 보충 교재를 포함한 약 40권의 책이 2006학년도의 시작을 위해 준비가 되어야 했다.' 이만큼 오기까지 5년이 걸렸다; Greenall은 그 책들을 승인받기까지 얼마나 오래 걸렸는지는 언급하지 않는다.

가격과 시간이 유일한 이슈는 아닐 수 있다. 예를 들어, Pogelschek에 따르면, 오스트리아에서는 교과서 평가에 사용되는 기준은 비교적 열려 있고 따라서 주관적으로 해석될 수 있으며, 교육부가 임명한 평가단원들은 '교과서 평가에 전문성을 가지고 있지 않아도 된다'(p. 102). 인도네시아에서는 학교 교과서가 승인을 받기 위한 기준 중 하나는 '안보'이다:

> 책의 내용은 *Pancasila*[인도네시아 철학], UUD 1945[1945 헌법], 정부정책, 국가통합과 안보, 법, 규칙, 윤리와 궤를 같이하고 이에 반하면 안 된다. 또한 책의 내용은 SARA(민족, 종교, 인종 그리고 집단 사이의 관계)와 같은 민감한 이슈를 활용해서는 안 된다. (Supriadi, 1999, Jazadi, 2003: 145 에서 재인용)

교과서 평가자 중에는 군사령부, 국방부, 법무장관실을 대표하는 사람들이 포함된다. Jazadi(2003)는 다음과 같이 언급한다: '참여한 대표들이 어떤 기준에 근거해서 판단을 내릴지 아는 것은 불가능하지만' '그들은 아마도 교육학적 이슈에 크게 관심을 갖지 않을 것이다'(p. 146).

Greenall(2011)이 발견했듯이, 중국에서는 승인 기준 중 어떤 것은 명확하지만, 다른 것들은 덜 명확하다:

중국 교육부는 문법, 어휘, 발음 그리고 사회문화적 내용에 있어 많은 요구 사항을 강요한다. 우리의 최종 교과서 디자인은 스토리를 가지고 있고 학생들에게 흥미롭고 동기 부여를 해야 할 뿐만 아니라 상기 제시한 이러한 제약 안에서 만들어져야 했다.

어휘와 관련해서 교육부는 학습하고 연습해야 하는 약 3,500단어의 어휘목록을 만들었다. 이 조건을 충족한다는 것은 'Ottawa, dumpling, goldfish 그리고 shabby와 같은 이질적인 단어를 포함해서, 10대에게 어울리는 흥미로운 대화를 만들어야 한다는 것을' 의미했다. 집필팀은 또한 교재의 내용에 있어 학생들에게 적합하다고 생각하는 중국의 관점도 고려해야 했다. Greenall은 다음과 같이 언급한다:

긍정적인 도덕적 가치와 역할 모델만이 그려질 수 있고, 부모와 어른에 대한 공경은 어떤 것을 감수해서라도 유지되어야 하며, 예를 들어, 다가오는 시험에 대한 부정적인 감정은 용납되지 않는다. 좀 더 구체적으로는 우리가 만약 독해지문에 포함한다면 문제 제기가 될 만한 특정 단어들이 있었다. 여기에는 *human rights, Taiwan* 또는 *God*과 같은 명백한 것들뿐만 아니라 이름, 장소나 행사들도 포함되어 있었다. *change, exile, boss*와 같이 누가 보아도 아무 문제가 없는(서양인에게는) 단어들은 조심스럽게 다루어져야 했고, *communism*과 같은 단어조차도 어떤 상황에서 사용되었는지가 관심을 끌었다.

4.4 타협의 본질

타협은 다양한 형태를 취할 수 있다. 우리가 살펴보았듯이 저자의 관점에서 이는 디자인 영역일 것이고, 특히 책 길이와 형식의 제약일 것이다. 저자는 보통 동의된 길이와 형식에 맞도록 집필하고자 하지만, 이는 쉽지 않다. 'overmatter'(너무 많은 내용)는 삭제가 있어야 한다는 것을 의미하고, 'undermatter'(페이지를 채우기에 충분치 않은 내용)는 더 많이 써야 한다는 것을 의미한다. 특히 후반기에 삭제를 해야 하는 것은 저자에게는 고통스러운 일일 수 있다. Bell과 Gower(2011)는 다음과 같이 언급한다: '공간이 부족한 것은 우리가 만든 많은 연습 활동이 사라지거나 없어지게 되는 편집 단계에서 우리에게 큰 좌절감을 주었다. 우리는 모든 활동을 대상으로 줄일 것인지, 아니면 한 활동 속의 항목 수를 줄일 것인지를 결정해야 했다'(p. 148).

Greenall(2011)처럼 Bell과 Gower(op. cit.)는 특정 주제를 피해야 한다는 것을 알게 되었다:

> 우리는 내용면에서 모두를 기쁘게 할 수는 없다는 것을 깨달았다. 결국 우리는 타협을 했고, 우리 상황(영국, 사립어학원)의 학생들에게 사용했을 법한 몇몇 본문을 이러이러한 나라에서는 잘 되지 않을 것이라는 이유로 포함시키지 않았다. 우리는 성sex 등을 회피하고 싶지 않았지만 결국 그렇게 했고, 그렇게 하도록 기대되었다. (Bell & Gower, 2011: 149)

'타부' 주제에 대한 이러한 불안감은 매우 단조로워 보이는 교재를 낳게 할수도 있다. Tomlinson 외 3인(2001)은 한 권의 교재를 검토하면서, 이 교재가 '많은 면에서 어느 누구도 기분 나쁘게 하거나 또는 기쁘게 하지 않고, 따라서 잘 팔릴 가능성이 있는 그런 전형적인 중도의 교재'(p. 94)라는 결론을 내리기도 했다. 이러한 상황은 변할 수 있다. Masuhara 외 3인(2008)의 좀 더 최신 연구에서는 '몇몇 교재는 삶에 대한 좀 더 실제적인 묘사, 또는 전쟁, 역사와 같이 다른 관점에서 보면 논란이 될 수 있거나 심각한 주제를 포함하고자 시도한다'(pp. 300-1)는 것을 발견했다.

Bell과 Gower에게 다른 종류의 타협은 교수방법론과(그들은 전통적인 제시-연습-표출 접근법에서 벗어나고자 했지만, 집필한 두 권의 책 중 낮은 단계—중급—에서만 부분적으로 이를 실현할 수 있었다) 녹음과 관계가 있었다. 그들은 몇몇 녹음 자료에는 연기자를 쓰기로 타협을 했지만, 다른 녹음 자료를 위해서는 실제 자료를 사용했다. 이에 대한 영국 외의 몇몇 시장의 반응은 실제 자료 지문 중 몇 개는 너무 어렵다는 것이었다. 그들은 다음과 같이 회

고한다: '이제 와서 생각해 보면 좀 더 타협을 했었어야 했는지 생각하기도 한다. ... 아마도 대화 내용의 반 정도는 대본을 만들었었거나—또는 적어도 실제 녹음 자료는 좀 더 짧고 쉽게 하고 "듣는 방법"에 대한 과업을 좀 더 넣었어야 했었을 지도—모른다'(p. 149).

　　Bell과 Gower에게 중요한 이슈는 그들의 책이 어떻게 사용될 것인가였다. 그들은 교재가 교사에 의해서 영향을 받을 것이라고 생각했다. 따라서 연습문제 지시문을 너무 구체적으로 만들어서 교수방법을 미리 정해놓는 것을 꺼렸다('교사가 짝끼리 연습문제를 하도록 하기를 원할 때 "그룹 활동을 하세요"라고 하거나, 또는 교사가 학생들이 문장을 말하기를 원할 때 "이 문장을 쓰세요"라고 할 것인가?')(p. 147). 무엇보다 그들은 교재를 유연하게 사용될 수 있는 자원으로 생각했다: '교사들이 활동을 이리 저리 옮기고, 자르거나, 필요에 따라 보충할 수 있다는 것을 느끼는 것이 중요하다.' 이때 보충 교재 중 하나는 교과서에 따라 오는 연습문제집이었다. 그러나 피드백을 통해서 '몇몇 교사들은 책에 있는 모든 것을 제시된 순서대로 따라야 한다고 느꼈으며'(ibid.), 많은 학생들은 연습문제집을 가지고 있지 않다는 것을 알 수 있었다. 그들은 교재의 개정판에서 교사용 책에 복사하여 사용할 수 있는 추가 연습 활동을 제공했고, 이를 통해 '교사들이 그들의 프로그램을 더 발전시키는 것을 돕도록 자원을 제공하고자 하는 원칙'(p. 148, 강조 추가)을 실전에 적용할 수 있었다.

5. 최종 사용자로서 교사와 학생

5.1 거리

새로운 책의 판매 가능성을 분석한 후 그 수익성이 확인되었을 때, 국세출판사는 그 책을 특정 집단과 그들의 필요에 맞도록 할 것이고 그에 따라 마케팅 노력에 힘쓸 것이다. 하지만 이러한 접근법에는 다양한 어려움이 있다: 주요 목표 시장의 필요가 많이 다양할 수 있고, 출판사는 그들의 책이 원래 목표하지 않았던 새로운 시장에 판매함으로써 이윤을 증가시키고자 할 수도 있으며, 책을 주문한 사람들은 그들이 무엇을 구입하고 있는지 완전히 알지 못할 수도 있다. 그 결과 최종 사용자인 교사와 학생은, Jolly와 Bolitho(2011: 108)의 인용문이 보여주듯이, 명백하게 부적절한 교재와 마주하게 된다.

> 이건 정말 좋은 책이고 매우 생동감이 있어요. 하지만, 예를 들어, '과정'에 대한 부분에서 모든 연습문제는 우리나라에서는 흔하지 않은 것들에 관한 것입니다. 우리는 더운 나라이고 이슬람교도가 많습니다. 연습문제들은 눈, 얼음, 추운 아침, 수조, EFL 책을 집필하고 출판하는 것과 포도주를 제조하는 것에 관한 거예요. 확실한 건 우리나라에서는 포도주를 제조할 수 없고 마리화나를 피울 수 없어요! (아이보리 코스트의 경력교사)

Jolly와 Bolitho는 다음과 같이 언급한다. '저자와 학습자의 거리가 더 멀어질 때, 교재는 덜 효과적일 것이다'(p. 128). 여기에서 언급된 거리는 물론 단순히 물리적 거리가 아니고 경험적이고 심리적인 거리이다.

Wala(2003a)는 교재 계획 및 개발 과정에서 편집장과 교재개발자들은 교과서에 대해서 다음의 질문을 해야 한다고 주장한다:

- 학습자(와 교사)는 어떻게 교과서를 사용하는가?
- 교과서는 어떻게 구성되어 있는가?
- 교과서가 사용될 상황은 무엇인가?
- 상황의 어떤 점이 교과서 사용에 영향을 미칠 것인가?
- 교과서 및 교과서 사용의 어떤 점이 상황의 특정 부분에 영향을 받을 것인가?
- 세계, 영어, 영어학습, 교사와 학습자에 대한 어떠한 관점이 교과서에 명시적으로 또는 암시적으로 제시되어 있는가? (Wala, 2003a: 62-3)

상황과 교재 사이에 심각한 부조화가 있다면 잘못은 궁극적으로 누구든지 그 책을 구입하기로 결정한 사람에게 있다. 아이러니하게도 이는 보통 책을 사용해야 하는 개별 교사는 아니라는 것이다. 앞서 인용된 아이보리 코스트의 교사는 누군가에 의해서 내려진 결정의 희생양이다. Bell과 Gower(2011: 136)는 '잘못 판단한 관리자'를 탓하지만, 관리자 역시 '자주 마케팅팀이나 배급업자들'로부터 적합하지 않은 교재를 채택하라는 '부추김을 받기도' 한다. Masuhara와 Tomlinson(2008)은 영어권 나라 밖의 시장에 판매되는 교재는 그 시장과는 매우 다른(예, 영국) 교육기관에서 파일럿되었을 수도 있다는 점을 상기시킨다. 우리는 이로부터 중요하고 명백한 결론에 다다르게 된다: 교사는 어떤 교재가 사용될 것인지를 결정하는 데 목소리를 내야만 하며(추후 다른 장에서 다루게 될 요점), 만약 다른 누군가에 의해서 결정이 이루어진다면, 그 사람은 올바른 판단을 내릴 수 있도록 자격을 갖추어야만 한다는 것이다.

5.2 선택권

출판사 편집장으로서, Wala(2003a: 59)는 교과서는 '다양한 선택권에서 나온 ... 선택의 집합체'라고 말한다. Wala가 의미한 바는 아마도 교과서는 개발 과정의 각 단계에서 출판사, 저자 또는 이 둘이 내린 수많은 결정의 결과라는 것일 것이다. 이와는 조금 다른 해석도 있는데, 이는 교과서는 교사용 책이나 사용 가능한 다른 자원—어떤 경우에는 온라인 자원을 포함하여—에 있는 제안을 통해서 주로 교사에게 선택권을 제공한다는 것이다. 교재는 학습자가 독립적으로 접근할 수 있는 구성요소를 포함할 수도 있지만(예, 문법 참고 부분 또는 교과서의 어휘목록), 보통의 경우 학습자에게는 다양한 활동에 대한 선택권 또는 어떤 수준의 연습문제를 시도해 볼지를 결정하는 기회는 주어지지는 않는다. 하지만 *Right Track*, Book 1(Adrian-Vallance & Edge, 1994)에서는 교사와 학습자에게, 예를 들어, 의사소통 활동과 언어 인식language awareness 활동 사이의 선택권, 또는 발음, 쓰기 그리고 '학습하는 방법을 배우는' 활동 사이의 선택권을 제공한다(Edge & Wharton, 1998). *Landmark* (Haines & Stewart, 2000) 또한 Speaking Personally 부분에서 학습자에게 선택권을 체공한다(Tomlinson et al., 2001). 노르웨이의 영어교과서 *New Flight*, Book 8(Bromseth & Wigdahl, 2006)은 모든 학생들을 대상으로 한 핵심 본문보다 좀 더 높은 수준의 어려운 내용을 제시하는 보충 독해본문뿐만 아니라, 난이도를 색깔로 표시한 연습문제도 포함하고 있다(Lund & Zoughby, 2007). 하지만 이러한 것들은 예외이다. 보통은, 선택권을 제공하는 것은 교사이고, 따라서 교사는 아이디어를 위해 교과서/교사용 책에 의존할 것이라는 가정이 있는 듯하다.

5.3 교사 창의성의 필요

앞서 살펴보았듯이, 교과서 저자의 관점에서 본다면 교사가 교재를 있는 그대로 사용해서는 안 된다는 것을 이해하고 받아들일 것이라는 것은 기정사실인 듯하다. 교사들은 창의적이어야 한다(Bell & Gower, 2011). 비용과 디자인 제약은 학생용 책에 무엇이 포함될지를 제한할 수 있다. '바람직한 교사용 지침서는 유용한 대안과 개작을 제공하여 교재를 보충할 것이지만, 이러한 일이 일어나지 않거나 또는 교사가 교사용 지침서가 없다면, *개작은 교사와 출판된 교재 사이의 창의적인 대화의 일부가 될 것이다*'(Islam & Mares, 2003: 135, 강조 추가). 저자의 초고 또한 더 많은 상황에 적합하도록 만들기 위해 줄여졌을 수도 있다. '그 결과 저자 초고의 "특징"과 독창성은 사라질 것이다. 따라서 교과서를 사용할 때 *교사는 교과서 출판 과정에서 잃어버렸을 수도 있는 독창성을 다시 찾아야 한다*'(Richards, 2001: 14, 강조 추가).

Bell과 Gower(2011) 역시 교사가 교재를 개작하는 것의 중요성을 강조한다.

> 국제 교재와 관련하여, 특정 국가의 특정 학교의 기대뿐만 아니라 개별 학생과 교사의 필요가 교재 자체만으로는 완전히 충족될 수 없다는 것은 명백

하다. 실제로 대부분의 사용자들은 그들의 선택은 많은 경우 타협이고 따라서 자신의 상황에 맞게 교재를 개작해야 할 것이라는 것을 받아들이는 듯하다.

... 다시 말하면, 교과서의 방해하는 역할에 대한 다수의 최근 주장과는 정반대로, 국제 교재는 개별화와 교사의 창의성을 북돋을 수 있다. 더 좋은 교사용 책은 ... 길을 보여줄 것이고 ... 교사들이 그들의 상황에 맞게 교재를 삭제, 개작 그리고 보충하도록 권장할 것이다. 모든 것은 사용자, 특히 교사의 교재와의 관계 또는 교사에게 허락된 교재와의 관계에 달려있다. 교과서는 교사가 존재할 때 생명과 의미가 있는 도구이다. 교과서는 교사가 추가하거나 생기를 불어넣거나 또는 삭제하는 결정을 내리지 않는 그러한 교육 프로그램을 위한 구속이고자 의도되었던 적은 없다. 교재가 때로 너무 제한적으로 다루어진다는 사실이 – 예를 들어, 교사의 준비 시간의 부족, 교육부나 교육기관의 과도한 권력, 시험의 요구, 또는 전문적 교육의 부족 때문에 – 글로벌 교과서를 평가절하하는 이유가 되어서는 안 된다. (Bell & Gower, 2011: 137-8)

'교과서는 ... 교사가 존재할 때만 의미가 ... 있다'는 말에 모두가 동의하지는 않을 것이다–수업 시간 외에 교과서를 사용하는 학생들에게는 의미가 없어야 하는가? 하지만, Bell과 Gower의 요점은 교사가 교재에 '생기를 불어넣고'(그들의 용어를 사용하자면), 활기차게 만들고, 의미 있고 학생들의 삶과 관계가 있도록 하는 중요한 역할을 한다는 것이다. 이를 위해서 교사는 학습자에 대한 그들의 지식을 바탕으로 교과서를 어떻게 사용할 것인지 그리고 어떤 다른 교재를 사용할지에 대해 자신만의 창의적인 결정을 내려야 한다. 실제 이러한 일이 일어날지는 부분적으로는 개별 교사의 태도에 달려있을 것이다. 즉, '교사가 ... 교재와 ... 가지는 ... 관계'에 달려있을 것이다. 교사가 저자들처럼 교재를 도구로 바라보는가, 또는, 예를 들어, 교수 매뉴얼처럼 다루는가, 또는 신실하게 따라야 하는 성경책처럼 생각하는가(McGrath, 2006)? Bell과 Gower가 주지하듯이, 또 다른 요인은 당연히 교사는 진공상태에서 일하지 않는다는 것인데('교사에게 ... 허락된 교재와의 ... 관계'), '교육부나 교육기관의 과도한 권력'에 대한 언급이다. 교사들에 대한 제약은 8장의 주요 주제이다.

　　이제 영어교육 문헌을 살펴볼 것인데, 특히 교사는 어떻게 교재와 상호 작용하도록 기대되는지에 대해 영어교육 문헌에 제시된 관점들을 살펴볼 것이다.

3장

이론적 배경

교재 선정에는 피할 수 없는 주관적인 요소가 존재하지만 이러한 요소를 최소
화하도록 노력할 수 있다.

(McGrath, 2002: 53)

... 만약 교사가 교재에 나와 있는 그대로를 그저 열심히 살펴보기만 한다면 지
루한 책은 계속 지루할 것이다.

(Prodromou, 2002: 27)

1. 서론

2장에서 우리는 출판사와 교과서 저자의 관점에서 상업적 교재의 개발에 대
해 다루었고, 이들이 교재의 최종 사용자인 교사를 어느 정도로 염두에 두고
교재를 개발하는지 살펴보았다. 이번 장에서는 그 초점이 좀 더 직접적으로
교사로 옮겨졌다. 교사 그리고 교재와 관련하여 본 장에서는 일반적으로 전문
가 공동체로 여겨지는 이들의 관점을 살펴볼 것이다. 이 공동체는 Maley
(2001)가 언급한 '학문' 공동체로만 국한된 것이 아니라, 영어교육과 학습에

관련된 토론에 적극적으로 공헌하는 모든 사람들로 구성된다. 이러한 참여자의 다수가 보통 교사이면서 교과서 저자로서, 또는 교사와 교사교육자로서 한 가지 이상의 역할을 맡고 있다. 그리고 몇몇은 이 모든 역할을 다 하기도 한다. 학회에서 발표하거나 교사를 위한 잡지나 학술지에 기고한 경험이 있는 교사 역시 이러한 전문가 공동체의 일부로 여겨진다.

1장에서의 핵심은 교재와 관련하여 교사는 두 가지 큰 책임, 즉 교재를 평가하는 것과 교재를 개작 또는 새롭게 만들어 내는 책임을 지고 있다는 것이었다. 이 장에서 살펴보게 되겠지만, 평가의 기능은 교재 선정에만 국한되지는 않으며, 수업을 진행하는 과정의 수많은 지점에서 다양한 방식으로 적용된다. 따라서 평가는 자신이 사용하는 교재에 영향력이 전혀 없는 교사를 포함한 모든 교사와 관련이 있다. 교재 디자인 역시 단독의 구별된 단계나 작업이 아니고, 수업 전 또는 수업 시간 도중에 하는 비교적 가벼운 개작의 형태에서부터 새로운 과목을 만들어내는 것까지 다양한 활동을 아우른다. 평가와 디자인의 과정은 논리적으로 그리고 실제적으로 서로 연결되어있다. 예를 들어, 평가를 통해 개작을 해야 할 필요가 있는 부분이 드러날 것이고, 새로운 디자인은 평가를 받아야 하며, 필요하다면 좀 더 개선되어야 할 것이다. 영어 교육에서 일반적으로 기대하는 바는 교사는 교재와 관련하여 비판적이고 창조적인 시각을 견지할 것이며, 이는 구체적인 방식으로 자연스럽게 드러나게 될 것이라는 것이다. 2절에서는 교과목 디자인과 관련하여 교사의 역할에 대해, 3절에서는 교재 선정, 4절에서는 평가와 디자인이 불가분하게 연결되어 있는 과정인 교재 개작에 대해 살펴볼 것이다. 5절은 보충, 즉 핵심 교과서와 함께 사용될 보충 교재의 선정 및 개발에 대해, 그리고 6절에서는 원교재original materials를 만드는 것에 초점을 둘 것이다. 7절은 평가라는 주제, 특히 성찰적 실천가reflective practitioner로서의 교사라는 관점에서 사용 중 그리고 사용 후 평가라는 주제로 돌아올 것이다. 8절은 교재 평가와 디자인에 있어 학습자를 참여시켜야 한다는 주장을 요약할 것이다.

2. 교과목 디자인에 대한 책임

Masuhara(2011: 246)가 개요를 서술했듯이, 전통적인 직선형 교과목 디자인 과정은 요구분석, 목적과 목표, 교수요목 디자인, 방법론/교재 그리고 시험과 평가라는 다섯 개의 주요 단계를 포함한다. 좀 더 최신 모델은 순환적이며, 제약들을 고려하고, 이와 아울러 이전의 어떤 단계에서라도 평가—시험과는 구별되는—를 통해 피드백을 제시하거나 모델을 변경할 수 있도록 한다 (Graves, 1996 참조). 또한 Graves(1996)가 지적하듯이 이러한 '단계들'은 좀 더 현실적으로는 '개념상으로 그리고 일시적으로 서로 겹치는 구성요소들의 틀'(p. 5)로서 생각될 수 있다. 그러나 Masuhara는 교수요목 디자인과 교재 사이의 관계에 있어 전통적 모델(X모델)과 Y모델 사이에 차이가 있다는 것에 주목한다. 그는 '전 세계의 ... 많은 실무자들이'(ibid.) 이러한 상황을 경험한 다고 말하며, 다음과 같이 설명한다:

먼저 교사와 행정가는 특정 수업과 학습자들에 대한 매우 일반적인 개요를 작성한다. 이 개요에는 과목에 대한 학습자 선호도와 수업 초기에 실시한 시험에 근거한 학습자의 언어능력 수준 면에서 학습자의 특성이 정의된다. 수업의 목표는 보통 교과목의 이름에 나타난다(예, 1급 준비 코스, 구두 의 사소통 1).

교재 선정은 교과목 디자인 순서의 두 번째 단계에서 매우 중요한 위치를 차지한다. 교사와 행정가는 다양한 상업적 교과서 중에서 초기 단계에서 정 의한 수업의 특징에 적절한 교과서를 선택한다. X모델에서 교재 선정 이전 에 일어난다고 전제하는 단계들— 즉, 요구분석, 목표 설정, 교수요목 디자 인 그리고 방법론 선택—은 교재 제작자(예, 교재 저자와 출판사)에 의해서 모두 다 해결되었다고 여겨진다. (Masuhara, 2011: 246-7)

Masuhara는 이 시나리오에서는 X모델 교과목 디자인의 초기 '중요 단계'(요 구분석과 목표 설정)는 교사나 행정가의 손에서 교재 제작자로 옮겨졌다고 주장한다. 또는 Byrd(2001)의 말로 설명하면, 교과과정의 목표가 뚜렷하게 명시되지 않았을 때는, 책이 교과목 디자인을 결정짓도록 허용된다는 것이다. 지금까지 영어교육 문헌에서는 교과서가 아무리 포괄적으로 보인다 할지라도, 교과목 디자인의 책임이 교과서로 위임될 수는 없다는 것에 대해 광범위한 동의가 있어 왔다. 이제 누군가는 교과서는 교육부 교수요목에 맞도록 집필되고, 공공 시험이 이 교수요목에 기초하기 때문에 교사가 이러한 교수요목 또는 이를 구현한 국정교과서나 검인정교과서를 따르는 것 외에 다른 것을 해야 할 이유(또는 자유)가 없다고 주장할 수도 있다. 그러나 교수요목 문서는 어떻게 학습목표가 성취될 것인지가 아니라 무엇을 가르칠지에 대한 일반적인 기대를 구현해 낸 것이다. 또한 교수요목 문서는 지역의 상황을 고려하지 않는다. 따라서 공식 교수요목에 기초하여 교과목을 계획하지만 이와 함께 학습자의 기존 지식, 필요와 원하는 것 그리고 예상되는 향상 속도를 고려하는 것은 각 교육기관에 근무하는 교사의 몫이다. 그렇다면 적절한 교재의 선정은 교과목 디자인을 좌우한다기보다는 교과목 디자인 과정의 한 단계가 되는 것이다. Yalden(1987)은 이에 동의하며, '교수요목은 먼저 내용에 관해 서술해야 하고, 교과목 개발의 후반부에 가서야 방법론과 교재에 대해 서술해야 한다'(p. 87)고 말한다(Johnson, 1989; Graves, 2000; Woodward, 2001; McGrath, 2002; McDonough & Shaw, 2003 참조).

교과목을 계획하는 데 있어 교사가 적극적인 역할을 할 의향이 있는지 또는 그러한 능력이 있는지는 상당 부분 그들의 태도, 교육 그리고 경험에 달려있을 것이다. 이러한 요건은 교재가 수업 시간에 일어나는 일들을 장악하는 정도에도 영향을 줄 것이다. Byrd(1995b)는 다음과 같이 지적한다.

어떤 교사들은 교과서가 제공하는 자원들을 분석하기 위한 테크닉이 거의 없는 듯 보인다. 몇몇 교사들은 단순히 교과서의 맨 처음부터 시작해서 한 교과목에 허락된 시간 안에 그들이 할 수 있을 만큼 책을 가르친다. 다른 교사들은 여러 연습문제 중 선택을 해야 하는 것이 당황스럽다고 이야기 한다. 또 다른 교사들은 교과서를 가르치기 전에 처음부터 끝까지 읽어야 한

다는 제안에 곤혹스러워 하는 듯하다. (p. 7)

Graves(1996)는 수업을 계획하고 가르치는 것과 관련된 의사결정은 사실 교과목을 계획하고 가르치는 것의 '축소판'이라고 주장한다. '수업을 계획하고 가르치는 데 있어 교사의 전문성은 교과목 개발의 전반적 과정의 일부이며 이와 매우 비슷하다'(p. 4). 이 간단한 비유는 경력교사들은 이미 교과목을 디자인 할 수 있는 기본적인 전문성을 갖추고 있다는 것을 암시하기 때문에 사실 매우 중요하다. 교과목 디자인이 책으로 위임된 교육기관에서는 이러한 교사의 전문성이 사용되지 않고, 경험이 부족한 교사들은 자신의 방식대로 하도록 내버려지며, Byrd가 설명한 상황이 만연하게 된다. Graves가 한 말의 진정성이 인정받는 곳에서는, 교과목 디자인은 상기 제시한 바와는 정반대로 역동적이고 민주적이며 전문성을 개발하도록 하는 과정이 될 것이다.

3. 교재 선정

3.1 교재 평가 싸이클

교재 평가에 대해서 지금까지 쓰인 많은 글들은 교과서를 다루고 있고, 교과서 평가에 관한 대부분의 글들은 교과서가 특정 상황에 적합할 것으로 *예상되는지*를 평가자가 결정하는 것을 돕는 과정과 기준에 관한 것들이다. Ellis(1997)는 이러한 사용 전, 즉 '선행' 평가와 사용 후, 즉 그가 '후행' 평가라고 칭하는—책 또는 다른 자료를 사용하고 그 효과를 가늠하는 경험에 근거한—평가를 구분한다. 다른 저자들은 교재가 사용되는 도중에 평가할 필요가 있다는 것을 주장한다('in-use' 평가 또는 'whilst-use' 평가—McGrath, 2002; Masuhara, 2011 참조). McGrath(2002, 1장과 9장)는 '순환적' 접근법을 세시하는데, 이 접근법에서는 각 단계에서 모은 데이터—사용 전 평가, 사용 중 평가 그리고 사용 후 평가—가 다음 단계에 피드백을 주고, 결국엔 평가 과정 자체에 변화를 가져올 수 있다.

교재 선정(선행 평가)은 특별히 교과서 선정과 관련하여 3.3절에서, 그리고 사용 중 및 사용 후 평가는 7.3절에서 논의할 것이다. 먼저 교재 분석과 교재 평가의 차이를 살펴볼 것이다.

3.2 교재 분석과 상황 분석

3.2.1 교재 분석

교재 분석은 책 속으로 들어가서(Graves, 2000) 그 안에 무엇이 있는지를 발견하는 것(Littlejohn, 2011)에 관한 것이다. 용어가 암시하듯이, 교재 분석의 목적은 평가를 하려고 한다기보다는 묘사하고 분석하는 것이다. 교재 분석의 중요성은 '그 주 목적이 교재가 어떤 가정과 신념을 바탕으로 쓰였고, 어떤 학습 효과를 가져오도록 기대되는지를 이해하고자 하는 것'(McGrath, 2002: 22)이라는 사실에 있다. 물론 교재 분석은 교재를 선정할 때 그리고 교재를 사용하기 전 평가의 예비 단계일 수도 있다.

Littlejohn(2011)은 교재 분석을 세 단계로 제시한다:

1. *교재에 무엇이 있는가*(객관적 묘사)

2. *교재 사용자에게 무엇이 요구되는가*(주관적 분석): 과업, 교재의 내용, 학습자가 무엇을 해야 하고, 누구와 해야 하는가에 초점을 둠

3. *무엇이 암시되어 있는가*(주관적 추론): 목표, 교재 선정과 순서의 원칙, 교사와 학습자의 역할 그리고 학습자의 활용능력process competence(즉, 지식, 기술, 능력과 태도를 사용할 줄 아는 능력)에 대한 요구에 관해 추론함

(Based on Littlejohn, 2011: 185)

Littlejohn에 따르면 교재 선정이 주요 관심사라면 위의 과정은 출판사와 교과서 저자가 주장하는 바를 확인할 수 있는 철저한 도구를 제공한다. 이는 또한 다른 목적을 위해서도 쓰일 수 있는데, 예를 들어, 현재 쓰고 있는 교재에 대한 불만의 이유를 밝혀내는 데, 그리고 지속적인 전문성 신장의 한 형태로서 ㅡ특히 교사가 자신의 교재를 개발할 때ㅡ쓰일 수 있다.

3.2.2 상황 분석

물론 교재 분석은 교재 평가 이전에 해야 하는 분석의 유형 중 하나일 뿐이고, 또 다른 분석으로는 상황 분석이 있다. 상황 분석은 *매크로 상황*(예를 들어, 한 국가에서 영어의 역할과 언어정책, 교수요목, 시험, 문화적 그리고 종교적 고려사항과 관련된 요소들)과 교재가 사용될 *마이크로 상황*(교육기관, 교과목, 교사와 학습자와 관련된 요소들)에 대해 고려하는 것을 포함한다. 매크로와 마이크로 요소에 대한 개관을 위해서는 McGrath(2002)를 참조하라. Graves(2000)는 교재(이 경우에는 교과서) 분석과 상황 분석을 확실하게 구분하는데, 왜 교과서 분석이 교과서가 선정된 후에도 바람직한지에 대해서도 설명한다:

> 교과서를 어떻게 사용하는지를 이해하는 데에는 두 가지 측면이 있다. 첫 번째는 교과서 그 자체이다: '교과서 속으로 들어가서' 어떻게 교과서가 구성되었으며 왜 그런지를 이해할 수 있다. 두 번째는 교과서 외의 모든 것들, 즉 상황, 학생, 그리고 교사인 당신이다. 당신이 교과서를 평가할 때 보통은 자신의 경험과 상황이라는 렌즈를 사용하기 때문에 이 두 번째 측면은 중요하며, 따라서 이러한 렌즈를 알고 있는 것은 중요하다. 첫 번째 측면, 즉 교과서 속으로 들어가는 것은 당신이 무엇을 개작하고 보충하는지를 알도록 해주기 때문에 중요하다. 두 번째 측면은 교과서를 무엇으로 개작할지에 대해서 당신이 더 분명하게 이해할 수 있도록 돕는다. (p. 176)

3.3 교과서 선정하기

적절한 교과서를 선택하는 것의 중요성은 1장(3.3.1절)에서 이미 강조했다. 그러나 많은 상황에서 교사들은 그들이 사용하는 교과서를 스스로 선택하지 않는다. Byrd(2001)는 미국과 그 외 나라의 대학에서 근무하는 교사들은 일반적으로 사용될 교재를 결정할 수 있지만, 다른 환경에서는 선정 결정권은 행정가 또는 위원회에게 넘겨질 수 있다고 지적한다. 중앙집권 체제에서는 국정교과서 시리즈를 사용하는 것이 필수일 수도 있기 때문에 이러한 선택은 아예 불가능하다. 그럼에도 불구하고 '교사는 때로 이러한 결정 과정에 영향을 미칠 수도 있다. [이는] 단지 교수법적 지식의 문제가 아니라 정치적 기술의 문제이기도 하다'(Byrd, 2001: 416). 이러한 정치적 기술을 어떻게 습득할 수 있을지에 대한 조언은 주어지지 않았지만, 제대로 알고 교과서를 선정하는 데 도움이 되는 교수법적 지식은 이 절의 나머지 부분에서 우리가 살펴보겠지만 영어교육 문헌에 많이 제시되어 있다.

3.3.1 방법

다수의 학자들은 교과서 선정에 있어 두 단계 접근법을 주장해왔다. 교육기관에서 흔히 볼 수 있는 압박을 생각해 보면 두 단계 접근법은 사치로 보일 수 있다. 그러나 여러 개의 교과서 패키지가 함께 평가될 때는, 만약 가장 적합하지 않은 교재가 빨리 버려지거나 또는 첫 번째 단계에서 '걸러진다면', 이는 두 번째 단계에서 더 적은 수의 교재를 좀 더 자세히 분석할 수 있는 시간을 가질 수 있게 한다(Grant, 1987; McGrath, 2002).

첫 번째 단계에 대한 제안은 상기 제시한 것과 비슷한 목적을 가지지만, 구체적인 면에서 좀 다르고 또한 첫 번째 단계를 위해 붙여진 독특한 이름들도 있다. 여기에는 다음과 같은 것들이 있다. 교재의 전반적 매력과 학습자에게 관심을 끌 수 있을지를 평가하기 위해 빠르게 휙 살펴보는 것을 포함하는 '플릭' 테스트flick test(Matthews, 1985); 책 뒤표지에 있는 출판사의 광고문과 목차를 살펴본 후, 책의 구성, 주제, 레이아웃, 시각 자료 면에서 책을 빠르게 훑어보는 것에 근거한 '인상적 개관'impressionistic overview(Cunningsworth, 1995); 그리고 뒤표지, 출판사 광고문, 서론과 목차에 중점을 둔 '외적' 평가 external evaluation(McDonough & Shaw, 2003). '첫인상' 평가first-glance evaluation(McGrath, 2002)는 일련의 예/아니오 질문과 플로차트flowchart 절차 (pp. 33, 37)를 합친 것이다; 그리고 CATALYST 평가(Grant, 1987)는 더 많은 판단을 요하기 때문에 더 많은 시간이 필요하다(이때, CATALYST는 의사소통중심인가Communicative? 목적은Aims? 가르칠만한가Teachability? 사용 가능한 보충 자료가 있는가Available add-ons? 학습자 흥미는Student interest? 시험적으로 사용해 보았는가Tried and Tested?(p. 119)를 상징하는 약성어이다).

두 번째 단계를 위해 가장 많이 지지되며 철저한 검토가 가능한 방법은 체크리스트checklist 방법이다. 체크리스트는 평가 기준을 명확하게 보이게 하는 방법이고 따라서 의사결정을 하는 데 있어 '기본 틀'을 제공한다. 체크리스트는 중요하다고 생각되는 모든 부분에 체계적으로 관심을 쏟을 수 있도록 보장한다. 또한 비용 효율적으로 그리고 비교가 편리한 방식으로 정보를 기록하도록 한다(McGrath, 2002: 26-7). 물론 비용 효율성과 편리성은 잠재적 장점일 뿐이다. 특정 체크리스트가 실제로 이러한 잠재력을 실현할 수 있을지는 그 형식에 달려있다(아래 3.3.3절 참조).

가장 잘 알려진 출판된 체크리스트는 아마도 다음과 같을 것이다: Tucker(1975), Cunningsworth(1979, 1984), Daoud와 Celce-Murcia(1979), Williams, D.(1983), Matthews(1985), Breen과 Candlin(1987), Grant(1987), Sheldon(1988), Skierso(1991), Ur(1996), 그리고 Harmer(1991). 비록 Cunningsworth(1995)가 평가의 다양한 측면과 관련된 체크리스트를 제시하지만, 이 중 가장 자세한 내용을 담은 것은 Skierso(1991)이다. 다른 예로는 Bruder(1978), Haycraft(1978), Williams, R.(1981), Byrd와 Celce-Murcia (2001), 그리고 Robinett(1978)의 것을 개작한 Brown(2007)이 있다. McElroy (1934)는 초기 체크리스트(그는 '점수 카드'score card라고 불렀다)의 흥미로운

예를 보여준다. 온라인에서 사용 가능한 체크리스트는 Peacock(1997a)과 Garinger(2002)의 것이 있다. Coleman(1985), Cunningsworth와 Kusel(1991), 그리고 Gearing(1999) 모두 특별히 교사용 지침서에 중점을 두었다—Skierso (1991)도 참조하라. 다수의 체크리스트에서 발췌한 내용은 McGrath (2002)에서 찾을 수 있다. Ansary와 Babaii(2002), Riazi(2003), Mukundan과 Ahour(2010), 그리고 Karamoozian과 Riazi(nd) 모두 다른 시대의 체크리스트를 개관한다. Gomes De Matos(2002)는 학제 간 체크리스트가 필요함을 주장한다.

3.3.2 기준Criteria

자세한 평가를 위해 만들어진 체크리스트는 일반적으로 주요 핵심 분야에 상응하는 다수의 부분section으로 구성되어 있다. 예를 들어, Grant(1987)의 체크리스트는 세 개의 일반적인 질문(또는 매크로 기준)—'책은 학생들에게 적합한가?', '책은 교사에게 적합한가?' 그리고 '책은 교수요목과 시험에 적합한가?'—하에 30개의 구체적인 질문(또는 마이크로 기준)이 포함되어 있다. Byrd(2001)의 체크리스트는 Grant의 것과 비슷하게 교재와 (1) 교과과정 (2) 학생 그리고 (3) 교사 사이의 조화에 초점을 둔다. Garinger(2002)의 체크리스트는 다음 네 개의 카테고리를 포함한다: (1) 프로그램과 교과목 (2) 언어능력 (3) 연습문제와 활동, 그리고 (4) 실질적인 고려사항. Richards(2001b)는 다섯 가지를 제시한다: (1) 프로그램의 고려사항을 반영하는 프로그램 요소 (2) 교사의 고려사항을 반영하는 교사 요소 (3) 학습자의 고려사항을 반영하는 학습자 요소 (4) 내용과 구성에 관련된 내용 요소, 그리고 (5) 교수법과 활동 및 연습문제 유형의 디자인과 관련된 교육적 요소 많은 체크리스트는 언어능력(예, 말하기, 쓰기)과 언어체계(예, 문법, 발음)를 차별화하며 언어의 구체적 측면에 맞게 카테고리를 할당하고, 만약 가격, 내구성, 구입 가능성과 같은 고려사항들이 1단계 체크리스트에서 평가되지 않았다면 이들을 다루기 위해 '실제적 고려사항' 또는 '일반적인 것'이라고 이름 붙여진 다목적 카테고리를 포함한다. 대부분의 체크리스트 디자이너들에게 이러한 개념적 도표화는 특정 기준에 대해 좀 더 구체적으로 생각하는 데 편리한 출발점이 되지만, 이와는 정반대로 작업하는 것, 즉 신념과 특정 기준으로부터 시작하는 것 역시 지지를 받아왔다(Tomlinson, 1999).

우리가 1970년대에 만들어진 체크리스트를 1990년대에 만들어진 것과 비교했을 때 알 수 있듯이, 특정 시기에 만들어진 기준의 한 가지 문제점은 이러한 기준이 몇 년 후에는 적합하지 않을 수도 있다는 것이다(논의를 위해서는 Riazi, 2003; Mukundan & Ahour, 2010, 그리고 예를 보기 위해서는 McGrath, 2002 참조). 물론 상황도 변화한다. 개괄적으로 말하자면 이는 '서로 다른 상황에는 서로 다른 기준이 적용될 것'(Cunningsworth, 1995: 2)을 의미한다. 우리는 이미 만들어진 체크리스트가 새로운 상황에 맞는지 철저히 연구해 보지 않고 재사용할 수는 없다. Tomlinson과 Masuhara(2004: 9)는, 예를 들어, '지역' 요인을 고려할 필요가 있다는 점을 강조했는데, '지역' 요인은─어느 체크리스트에도 포함될 교육기관 요인과 학습자/교사 관련 구체적 요인에 덧붙여서─학습자를 시험에 대비하도록 해야 할 필요나 교실환경 밖에서 목표언어에 대한 노출 가능성 등도 포함할 수 있다. Tomlinson과 Masuhara는 또한 현대 교과서 패키지를 구성하고 있는 다양한 교재를 언급하며 이러한 각 요소에 대한 기준(예, 미디어 관련 기준)을 포함해야 한다고 지적했으며, Bahumaid(2008)도 회화책을 평가할 때는 교과서를 평가할 때와는 다른 기준이 필요할 것이라며 비슷한 주장을 펼쳤다. 그 범위를 한정시켜서 만들어진 체크리스트의 예로는 소프트웨어에 대한 Ioannou-Georgiou(2002)의 체크리스트, 독해책에 대한 Karamoozian과 Riazi(nd)의 것, 그리고 자습 교재에 대한 Reinders와 Lewis(2006)의 체크리스트가 있다.

Roberts(1996)는 감탄할 만큼 차분하고 예리하게 체크리스트를 살펴보면서, 상황이 서로 너무 다르기 때문에 체크리스트를 비교하는 것은 그저 학문적인 차원에서 흥미로울 뿐이라고 말한다. '사람들이 구현한 몇몇 개의 기준들은 자신의 교수/학습 상황에는 의미가 있겠지만, 아마도 이러한 기준의 가장 큰 가치는 평가 체제나 택해야 할 방식에 대해 생각해 보도록 자극을 준다는 점일 것이다'(p. 381). 그렇다면 이제 체제와 방식에 대해서 살펴보자.

3.3.3 형식과 과정

우리가 두 단계 절차를 채택한다면, 쉽게 사용할 수 있고 시간과 노력을 절약하는 것이 두 단계 모두에서 중요한 고려사항이지만, 특히 1단계에서는 더욱 그러하다. 이를 바탕으로, McGrath(2002, 출판 예정[6])는, 예를 들어, 제한된 수의 *예/아니오* 질문, 그리고 하나 이상의 주요 기준이 충족되지 않았을 경우 종료할 수 있는 선택권이 있는 플로차트 과정을 주장한다.

좀 더 일반적으로 형식은 다음에 관한 것이다:

- 체크리스트가 기본 정보(예, 저자(들), 출판사, 출판일, 구성요소, 가격)를 기록한 소개 부분을 포함하고 있는지

- 한 권의 책이나 하나의 교과서 패키지를 평가하는 데 사용되도록 만들어진 것인지 아니면 비교를 하기 위해 만들어진 것인지

- 설명이 따로 필요 없는 것인지 아니면 기준을 설명하는 노트가 동반되는 것인지

- 기준이 어떻게 제시되어 있는지(예, 평서문의 형태인지 또는 질문의 형태인지)

- 기준이 각 부분으로 분류되어 있는지

- 질문이 사용되었다면 질문은 폐쇄형인지 개방형인지

- 대답의 형태(예, *예/아니오* 또는 다른 정형화된 구두 답변; 척도 사용; 자유로운 구두 답변)

- 추가적으로 대답하는 것이 장려되는지

- 결과는 수량화될 수 있는지(예, 숫자를 더함으로써)

---

6) in press

대부분의 경우에는 비교가 있을 것이고, 상기 제시된 바와 같이 평가자의 시간과 노력을 절약할 수 있는지가 관건일 것이다. 특정 요소가 있느냐 없느냐는 예/아니요 형식을 사용하여 평가될 수 있지만, 교과서의 품질에 대한 판단은 척도scale가 요구된다. 이를 위해 폐쇄형 응답의 수치로 표현한 형식(예, 평정척도rating scale)이 필요하다. 각각의 기준 중 좀 더/덜 중요하다고 생각되는 기준을 구별하기 위해서 또 다른 척도를 사용하여 개별 기준에 가중치를 둘 수도 있다. 각 부분의 점수에 대해 소계를 내는 것은 서로 다른 교재의 장점과 단점을 보여줄 뿐만 아니라, 이들 교재의 각 부분별로 쉽게 비교가 가능하도록 해준다. 세부 항목의 끝에 논평을 달 수 있도록 공간을 두는 것은 평가자가 자신의 평가에 대해 설명할 수 있도록 해주고, 특정 기준이 다루지 않은 특징들에 관심을 갖도록 한다. 등급을 매기거나 가중치를 두어 평가하는 척도 rating and weighting scales 모두 Tucker(1975), Daoud와 Celce-Murcia(1979), Williams(1983) 그리고 Skierso(1991)가 사용했는데, Tucker는 다른 학자들이 'weighting'이라고 부른 것에 대해 'rating'이라는 용어를 사용한다. Roberts (1996)와 McGrath(2002)에는 형식의 다양한 측면에 대한 비평적 논의가 있다.

형식에 관한 이슈는 본질적으로 기술적인 것이고, 목적에 부합하는 디자인에 도달할 수 있는가에 관한 것이다. 논리적으로 형식에 대한 결정은 기준 (3.3.2절)에 대한 논의 다음에 와야 하고, 기준에 대한 결정이 교재를 사용할 사람들(교사와 학습자)이 무엇을 원하는지를 고려해야 하는 것과 마찬가지로, 체크리스트 형식에 대한 결정 역시 그 체크리스트를 사용할 사람들과 그 과정을 고려해야 한다.

체크리스트 기준의 디자인은 여타 연구 설문지의 디자인과 비슷한 기준이 적용된다. 예를 들어, 각 항목은 한 가지 개념이나 명제를 다루도록 만들어져야 하고, 그 의미가 명료해야 하며, 응답형식이 적절해야 한다. 상기 제시한 것들 중 어느 하나에 문제가 있다면 신뢰도에 영향을 줄 것이다. 체크리스트 디자인에 있어 시간과 노력을 줄일 수 있으면서 명료성에 문제가 없도록 하기 위해서, 몇몇 교재 평가 체크리스트를 만드는 사람들은 응답자가 목적을 충분히 이해하도록 하기 위해 추가적인 요약 노트를 제공할 필요를 느끼기도 한다. 교육기관에서는 이러한 종류의 해답지가 참고용 자료로서 유용하지만, 단순히 *이미 결정된 사실*을 제공하는 것보다는 소개 형태의 논의-체계적인 교재 평가, 그리고 교재에서 제안하는 접근법의 필요성에 대한 논의-가 더 선호될 것이며 더 효과적일 것이다. 만약 기준이 이미 전 단계에서 구체화되었다면, 그 다음으로 어떻게 개별 기준이 가중치를 두어 평가되어야 하는지에 대해 고려할 수 있으며(잠재적으로 시간이 많이 걸리는 과정이지만, 교사가 '적극적으로 참여하도록' 격려하는 과정), 이미 사용하고 있거나 교사가 잘 알고 있는 교재를 가지고 '연습'할 시간을 가질 수 있다. 의견이 많이 나뉘는 응답을 통해 주요 개념을 이해하는 데 명백한 차이가 있다는 것이 드러날 것이며, 확인 후 체크리스트 항목, 형식 또는 요약 노트는 이러한 차이를 없애도록 변경될 수 있다. Daoud와 Celce-Murcia(1979)는 평가 대상 교재는 세 명의 경력교사들에 의해 평가되어야 한다고 제안한다; 다른 학자들은 교재를 사용하게 될 모든 교사들이 참여하는 것을 선호한다(추가 논의를 위해서는 Skierso, 1991; Chambers, 1997; McGrath, 2002 참조).

3.4 수업 계획과 교재 평가

수업 계획 역시 교재 평가를 포함한다. 일련의 수업이든 하나의 수업을 계획하든, 교사는 학습자의 *현재* 지식과 능력, *향상시키고자 하는* 지식과 능력의 수준(예를 들어, 교수요목에 기술되어 있는) 그리고 사용 가능한 교재(보통 교과서를 포함하는)를 고려하게 된다. 경험이 있는 교사들은 자신의 경험(교수 경험, 비슷한 학습자들을 가르친 경험, 교재를 사용해 본 경험)에도 의존한다. 어떤 교사들은 활동이 얼마나 잘 진행이 되었는지 그리고 절차와 시간적인 면에서 자신이 어떤 수정을 가했는지에 대해 주석을 달아 놓았던 이전에 사용했던 수업계획서 사본을 참고할 수도 있고, 다른 교사들은 아무렇게나 휘갈겨 쓴 노트에 의지할 수도 있으며, 또 다른 교사들은 머릿속의 계획에 의지할 수도 있다. 반대로, 경험이 부족한 교사들은 자세한 서면 계획을 쓰도록 권장된다. Senior(2006)는 이러한 후자의 '계획'과 경험이 많은 교사의 특징인 '준비'를 구별한다.

어떤 형태를 취하든지 수업 계획은 바람직한 학습 결과를 성취하기 위해 필요한 언어입력과 활동에 대해 그리고 어떤 순서로 이들을 제시할지에 대해 고려하는 것을 포함한다. 교사가 교과서를 가지고 수업을 계획한다면, 그는 교과서가 학습 결과에 도움을 줄만한 잠재력이 있는지를 평가할 것이다(교재를 분석하는 데 지침이 될 일반적인 질문이 있는 체크리스트를 보려면 Acklam, 1994; Byrd, 2001 참조). 이렇게 평가에 신중을 기하는 것은 교과서의 어떤 부분이 아무 변화 없이 사용할 수 있는지, 어떤 부분은 사용하지 않을 것인지, 어떤 부분을 대체해야 하는지, 그리고 어떤 부분이 바뀌어야 하는지에 관한 결정을 내리도록 할 것이다. 이 절차에 따라 만약 교사가 보충 자료(예, 다른 책에서 가져온 자료, 실제 자료 또는 온라인 자원)가 필요하다고 결정한다면, 똑같은 평가 결정 과정이 이러한 보충 자료에도 반복되어 실행될 것이다. 4절과 5절은 이러한 과정에 대해 좀 더 자세히 논의할 것이다.

수업 계획에 있어 이것이 평가의 끝이 아니다. 수업 계획이라고 해도 변하지 않는 것은 아니다. Harmer(2007)는 교사들이 '단지 수업계획서에 있다는 이유로'(p. 367) 미리 계획된 활동을 해서는 안 된다고 지적한다. 계획은 수업 후 좀 더 여유가 있을 때뿐만 아니라 사용되는 도중에도 평가되고 필요하다면 변경되어야 한다(7.3절 참조). 또한 계획, 또는 수업 중 즉석에서 만들어진 계획이 교재 개작을 포함한다면, 개작의 적절성 또는 부적절성도 평가의 일부가 되어야 한다.

4. 개작Adaptation

4.1 개작의 정의

영어교육 문헌에서는 개작과 관련하여 다음의 정의에 동의가 이루어진 듯하다. 교과서나 다른 교재를 사용하는 교사가 어떤 부분을 생략하거나omit, 추가하거나add 바꿀change 때, 그들은 교재를 개작하고 있는 것이다. 개작을 논의하는 데 이러한 정의는 중요한 출발점이 되겠지만, 좀 더 도움이 될 만한 정의－교사의 실제 활동을 분석하거나 도움을 줄 때 쓰일 수 있는 정의－는 다음의 네 가지 질문에 답을 해야 할 것이다:

● *우리는 왜 개작해야 하는가?*

 － 영어교육 문헌에서 찾은 답은 교과서는 모두를 위해서 쓰인 것이고, 따라서 어느 누구를 위해서 쓰인 것은 아니다. 이는 모든 출판된 교재에 해당된다. 개작은 따라서 교재를 잘 변경해서 특별한 학습 상황에 더 잘 맞도록 하고자 하는 시도이다(4.2절과 4.3절 참조).

● *우리는 무엇을 개작해야 하는가?*

 － 무엇이든 다(언어, 수준, 상황, 내용, 절차)－4.4절을 참조하라. Graves(2000)는 개작에 관해 쓰인 많은 것들이 수업활동에 관한 것이고 따라서 내용이 다소 편협하다고 지적하며, 교사는 단원과 교수요목 차원에서도 개작을 한다고 언급한다. 새로운 교재가 추가될 때, 이는 보충으로 여겨진다(5절).

● *우리는 어떻게 개작해야 하는가?*

 － 이 질문에 대한 일반적인 답은 상기 제시한 것, 즉 생략하거나, 추가하거나 또는 바꾸는 것이다. 좀 더 구체적인 답은 실제로 '추가'와 '바꾸기'가 무엇을 의미하는지를 설명할 것이며(4.5절 참조), 특정 결정에 영향을 미치는 원칙들을 참고할 것이다(4.6절 참조). 어떤 개작은 노력이 거의 필요하지 않지만, 다른 종류의 개작은 시간,

지식 그리고 기술을 필요로 한다.

● *우리는 언제 개작해야 하는가?*

  ─ 개작은 수업 계획의 일부(사전적proactive)일 수도 있고 수업이 진행
  될 때 하는 본능적인 반응(반응적reactive)일 수도 있다. 경험이 쌓이
  면서 교사는 반응적 개작을 더 잘 할 수도 있지만, 교사교육을 통해
  서 다양한 사전적 개작의 가능성에 대해서 눈뜨게 될 수 있고(4.5절
  과 4.6절) 따라서 교사교육은 교사가 좀 더 효과적인 수업 계획을
  할 수 있도록 도울 수 있다.

4.2 개작의 중요성

개작의 중요성은 널리 알려져 있다. Richards(2001b: 5)는 '상업적 교재를 개
작할 수 있는 … 능력은 … 교사가 발전시켜야 할 기본 능력이다'라고 언급했
으며, Prodromou(2002)는 다음과 같이 지적한다:

교과서 그 자체가 가르치지는 않는다. … 학생들과 협력하여 교재에 생명을
불어넣는 것은 교사이다. … 어떤 이유에서든지 평범하다고 여겨지는 책은
열정적이고 상상력 넘치는 교사에 의해서 동기를 부여하는 교재로 바뀔 수
있지만, 만약 교사가 교재에 나와 있는 그대로를 그저 열심히 살펴보기만
한다면 지루한 책은 계속 지루할 것이다. (p. 27)

Islam과 Mares(2003)에게 개작은 교과서가 상황에 적절할 때조차도 필요하다:

많은 경우에 출판된 교재를 사용하는 교사는 교재를 개발하는 것에 참여하
지 않으며, 자신의 학교를 위해 교재를 채택하는 업무와는 거의 관련이 없
을 것이다. 그러나 교사가 책을 선정하고, 수업의 모든 학생들을 잘 알며,
자신이 처한 상황에 맞도록 특별히 만들어진 교재를 사용할 때조차도, 교사
는 여전히 교재를 의식적으로 또는 무의식적으로 *개작해야만* 할 것이다.
(Islam & Mares, 2003: 86, 강조 추가)

교사—적어도 경험이 있고 유능한 교사—는 교재를 *개작할 것*이라는 믿음 역시 널리 퍼져있는데, 이는 관찰을 통해서도 그 증거를 찾아볼 수 있다. Hutchinson과 Torres(1994: 325)는 Torres의 박사 연구에 참여한 두 명의 교사에 대해서 다음과 같이 언급한다:

> ... 교사들과 학습자들은 교과서의 대본을 그대로 따르지 않는다. 교사들은 대부분 교과서에 기반을 둔 과업을 개작하거나 바꾸면서, 새로운 지문을 추가하거나 지문 몇 개를 삭제하면서, 과업의 진행방식을 바꾸면서, 과업의 입력언어 또는 기대되는 출력언어를 바꾸면서 자신만의 대본을 따른다. 또한 이 연구에서 확실하게 알 수 있는 것은, 교사가 미리 계획한 과업은 수업 중 교사와 학습자들의 상호작용에 의해서 새롭게 변형되고 재해석된다는 것이다.

Islam과 Mares(2003)도 '미리 계획된' 개작과 '즉흥적인' 개작을 구별하면서, '미리 계획되었든 또는 즉흥적이든, 교재 개작은 모든 수업 성공의 중요한 부분이다'(p. 86)라고 말한다.

어떤 학자들은 '경험이 있는' 교사보다는 '유능한' 교사에 대해 언급하는데, 이는 아마도 경험 그 자체만으로는 이러한 즉각적으로 반응하며 창조적인 교수활동을 이끌어 내지 않는다는 것을 암시하고자 한 듯하다. 예를 들어, Madsen과 Bowen(1978: vii)은 '유능한 교사는 끊임없이 개작한다'라고 말하는데, 이러한 유능한 교사에 대한 그들의 설명은 개작하는 과정에 녹아있는 복잡한 협상을 잘 포착해 낸다: '유능한 교사는 ... 몇 개의 서로 관련 있는 변수, 즉 교재, 방법론, 학생, 교과목 목표, 목표언어와 환경, 그리고 교사의 개성과 교수 스타일 가운데 조화를 만들어내려고 끊임없이 노력한다'(p. ix). Senior(2006)와 Richards(2001b) 역시 교사의 선호하는 교수 스타일의 영향력을 잘 인지하고 있다:

교사가 어떤 형태의 교재를 사용하는 것과 상관없이, 즉 교사가 교과서, 교육기관 내 교재, 또는 교사가 준비한 교재를 가지고 수업을 하거나 그렇지 않거나와는 상관없이, 이러한 교재는 교수활동을 위한 *계획*을 나타낸다. ... 교사가 교재를 사용할 때, 그들은 교재를 개작하고 바꾸어서 특정 그룹의 학습자의 필요와 자신의 교수 스타일에 적합하도록 한다. 이러한 변화의 과정이 바람직한 교수활동의 중심에 있고, 유능한 교사가 자신들이 사용한 자원을 가지고 효과적인 수업을 만들어 낼 수 있도록 한다. (p. 16)

4.3 개작의 목적

개작은 교재를 학습자들에게 의미 있고 흥미롭도록 만든다는 것에 많은 이들이 동의한다. Saraceni(2003: 77)에게 개작의 목적은 교재를 '학생들의 삶에 더 관계가 있고 효과적으로' 만드는 것이다. Prodromou(2002)는 개작이 어떻게 다양성을 충족시키고, 이와 아울러 과업을 '더 흥미롭고, 성취할 만하고, 기억에 남을 만하도록'(p. 29) 만들어서 교재에 생명을 불어넣는지를 보여주기 위한 예를 제시한다. Madsen과 Bowen(1978)이 언급하듯이, 개작이 교재에 대한 비판의 형태를 띨 필요는 없다: '교과서가 잘 쓰여 있다 할지라도, 특정 학교 또는 특정 교실의 교육목표, 학생의 수준, 또는 교사의 교수 스타일과 완벽하게 맞지 않을 수도 있는 것이다'(p. viii).

McGrath(2002)는 개작의 목적을 다음과 같이 요약한다:

1. 교재가 사용되는 환경에 더 적합할 수 있도록 만들기 위해서. 즉, 교재를 학습자의 필요와 흥미, 교사의 능력 그리고 시간과 같은 제약에 맞도록 하기 위해서. 또는 McDonough와 Shaw(1993: 85)는 다음과 같이 설명한다: '교과서의 내적 특징 중 몇 가지를 특정 교육환경에 더 적합하도록 바꾸는 것을 통해서 상황에 맞는 교재의 적절성을 최대화하기 위해서';

2. 언어적 부정확성, 시대에 뒤떨어진 내용, 실제성의 부족(Madsen & Bowen, 1978) 또는 다양성의 부족(Tice, 1991)과 같은 교재 고유의 결점을 보충하기 위해서. (p. 64)

교재가 사용되는 환경은 앞서 언급한 교육기관의 매크로 환경과 마이크로 환경(교수요목, 시험, 교과목 특징)을 포함한다. McGrath는 교재의 적절성을 최대화함으로써 학습자의 동기를 고취시킬 수 있으며, 이는 결국 '학습에 도움이 되는 수업 분위기'(ibid.)를 이끌어 낼 것이라고 덧붙인다.

4.4 초점

개작은 보통 다음의 어느 한 가지 또는 어느 한 조합에 초점을 둔다.

● *언어*(지시문, 설명, 예시의 언어, 연습문제와 본문의 언어 그리고 학습자가 표출할 것이라고 기대되는 언어)

● *과정*(연습문제, 활동과 과업, 그리고 관련된 학습 스타일에 대한 지시문에 명백히 서술된 수업운영이나 상호작용의 방식)

● *내용*(주제, 상황, 문화적 내용)

● *수준*(학습자에게 요구되는 언어적 그리고 인지적 수준)

예를 들어, 언어와 관련하여 개작은 세 가지 고려사항이 있다: (1) 학습자들이 자신들의 발화 모델이 될 수 있는 정확하고, 최신이며, 실제 사용되고 있고, 적절한 언어 샘플에 노출되는가; (2) 이러한 입력언어가 학습자들에게 적합한 수준인가; 그리고 (3) 연습문제와 활동이 학습자들에게 유용할 언어를 사용할 기회를 제공하는가. 언어, 내용 또는 수업운영(예를 들어, 쓰기 연습문제인지 말하기 연습문제인지, 또는 개별적으로 하는 것인지 짝과 함께하는 것인지)과 관련된 개작은 모두 특정 학습자들을 위한 특정 환경에 무엇이 가장 적절한가에 대한 교사의 판단에 의해 결정된다. 하지만, 학습자들은 개개인으로 이루어져 있고, 따라서 개인차를 잘 수용할 필요가 있다는 인식이 과정과 수준에 초점을 둔 개작의 형태 이면에 깔려있다.

4.5 절차

Cunningsworth(1995)는 개작의 테크닉에 대해 가장 간결한 정의를 내린 사람 중 하나인데, 그에 따르면 교사는 *생략하거나*leave out, *추가하거나*add, *대체하거나*replace, *바꾸면서*change 개작을 한다. 그러나 표 3.1에서 보듯이, 다른 저자들은 두통을 일으킬 만큼 수없이 많은 대체 용어와 범주화를 사용한다. 생략하는 것은 *omit, delete, reject*로 바꾸어 표현될 뿐만 아니라, 이 범주 안에서도 구별되기도 한다(*reduce, subtract, abridge*). 추가의 범주 안에서도 구별되기는 마찬가지다(*extend, expand, extemporize, exploit*). 순서나 구성의 바꾸기도 *reordering/reorganizing/restructuring/resequencing*과 같이 다양하게 표현되기도 하고, 다른 형식의 바꾸기 역시 다른 테크닉(예, *replacement*)으로 따로 목록화되거나 또는 저자의 개인적인 선호도에 따라서 함께 분류되기도 한다(Richards, 2001a; McGrath, 2002 참조).

이러한 다양한 용어 안에 존재하는 공통점을 찾아 정립하는 것은 어렵겠지만, 아무 쓸모없는 학문적 노동은 아니다. 1장에서 보았듯이, 우리는 모든 교사가 경험과 자신감이 쌓이게 되면 가벼운 방식으로 개작을 할 것이라고 기대할 수 있다. 그러나 다른 형태의 개작도 바람직하다는 것을 많은 교사들이 알 필요가 있으며, 전문성과 시간이 필요한 상황에서는 각 교육기관 내에서 또는 교사교육 프로그램의 일부로 그들이 이러한 전문성을 습득하도록 도움을 받게 할 필요가 있다. 개작의 용어에 있어 일관성을 가지는 것이 어려울 수 있겠지만, 적어도 우리가 사용하는 개작의 테크닉을 설명할 수는 있어야 한다. 아래의 표는 세 가지 기본 범주—생략, 추가 그리고 바꾸기—와 한정된 자원을 바탕으로 그러한 설명을 제공하고자 한 것이다.

표 3.1 개작 절차: 같은가 또는 다른가?

Cunningsworth (1995)	생략하다 (leave out)	추가하다 (add)	대체하다 (replace)	바꾸다 (change)
Harmer(2007)	omit, reduce	add	replace	reorder, rewrite
Maley(2011)	omit	add	replace	reduce, extend, rewrite/modify, reorder, branching
Graves(2000)	delete	add	reorder, change	
McDonough & Shaw(2003)	delete (subtract와 abridge 포함)	add (expand와 extend 포함)	simplify, modify(rewrite과 restructure 포함), reorder	
Richards(2001a)	delete	add	내용을 reorganize 또는 modify, 과업을 modify(change) 또는 extend, 생략된 것을 address	
McGrath(2002)	reject	add: extemporize, extend, exploit	change: 언어, 상황과 내용, 절차와 수업운영에 대한 change 포함; restructure	
Tomlinson & Masuhara(2004)	minus: delete, subtract, reduce	plus: add, expand	zero: modify, replace, reorganize, resequence, convert	

*생략*omission은 다음과 같은 결정을 칭한다:

● 교재의 모든 부분을 사용하지 않는 결정(McDonough & Shaw의 양적인 *빼기*subtracting와 질적인 *축약*abridging; Tomlinson & Masuhara의 *삭제*deletion)

- 교재의 일부를 사용하지 않는 결정(McDonough & Shaw, 그리고 Tomlinson & Masuhara가 정의한 *빼기*subtraction)
- 교재를 수업에서는 사용하지 않지만, 숙제로 내는 결정(McGrath - 이를 위한 특별한 용어가 제시되지는 않음).

*추가*addition는 다음과 같은 여섯 개의 서로 다른 형태를 취할 수 있다:

- 예상하거나 인지하고 있는 학습자의 문제점에 대해 즉각적으로 제공하는 예시, 설명, 다른 말로 표현하는 것(McGrath의 *extemporization*)
- 같은 종류의 연습 또는 시험 항목을 더 제공하는 것(McGrath의 *extension*)
- 지문이나 활동의 길이, 깊이 또는 난이도를 증가시키는 것(Tomlinson & Masuhara의 *expansion*)
- 저자가 의도하지 않은 방식으로 교재를 창의적으로 사용하는 것 (McGrath의 *exploitation*과 아마도 Maley의 *extension*)
- 기존 활동의 대안 또는 교재를 통해 다른 길을 제공하는 것(Maley의 *branching*)
- 새로운 교재 제공(예, 지문, 활동)(McDonough & Shaw의 *expansion*, Tomlinson & Masuhara의 *addition*)

*바꾸기*change(또는 modification)에는 세 가지 종류가 있다:

- 재배열rearrangement: 보통은 순서를 다시 배열하는 것resequencing을 포함한다
- 대체replacement
- 다시 쓰기rewriting: 간단한 바꾸기와 좀 더 대규모의 바꾸기 모두를 포함한다.

좀 더 자세한 논의를 위해서는 McGrath(출판 예정)를 참조하라.

4.6 개작의 예시

예시를 보는 것은 분석적 논의에서 벗어나 기분을 전환하도록 하는 것뿐만 아니라, 제안된 개념체계의 적절성을 시험할 수 있는 방법이다. 아래에 위의 두 가지 목적에 맞는 두 개의 예가 제시되어 있다. 이들은 모두 대화dialogues를 다루는 것에 관한 것이다.

예시 1

교과서에 제시된 대화에 대한 녹음 자료가 없는 경우, 교사는 지문을 크게 읽어주어야 할 책임을 느낄 수 있다. Graves(2003)는 플라스틱 나비매듭을 재치 있게 사용해서 대화 속의 화자가 여자인지(리본을 머리 쪽에 들고 있음) 또는 남자인지를(나비넥타이처럼 보이게 하려고 리본을 목에다 대고 있음) 알려 준 동료를 떠올린다; Graves가 언급하듯이, 손가락 인형을 사용하는 것이 대안이 될 수 있다.

예시 2

Appel(1995)은 자신이 손가락 인형을 사용한 방법을 다음과 같이 설명한다:

> 때로는 제가 직접 대화를 읽기도 했습니다. 이를 위해 필요한 것은 책에 있는 대화를 읽고 새로운 단어를 확인하는 것, 그리고 Tony와 Ilona라는 이름으로 학생들이 알고 있는 두 개의 손가락 인형이었습니다. Tony와 Ilona는 우리의 친구가 되었어요. 그들은 교과서 저자나 편집장이 감히 절대로 대화에 넣지 않을 법한 그런 모든 것들을 말할 수 있었기 때문에 모두에게 재미있었습니다. (Appel, 1995: 119)

예시 1은 쾌활해 보이는 남자 교사가 두 명의 등장인물을 나타내기 위해 앞

뒤로 다니면서, 밝은 색의 플라스틱 나비매듭을 머리에서 목으로 능숙하게 옮기는 그런 선명한 심상을 불러일으킨다. 예시 2는 짓궂은 인형 둘이 수다를 떨고 있고—어쩌면 교사에 대해서도—밝은 표정의 아이들이 그 둘의 대화를 주의 깊게 듣고 있는 그림이 떠오른다. 이와 같은 예시들이야 말로 학생들이 교과서에 나온 언어를 더 잘 기억하도록 만드는 재미 가득한 순간들이다. 좀 더 일상적으로 보자면, 예시 1은 바꾸기로서의 개작(특히 McDonough와 Shaw(2003)가 *restructuring*이라고 칭한, 그리고 McGrath(2002)가 *change in procedure*로 칭한 개작)을 보여주는 것이다. 반면에, 예시 2는 McDonough와 Shaw가 *rewriting*(바꾸기의 한 형태)이라고 칭한 것에 더 가까운 듯하지만, McGrath(2002)에게는 *exploitation*(추가의 한 형태)일 것이다. 더 많은 예—좀 더 기분을 전환하거나 또는 개념 체제를 확인하기 위해—는 Mosback(1984), Grant(1987), Graves(2000, 9장) 그리고 McGrath(2002, 4장)에서 찾을 수 있다.

4.7 원칙

개작 과정에서 교재를 바꾸는 것은 보통 하나 또는 그 이상의 원칙에 근거한다. 아래에 가장 많이 언급되거나 암시되는 원칙들이 요약되어 있다.

교재는:

- 학생들에게 그들과 관계가 있다고 인식되어야 한다(지역화localization)
- 최신의 것이어야 한다(현대화modernization)
- 학습 스타일의 다양성을 수용해야 한다(개별화individualization)
- 학생들에게 자신과 자신의 경험에 대해서 이야기하고 쓸 수 있도록 격려해야 한다(개인화personalization)
- 전인적 인간을 참여시켜야 한다(인간화humanizing)
- 학습자의 수준에 적절해야 하며 적절한 수준의 어려움을 제공해야 한

다(단순화simplification/복잡화complexification/차별화differentiation)

● 다양해야 한다(다양성variety)

4.7.1 지역화

표면적으로 지역화는 특히 글로벌 교재를 사용할 때 적용되는데, 언어 교수요목과 문화적 내용이라는 두 가지 측면에서 그렇다. 앞서 살펴보았듯이 영어교육 문헌에서는 교사가 평가, 특히 학습자의 필요에 대한 평가를 바탕으로 교재와 관련된 결정을 내릴 것이라는 기대가 있다. 따라서 교사들이 출판된 교재를 사용할 때, 그들은 (1) 자신들이 판단하기에 학생들과 관계가 있다고 생각되는 부분만을 사용할 것이고, (2) 출판된 교재가 적절하지 않다고 느낀다면 추가 교재를 제공할 것이라는 기대 역시 있다. McDonough와 Shaw(2003)는 이러한 과정을 보여주기 위해서 글로벌 교과서에서 발음에 관한 부분을 교사가 어떻게 다루는지의 예를 보여준다. 이 예에서 교재는 일련의 잠재적인 발음 문제(예, 모음 대비, 유성음/무성음 대비, 음소)를 체계적으로 다루고 있고, 특정 상황에서 단일 언어 사용 학습자들을 가르치는 교사는 (1) 자신의 학생들에게는 문제가 되지 않을 음소 대비는 다루지 않을 것이라고 결정하면서, 그리고 (2) 책에 제공된 음소 또는 음소 대비 연습이 충분하지 않다고 생각될 때 추가적인 연습을 제공하면서, 우리가 언어적 지역화linguistic localization라고 칭하는 원칙을 적용한다. 이 원리는 당연히 언어의 다른 부분을 다룰 때에도 적용될 수 있다.

문화적 내용과 관련하여 많은 이들이 학습자는 교재에 나온 상황, 내용 그리고 등장인물과 공감할 수 있어야 한다는 것에 동의하는 듯하다. 따라서 만약 교사가 문화적으로 익숙하지 않고 생경하거나 또는 부적절한 내용이 있는 글로벌 교재를 사용한다면—우리가 문화적 지역화cultural localization라고 칭할 수 있는 원칙에 따르면—그는 이러한 것들을 지역의 상응하는 것으로 대체해야 한다는 것이 제안되어왔다. 예시나 연습문제 차원에서 대체한다는 것은 단순히 하나의 명사(예, 과일, 채소, 동물, 스포츠 이름)를 다른 것으로 대체하거나 또는 장소의 이름을 다른 것으로 대체하는 것을 포함할 것이다. 같은 원칙이 언어연습을 위한 기초로 사용되는 사람들의 사진 또는 장소나 지도에도 적용된다. 또 다른 대안은 생략하는 것인데, 교수요목에 있는 중요한 언어를 '다루고' 있지만 부적절하다고 느껴지는 주제에 대한 말하기/쓰기 본문의 경우에 이는 사실 불가능하며, 또한 적절히 대체할 만한 교재를 찾거나 새롭게 만들어 내는 것 역시 쉽지는 않을 것이다.

실용성과 문화적 금기를 제외하고서라도, 관련성relevance과 문화적 지역화라는 개념은 교사가 학생들을 위해서 판단을 내릴 수 있는 위치에 있다고 가정하기 때문에 다소 문제가 있다. 만약 학생들의 경험과 관계없는 사람, 장소와 사건에 대한 언급 모두가 대체되거나 삭제된다면, 이는 학생들에게 흥미롭거나 가치가 있을 수 있는 정보와 지식을 그들로부터 빼앗는 것은 아닐까? Altan(1995)이 제시하는 타협 지점은 입력내용은 더 큰 세계에 대한 내용을 포함하는 대신, 학생들의 출력내용(예, 학생들이 말하거나 써야 하는 내용)은 그들이 알고 있는 세계에 초점을 맞추도록 하는 것이다.

4.7.2 현대화

이 절에 포함된 원칙들과 비교해서, *현대화*는 비교적 문제가 없어 보인다. 현대화는 교재의 다음 두 가지 측면 중 하나에서의 변화를 칭한다: (1) 언어—만약 언어가 최신의 언어사용을 반영하지 않고 있어 더 이상 학생들의 표출의 모델로서 작용할 수 없을 때; 그리고 (2) 내용—예를 들어, 삽화, 사실 그리고 주제가 너무 오래되어서 부정확하거나 부적절할 때. 사소한 언어 요점의 경우 교사가 간단히 언급하며 다룰 수 있고, 오래된 내용은 대체하거나(교사나 학생이) 또는 수업 토론의 주제로 사용할 수 있다.

4.7.3 개별화

McDonough와 Shaw(1993: 87)는 *개별화*를 '개별 학생뿐만 아니라 함께 학습하는 수업의 모든 학생들의 학습 스타일을 다루는 것'이라고 정의한다. 간단한 차원에서 이는 교사가 수업활동이 늘 똑같은 방식으로 진행되지 않도록 하는 것을 포함한다. 학생들 역시 Maley(2011)가 말한 'branching' 선택권—예를 들어, 개별적으로 활동할 것인지 아니면 둘이서/소규모 그룹으로 활동할 것인지, 또는 과업(연재만화, 역할놀이, 서술문 쓰기)에 대한 자신의 활동 내용을 발표하는 방식에 대한 선택권—이 제공되는 것을 감사하게 생각할 수 있다.

4.7.4 개인화

개인화는 학생들에게 개별적, 개인적 차원에서 교재와 관계를 맺도록 격려하는 교재 활용exploitation의 한 형태이다. Graves(2003)는 다음과 같은 간단한 예를 든다: '교과서에 나온 예를 사용해서 전화번호를 가르친 고등학교 프랑스어 교사를 관찰했던 기억이 있다. 학생들은 지루해 했고 집중하지 않았다. 교사는 학생들에게 자신들의 전화번호를 사용하라고 함으로써 그 교재를 더 학생들과 관계있고 더 동기를 부여하게끔 만들 수 있었을 것이다'(p. 235). Prodromou(2002)는 두 명의 교사, 즉 교과서를 있는 그대로 따라가기만 하는 교사('Mr Plodder'라고 특징지어진)와 좀 더 상상력이 풍부한 교사('Miss Spark')가 똑같은 (만들어진) 교과서의 예를 어떻게 사용하는지를 비교하며 이 개념을 설명한다. 이 만들어진 교재는 다리미와 주방기기와 같은 가전제품을 보여주고 묘사하며 가격을 표시한 영국 백화점의 전단 형식을 취하고 있다. Mr. Plodder는 교재를 살펴보며 내용을 이해했는지를 묻는 질문을 하거나 어려운 단어를 설명해 주었던 반면, Miss Spark는 독해 전 예비 활동으로 시작했는데, 학생들에게 자신의 아파트나 집의 방을 떠올리고 그들이 가지고 있는 가전제품을 적으라고 한 후, 그 중에서 가장 비싼 제품과 저렴한 제품을 결정하라고 했다. 그렇다면 본질적으로 개인화는 학생들이 목표언어로 자신의 생각을 표현하기 위해서 자신의 경험에 기대도록 만든다. Woodward(2001: 57)가 제안한 것처럼, '학생들은 교재에 나온 다양한 경험이 자신들의 것과 어떻게 비슷하고 다른지, 이러한 경험이 무엇을 떠올리게 하는지, 만약 그들

이 ... 했었더라면, 만약 ... 라면, 그들은 무엇을 했을까 등에 대해서 쓰거나 말할 수 있다.'

4.7.5 인간화

Tomlinson(2003b)은 교재를 인간화해야 할 이유를 다음과 같이 설명한다. '나는 지금까지 인간화될 필요가 있는 수많은 ... 교과서들(내가 쓴 책 몇 권을 포함하여)을 겪어왔는데, 이 책들은 교과서를 사용하는 학생들을 참여시키지 않았으며 학생들의 삶과 관계를 맺지 못했다'(p. 163). 따라서 인간화의 목적은 학생들로 하여금 '책에 있는 것을 학생들의 마음속에 있는 것과 연결하도록' 도움으로써 '의미 있는 경험을 통해 자신들의 학습능력을 탐구해보도록'(ibid.) 하는 것에 있다. 의미 있는 경험이란 '지적으로, 심미적으로 그리고 감정적으로' 참여하면서, '몸으로 무언가를 해보면서, 감정을 느끼면서, 마음속에서 어떤 것을 경험하면서 배우는'(p. 162) 기회를 포함한다. 교과서를 인간화하는 것을 보여주는 Tomlinson의 예로는 학생들에게 교과서의 본문을 만들어 보도록 하거나, 지역 환경을 이용하여 본문을 확장시켜보거나 또는 교과서 대화 속 등장인물들의 '마음 속 독백'을 써보도록 하는 것들이 있다(pp. 165-6). Rinvolucri(2002)를 참조하라.

4.7.6 단순화/복잡화/차별화

*단순화*는 학습자들에게 교재를 더 쉽게 하려는 노력을 말한다. *복잡화*는 난이도의 수준을 높이는 것이고, *차별화*는 비록 그 용어 자체는 학습 스타일(상기 설명한 *개별화* 참조)과 다중지능(Gardner, 1983, 1999)에 있어 개인의 차이를 논할 때 쓰이기도 하지만, 학습자의 차이, 보통은 언어능력의 차이를 고려하는 것이다. 단순화에 관해 McDonough와 Shaw(2003) 그리고 Tomlinson (1998b) 모두 '어려운' 단어나 구를 생략하는 것이 교재를 더 이해하기 쉽게 만들 것이라는 단순한 가정에 대해 경고한다. Darian(2001)은 특정 언어 요소들에 관한 단순화에 대해 설명하며 간략한 예를 보여준다. 이와 함께 그가 보

여주는 축약abridgement—삭제deletion 및 다른 말로 바꾸어 설명하는 것paraphrase
을 포함하는—의 예는 정보 삭제, 그리고 메시지의 목적과 대상, 이 둘 사이
의 관계에 대해 문제를 제기한다. Prodromou(1990)와 McGrath(1994)는 다양
한 언어능력 수준과 자신감을 가진 학습자들에게 맞는 적절한 수준의 어려움
을 제공하는 테크닉에 대해서 설명한다(Hubbard, Jones & Wheeler, 1983;
Prodromou, 1992b; Tice, 1997 참조).

4.7.7 다양성

1장에서 제기된 교과서에 대한 비판 중 하나는 끊임없는 반복이다(Harmer,
2001). Graves(2000)는 학생들에게는 반복을 통한 안정감뿐만 아니라 다양성
도 필요하다고 지적한다. 안정감에 대한 학생들의 필요는, 예를 들어, 한동안
은 듣기 활동에 똑같은 절차를 사용하는 것을 통해서 충족될 수 있다. 하지만
일단 그들이 이러한 절차에 익숙해졌을 때, 그 절차를 때때로 다양화하는 것
을 통해 재미를 더할 수 있다. '교과서의 구속'에 대해서 불만을 표하면서,
Tice(1991)는 다양성을 소개할 많은 방법을 제안한다.

4.7.8 원칙, 실제 그리고 이론

이러한 원칙들 중 몇 가지를 서로 구분하는 것은 아마도 조금 모호할 것이다.
특히 *개별화*는 *차별화*(큰 의미에서) 또는 *인간화*의 하부구조에 포함될 수 있
다. 개작에 대해서 더 많이 출판되면, 이러한 구분은 더 명확해질 것이고, 원
칙 목록이 확장되거나 또는 원칙들이 통합될 수 있다. Islam과 Mares(2003:
89)는 McDonough와 Shaw(1993)의 네 가지 원칙—지역화, 개인화, 개별화
그리고 현대화—에 대해 언급하면서, 자신들이 개작의 목표라고 여기는 추가
원칙들을 제시한다. 이러한 원칙들은 '진정한 선택권을 추가하는 것'(학습자들
이 어떻게 배우고 싶은지를 선택하도록 하는 것을 통해서—'스타일 매칭', 또
는 학습에 대해 다른 접근법을 시도해 보는 것을 통해서—'스타일 스트레칭');
'감각적 학습자 스타일을 고려하는 것'; 그리고 '좀 더 많은 학습자 자율권을

제공하는 것'을 포함한다. 이 모든 것들은 사실 더 큰 의미에서 개별화 또는 차별화의 일부로 생각될 수도 있을 것이다. 감각적 학생들을 고려하는 것 역시 Tomlinson의 '인간화'에 대한 설명을 떠올리게 한다. Helgesen(nd) 역시 학습자들이 무엇을 말하고 쓸지에 대해 계획할 수 있는 기회를 제공하도록 교재의 활동을 개작해야 한다고 주장하며 위와 같은 범주화의 필요성에 대해 이야기한다. Islam과 Mares가 제시한 방식대로 서로 다른 감각 스타일을 가진 학습자들을 고려한 Helgesen의 범주화의 예에는 마인드 매핑mind mapping, 유도 시각화guided visualization, 사건(실제 또는 상상)에 대해 이야기하기 전에 사건에 대한 그림 그리기, 그리고 심리적 연습mental rehearsal(내용에 대해 먼저 생각하고 그 후 형식에 대해 생각하기)이 있다. Helgesen에 따르면 이러한 것들은 학생들의 언어사용의 유창성, 복잡성 그리고 정확성을 향상시키는 장점이 있다고 한다. Helgesen 제안의 기저에 있는 계획 단계의 원칙은 새로운 것일까, 아니면 단지 추가로서의 개작과 관련하여 앞서 논의한 expansion 또는 extension의 예시일까? Saraceni(2003)는 '교재를 개작하는 것은 비교적 연구가 많이 되지 않은 과정인 듯하다고'(p. 73) 지적한다. 상기 제시한 예들은 실제와 이론이 어느 쪽에서나 시작할 수 있는 선순환 구조를 이룬다는 것을 잘 상기시켜준다. 원칙은 이론뿐만 아니라 실제로부터 나올 수 있고 나와야 한다.

4.8 요약과 결론

이러한 긴 절에는 짧은 요약이 도움이 될 것이다.

교재 개작은 필요하고 당연하다. 개작은 생략, 추가 그리고 바꾸기의 세 과정으로 이어지는 평가적이며 창의적인 결정을 통해서 실현된다. 이러한 과정들은 하나 또는 그 이상의 원칙(지역화, 개인화 등)을 참고하여 정당화될 수 있다. 향후 이러한 원칙들에 대해 더 많은 연구가 필요하다. 교사가 무엇이 필요한지를 평가한 것과 출판된 교재가 실제로 제공하는 것 사이의 차이가 적을 때 개작은 최소화될 것이다. 그러나 만약 교재가 근거한 목표와 교사의 목표가 많이 다르다면(Saraceni, 2003) 또는 교사가 믿고 있는 언어학습 및 교수의 원칙과 교재에 반영된 원칙이 다르다면(Mares & Islam, 2003), Madsen 과 Bowen(1978)이 언급했듯이 그 둘 사이의 거리를 좁히기 위한 노력은 훨씬 더 어려울 것이다. 결론은 신중한 선정 절차가 개작의 필요성을 없애지는 않겠지만, 줄일 수는 있다는 것이다. 이는 보충을 논할 때도 마찬가지이다.

5. 보충Supplementation

5.1 보충 정의하기

디자인 과정으로서의 보충에 대해서는 거의 쓰인 것이 없다. 단순히 개작의 한 형태로 여겨지거나 또는 실제 자료의 사용을 논할 때 언급되는 정도이다. 보충이 별개의 과정으로서 언급될 때의 핵심은 그저 보충의 과정이 있어야만 한다는 것이다. 예를 들어, Garinger(2002)는 '모든 교사는 자신이 만든 교재 또는 학생들의 독특한 필요를 반영하는 다른 자원에서 가지고 온 교재로 교과서를 보충해야 한다'고 말한다.

보충과 관련하여 현재 가장 광범위한 논의에서, McGrath(2002)는 다음과 같은 정의를 제시한다:

> 보충은 ... 무언가 부족하다는 인식에서 기인한다. 보충은 교과서와 공식 교수요목(또는 목표) 간의 차이, 교과서와 공식 시험의 요구사항과의 차이, 또는 교과서와 학생들의 필요와의 차이를 메우려는 시도이다. (McGrath, 2002: 80)

여기서 말하는 부족함은 지식과 능력의 부족함을 말한다. 즉, 학생들이 알아야 하는 것 또는 할 수 있어야 하는 것과 교과서가 제공하는 것 사이의 차이를 말한다. 학습자의 동기와 무드를 고려하는 더 큰 관점에서 본다면, 보충은 감정적인 차이를 메울 수 있는 잠재력이 있다고 할 수도 있다. McGrath

(2002)는 수업 초반의 예비 활동이나 수업의 무드를 끌어올리기 위한 활동 모두 '그 활동들이 목표로 하는 감정적 목적을 달성할 수 있을 *뿐만 아니라* 수업의 주제와 연결시킬 수 있다'(p. 81)고 덧붙인다.

어떤 유형의 개작은 보충과 매우 비슷한 목적을 달성하고자 할 수도 있지만, 개작이 교과서와 같은 기존의 교재를 가지고 작업을 하는 반면, 보충은 완전히 새로운 것을 소개하는 것이다(McGrath, 2002). 더 많은 연습의 기회를 주기 위해 부수적인 연습문제 문항을 추가하는 것은 따라서 개작의 한 형태이고(extension), 교과서 본문에 대한 추가 질문을 하는 것은 개작의 또 다른 형태이다(exploitation). 반면에 다른 자료에서 복사하든지 또는 교사가 직접 만들든지, 추가 연습문제를 제공하는 것은 보충이다. 이러한 예를 본다면 개작과 보충의 차이는 적고 비교적 중요하지 않은 듯 보일 수도 있다. 그러나 사실은 그렇지 않다. 교사의 업무량에 관해서뿐만 아니라 교사가 출판된 교재 및 자신 스스로의 능력을 어떻게 바라보느냐에 관해 매우 중요한 바를 시사한다. 보통 새로운 것을 찾거나 만들어 내는 것보다는 이미 존재하는 것에 추가하는 것이 더 쉽고 빠르다. 이는 보충이 새로운 본문과 이에 수반되는 새로운 과업들을 제공하는 것과 같이 큰 규모일 때 더욱 명백해 진다. 한쪽 끝의 매우 간단한 개작의 형태에서부터 시작하여 좀 더 확대된 보충의 형태까지의 연속선상 개념은 Samuda(2005)의 과업 디자인 논의에서도 볼 수 있다. 이 논의에서는 과업 개작 또는 '다시 디자인하기'와 '고유의' 디자인 작업을 구분한다. 그가 말하는 과업 개작 또는 '다시 디자인하기'는 '특별한 필요를 충족시키기 위해 기존의 교재를 약간 변경하거나, 조정하거나 개작하는 것을 말하는데, 과업의 표면적인 부분을 약간 변경하거나(예를 들어, 이름이나 장소를 지역화하는 것) 또는 내부 구조의 요소를 크게 변경하는 것(예를 들어, 과업을 실천하는 단계의 순서를 바꾸는 것)이 필요할 수도 있다. 그가 말하는 '고유의' 디자인 작업은 '처음부터 새로운 과업을 만드는 것'(Samuda, 2005: 235)인데, 한 번 사용하는 보충 과업과 일련의 과업을 디자인하는 것을 말한다.

5.2 시작점

교과목 목표를 염두에 두고 사용 가능한 교재에 대해 장기 계획을 세우고 신중히 살펴보는 것은, 교재를 실제로 사용하기 훨씬 이전에 어느 정도의 보충을 준비할 수 있도록 해줄 수 있다. 그러나 보통은 교사가 학급을 알아 가게 되면서-예를 들어, 경과평가의 점수가 매우 좋지 않다거나(따라서 다른 방식으로 수업을 하거나 좀 더 많은 연습이 요구된다!) 또는 학생들의 질문을 통해서 필요기 나다나게 된다(Jolly & Bolitho, 2011 참조).

학급을 알아가게 된다는 것은 단순히 학생들이 어떻게 교재에 적응할지를 예측할 수 있는가의 문제일 뿐만 아니라 그들이 어떻게 반응할지의 문제이기도 하다. 교사가 만약 수업 시간에 책에 있는 것만을 다루어서 학생들이 매우 지루해할 것이라는 것을 수업 준비 단계에서 미리 알게 된다면, 교사는 새로운 대안을 찾거나 흥미와 재미를 추가하기 위해 무언가 새로운 것을 넣을 필요가 있다. 이러한 것을 염두에 두고, 많은 교사들은 즉시 졸음에 빠질 위험에서 수업에 다시 활기를 불어넣도록 하고, 몰입하게 하는 입력자료나 개인의 생각을 표현하도록 하는 진지한 제시문을 제공하는 교재를 무의식적으로 찾게 된다. McGrath(2002)가 언급했듯이 이러한 교재-교수활동을 위해서 만들어지지 않았으며, 예를 들어, 실물 교재이거나 또는 그림, 만화, 유투브 클립이나 텍스트일 수 있는 교재-를 발견하게 되면 보통 다음의 두 가지 중 하나의 방식으로 반응하게 된다: '이건 3번 형식에 쓸 수 있겠군' 또는 '이건 X를 연습하도록 할 때 사용할 수 있겠어.' 이 두 경우 모두, 교재는 시작점, 즉, 교수의 목적을 위해 발전시킬 수 있는 자극제이다. McGrath(2002)는 이를 '개념 주도적'concept-driven(즉, 아이디어 주도적) 디자인이라고 칭하는데, 이것을 특정 언어적 필요를 채우기 위해서 힘들게 교재를 찾는 것과는 구별한다. 언어적 교수요목에서 시작하지 않는 텍스트 기반의, 그리고 과업 기반의 교수요목 디자인은 좀 더 신중하고 공들인 일회성의 개념 주도적 활동 또는 수업의 형태이다. 텍스트 주도적text-driven 접근법을 옹호하며 Tomlinson (2011c)은 다음과 같이 설명한다:

미리 정해진 교수 요점을 보여주는 본문을 찾거나 만들어내는 것보다는 재미있는 본문이나 활동에서 학습 요점을 찾아내는 것이 훨씬 더 쉽고 가치 있다. ... 만약 쓰기/말하기 본문이 학생들을 몰입시킬 잠재성뿐만 아니라 언어의 풍성함과 다양성 때문에 선택되었다면, 많은 것을 다룰 수 있는 교수 요목이 자연스럽게 만들어질 것이다. 만약 교재가 외부 교수요목에 의해 제약을 받는다면, 체크리스트를 계속해서 참고하면서 텍스트 주도적 접근법을 사용하는 것이 ... 가장 유익한 접근법이다. (p. 175)

5.3 보충의 형태

보충은 기존의 자료(예, 다른 교과서, 연습서 또는 문제집, 실제 인쇄 자료, 인터넷, 학교 내 교재)에서 가져온 교재의 형식이거나 또는 교사가 특별히 제작하는 형식을 취한다. 기존 자료의 경우, 교과서에 대해서 그랬던 것처럼 다음과 같은 기대가 있다. 즉, 교사는 교재를 선정한 후, 4절에서 설명한 테크닉을 사용하여 교재를 향상시키기 위해서 그리고 자신의 학생들에게 더 적합하도록 하기 위해서 개작하거나, 또는 교육적 목적을 위해서 활용할 것이다. 따라서 보충 연습문제는 수많은 방법 중 하나를 채택하여 개작될 수 있다(예, 연습문제에 제목을 붙이거나, 지시문을 간소화하거나, 항목을 바꾸거나 추가하거나 등); 노래에서 단어가 삭제될 수도 있고, 만화는 오려서 각각의 장면으로 나뉠 수 있고, 신문이나 잡지에서 찾은 실제 자료와 함께 쓰이도록 활용 활동이(이해했는지 확인하는 질문의 형태일 필요는 없다!) 만들어 질 수 있다.

정확성에 초점을 둔 보충 교재는 언어체계의 모든 부분을 다 다룰 수 있으며, 학생들의 관심을 불러일으키기 위해서, 연습을 위해서 또는 시험을 목적으로 만들어 질 수 있다. 여기에는 구두연습과 변형transformation, 빈칸 채우기 또는 사지선다형 문장연습을 포함하는 연습문제지만이 있는 것이 아니다. 노래, 용어색인 그리고 다른 텍스트도 언어사용의 특정 측면에 학습자들이 관심을 가지도록 하기 위해 사용될 수 있으며, 세임 역시 특성 음운체계와 문법적 특징을 연습하도록 활용될 수 있다. 놀랍게도 지금까지 연습문제지 디자인에 대해서는 거의 관심을 가지지 않아왔다. 하지만 McGrath(2002)는 이 주제에 대해 몇 쪽을 할애하여 설명했고, Hughes(2006)는 연습문제지를 향상시킬 수 있는 간단한 방법을 소개하며, Tomlinson과 Masuhara(2004)는 지시문, 예시와 디자인 그리고 레이아웃에 대해 전반적인 조언을 한다. 시각적 디자인에 관해서는 Wright(1976)과 Ellis와 Ellis(1987)를 참조하라.

인터넷을 통해서 교육 자료에 접근하는 것이 증가하게 되면서 실제 자료역시 교과서를 보충하기 위해서 폭넓게 사용되고 있다. 쓰기/말하기 본문을 선정하는 기준에 대한 논의는 McGrath(2002), Tomlinson과 Masuhara(2004) 그리고 Berardo(2006)에서 찾을 수 있다. Lamie(1999)는 세 가지 유형의 교재-게임, 다른 교과서의 본문 그리고 실제 자료(잡지, 영화와 TV 광고)-를 사용해서 보충의 예를 보여준다. Peacock(1997b) 역시 실제 자료의 사용에 대해서 논한다. McGrath(2002)의 보충에 대한 설명은 그가 '진짜'the real라고 칭하는 것들, 즉, 실제 자료, 용어색인과 인터넷을 포함하는데, 이 중 인터넷은 교재의 자원이 되기도 하고 상호작용의 매개가 되기도 한다. 이와 함께 다른 자료에 대한 다양한 설명도 제공되어있다(pp. 137-8). Tomlinson(2011d)은 새로운 테크놀로지의 결과로 등장한 학생주도적 학습의 다양한 가능성에 관심을 가진다. Wraight(nd)은 유용한 웹사이트 목록을 제시한다 (www.c-english.com/files/effectiveuseofthetext_awraight 참조). 다른 관련 자료들은 6절 끝에 제시되어있다.

보충을 위해 교사가 교재를 꼭 준비해야 할 필요는 없다는 것을 강조할 필요가 있을 듯하다. 앞서 Tony와 Ilona 인형을 얘기하면서 언급한 Appel(1995)은 그가 어떻게 영국 택시(Black Taxi로 알려진)의 모형을 이용해서 그의 어린 독일 학생들이 이미 알고 있는 언어를 창조적으로 재사용하도록 격려했는지를 보여준다:

원래 ... taxi라는 단어를 소개하려고 의도했지만, 곧 완전히 새로운 것이 만들어 졌습니다. 학생들은 Black Taxi와 길고 깊은 대화를 가졌습니다. 내가 그 모형을 들고 질문이 있는지 물었죠. 11살짜리 학생들은 책에 있는 질문들을 이용함에 있어, 그리고 이와 함께 수업 앞부분에 제가 던진 질문들 중 몇몇 요소를 사용함에 있어 너무나 똑똑했어요. 한 학생이 Black Taxi에게 '자녀가 있나요?'라고 질문했을 때, 그의 질문은 Black Taxi의 가계도를 보여주는 두 장짜리의 숙제를 탄생하게 했죠. (p. 119)

8절에서 교재 개발에 학생들을 참여시키는 것에 대해서 다시 다룰 것이다.

5.4 공동 작업하기

원교재를 찾거나 개작 또는 개발하는 것은 시간이 많이 걸리기 때문에, 공동 작업이 바람직하다. 만약 몇몇 교사가 같은 기본 교과서를 사용하고 있고 교재에 부족함을 느낀다면, 서로 조율하여 계획을 세워서 각 교사마다 가지고 있는 적절한 자원에 대한 지식을 공유하고, 자료를 찾거나 고안해 내는 책임을 할당하며, 이를 통해 공동 자료 저장소를 만들 수 있다(McGrath, 2002).

6. 원교재 개발하기

1장에서 보았듯이, 교사는 출판된 교재를 개작하거나 기존의 자료를 이용하여 보충할 수 있어야 할 뿐만 아니라 자신만의 원교재를 만들 수 있어야 한다고 믿는 연구자들도 있다. Block(1991)은 '교사는 적어도 수업의 일부를 위해 상업적 교과서를 자신만의 것으로 대체할 수 있어야 한다'(p. 213)고 생각했는데, 이를 성찰적 실천reflective practice의 한 부분이라고 여겼다:

> 교재 개발은 교사가 자신의 수업에서 일어나는 일에 대해 책임을 진다는 큰 개념에 속하는 하나의 요소일 뿐이다. 우리가 영어교육 분야에서 성찰적 실천가가 되기를 원한다면, 우리는 우리가 하는 교수활동의 모든 면을 고려해야 한다. 우리 스스로의 교재를 준비하는 것은 이러한 것들 중 하나라고 나는 믿는다. (p. 216)

Block은 그가 '스스로 직접 하는Do-It-Yourself, DIY 교재 개발'이라고 칭하는 작업에 대한 세 가지 이유를 제시한다: (1) *맥락화*contextualization(교사가 준비한 교재는 일반 독자를 대상으로 만들어진 교과서보다 더 학생들과 관계가 있고 흥미로울 것이다); (2) *시기적절성*timeliness—교사가 만든 교재는 학습하고 있는 주제에 더 잘 맞을 것이다; 그리고 (3) '*교사만의 특색*'personal touch은 학생들이 좋아할 것이다. 교재를 만드는 데 드는 시간에 대한 걱정에 대해서 Block은 교재가 재사용된다면 시간 투자는 그 값어치가 있겠지만, 교사 간에 교재를 함께 나누는 것이 바람직할 것이라고 주장한다.

　　Block의 주장을 발전시켜서, Howard와 Major(2004)는 왜 교사가 교재 개발이라는 작업을 하기를 희망하는지에 대해 네 가지 이유를 제시한다. 이 중 두 가지는 Block의 이유를 연상시킨다: (1) *맥락화*(교사가 준비한 교재는 상업적 교재보다 더 '적절할' 것이다); (2) *시기적절성*(교사가 준비한 교재는 지역과 국제적 이슈에 반응할 수 있다: '가르칠 수 있는 순간을 ... 포착할 수 있다'(p. 102)). 나머지 두 가지 이유는 다음과 같다: (3) *개별적 필요*(교사가 만든 교재는 학생들의 모국어 능력을 바탕으로 만들어질 수 있고, 본문과 활동이 학생들의 수준에 적절하도록 맞출 수 있으며, 적절한 구성 원칙이나 초점을 택할 수 있다); 그리고 (4) *개인화*(교사가 만든 교재는 학습자의 흥미와 선호하는 학습 스타일을 고려할 수 있다). Howard와 Major는 그러나 다수의 잠재적인 어려운 점과 고려해야 할 여섯 가지 요인을 열거한다. '시간'은 두 목록에 다 포함되어 있다. 실행 시 고려해야 할 점logistical considerations은 '외적 구성과 보관'과 관계된 어려운 점에, 그리고 '자원과 시설'이라는 요인에 포함되어 있다. 외적이든 내용상으로든 교재의 '질'은 잠재적인 어려운 점으로 여겨지는데, 이것 역시 '개인적 자신감과 능력'이라는 요인에 포함되어 있다. 저자들의 결론 중 하나는 '교사가 디자인한 교재의 장점에 대해 우리가 아무리 열정적으로 신뢰한다 하더라도, 현실은 많은 교사들에게 이는 실행 가능하지 않다는 것—적어도 언제나 가능하지는 않다는 것이다'(p. 103). 그러면서도 Howard와 Major는 '시간과 무제한의 자원과 그러한 자원을 가지고 일관성 있는 프로그램을 만들 수 있는 자신감 넘치는 능력 있는 DIY 교사는 평범한 언어 학습자에게는 더할 나위 없이 좋을 것이다'라는 Harmer(2001: 7)의 관점을 인용하기도 한다. Harmer는 자신의 요점을 낙관적으로 표현하기는 했지만, 그 역시 시간, 자원, 자신감 그리고 능력에 대해 똑같은 우려의 마음을 내비친다.

이러한 필요조건에 부합한다고 느끼는 교사에게는 다양한 형태로 도움을 줄 만한 지침서가 존재한다. Howard와 Major의 논문은 효과적인 교재를 개발하는 열 가지 지침을 포함한다. 효과적인지를 판단하기 위한 또 다른 디자인 지침서, 일련의 원칙과 제안된 기준은, 예를 들어, Breen과 Candlin(1987), Hutchinson과 Waters(1987), Crawford(2002), Tomlinson과 Masuhara(2004), Tomlinson(2010a, 2011b), Jolly와 Bolitho(2011)에서 찾을 수 있고; 혼자서 배우는 교재 개발에 대해서는 Dickinson(1987)과 Sheerin(1989)에서 찾을 수 있다. Nunan(1988a)은 이러한 것들의 원칙과 예시를 제공한다. McGrath (2002)는 다양한 자원을 이용하여 교재 개발이 좀 더 체계화될 수 있는 방법을 보여준다. Maley(1998)는 '가공되지 않은'raw 텍스트를 활용하고 다양성을 제공하는 열두 가지 절차를 소개하는데, 여기에는 확장expansion, 축소reduction, 매체 간 전이media transfer, 맞추기matching, 선정 및 순위 매기기selection and ranking, 비교와 대조comparison and contrast, 재구성reconstruction, 재조직 reformulation, 해석interpretation, 창조creation, 분석analysis과 프로젝트 하기project work가 있다; 부록에는 각각의 절차와 함께 사용될 수 있는 테크닉의 예가 제공되어 있고, 어떻게 테크닉이 짧은 텍스트에 적용될 수 있는지가 나타나 있다. Woodward(2001) 또한 Maley의 절차에 대해 간략한 예시를 보여준다. Young(1980), Low(1989) 그리고 Nunan(1991)은 추가의 개발 선택권에 대해서 논한다. Byrd(1995a), Hidalgo 외 2인(1995), Graves(2000), Richards (2001a), Harwood(2010a), Tomlinson과 Masuhara(2010a) 그리고 Tomlinson (2011a) 모두 교재 개발에 도움이 되는 자세한 설명을 제시한다. Graves (1996)는 교과목 개발 과정의 분석 연구에서 상기 제시한 설명 중 여섯 가지를 사용한다. Maley(2011)는 교재 개발에 있어 자신이 '가위와 풀로 편집한 것'이라고 칭하는 방법과 과정 접근법에 대해 설명한다. Tomlinson(2011a)의 책에는 기술적 발전에 관한 두 편의 논문이 포함되어 있다.

교사가 원교재를 만들 수 있도록 *교육을 받아야* 하는가에 대해서는 4장에서 다시 살펴볼 것이다. 지금은 Hutchinson과 Waters(1987)의 결론을 반복하는 것만으로도 충분할 듯하다. 그들은 교사교육을 '교재를 제공하는 모든 가능한 방법이 다 소진되었을 때 기댈 수 있는 마지막 수단'(p. 125)으로 보았다.

7. 성찰적 실천가로서의 교사

7.1 성찰적 실천

Schön(1984)의 성찰적 실천가에 대한 논의와 Wallace(1991)의 영어과 교사교육에 있어 성찰적 접근법에 대한 논의는 현재 잘 알려진 개념, 즉 교수활동에 대한 성찰이 교사 전문성의 본질적 특성이라는 개념의 근간을 확립했다. 이러한 신념은 이 장에 소개된 교사의 역할에 대한 시각 전반에 깔려있다. 성찰적 교사는 가르치고 있는 환경에서의 모든 관계있는 요소들을 고려한 후 자신의 목표를 정하고 교과목을 디자인한다. 교사가 교과서를 어떤 방식으로든 사용해야 한다면, 그들은 교재를 어떻게 사용할 것인지, 어떻게 개작하고 보충할 것인지에 대해 스스로 결정을 내릴 것이다. 그리고 이러한 자신들의 결정에 대해서 성찰할 것이다.

7.2 혁신과 실험

개작과 보충에 대한 상기 제시된 논의가 시사하는 바 중 하나는 교사들은 교과서 그대로 사용하는 것에 만족하지 않을 것이며, 오히려 교과서를 이용할 수 있는 가능한 많은 방법을 적극적으로 찾은 후, 그들이 찾은 부족한 부분을 채우기 위해서 추가의 교재를 사용할 것이라는 것이다.

이러한 평가적이며, 교과서에 기반을 둔 수업 계획은 성찰적 실천의 한 형태이다. 수업 도중에 내리는 조정adjustment에 대한 결정(Schön의 '실행 중 성찰'reflection-in-action)은 또 다른 형태의 성찰적 실천이다. 무엇이 잘 또는 덜 진행되었는지, 그리고 향후 교재나 절차(또는 수업계획서의 다른 부분)에 어떤 변화를 가져와야 할 필요가 있는지에 대해 살펴보는 것, 즉 수업 후의 성찰(Schön의 '실행에 대한' 성찰reflection on action)은 성찰적 주기를 완성한다.

아래의 인용문에서 Broudy(nd, Graves, 2000: 168에서 재인용)는 자신이 만든 교재의 한 단원을 가르쳤던 경험에 대해 돌아본다:

> 이 모듈을 위해서 내가 개발한 교재의 대부분이 여전히 마음에 든다. 하지만 이것들은 그저 적절하다고 생각되면 선택하거나 개작할 수 있는 자원일 뿐이다. 교재 그 자체가 아니라 학생들이 교재를 가지고 무엇을 하느냐가 중요하다는 것을 기억해야만 한다.

덧붙여서 말하기를:

> 처음에 나는 순서대로 한다는 것sequencing을 모든 수업 계획이 시간에 맞추어 완벽하게 준비되어야 하는 것이라고 해석했다. 그러나 그러한 정확성이 수업을 너무 교재 중심으로 만들고 따라서 너무 딱딱하게 만든다는 것을 알게 되었다. 수업운영은 중요하다. 속도 및 시간을 잘 사용하는 것이 즐겁고 효과적인 학습을 위해 필수적이다. 그러나 Stevick(1980)이 지적한 것처럼, 교사의 통제와 학생의 주도권 사이에 적절한 균형이 필요하다. (Broudy, nd, Graves, 2000: ibid.에서 재인용)

두 인용문의 마지막 문장은 교재의 유연함과 교재 개발자의 기꺼이 내려놓을 수 있는 마음가짐의 필요성을 강조한다. Jolly와 Bolitho(2011)는 그들이 제시하는 '교재 개발자의 가방'에 다음의 항목들을 포함시킨다. '효과가 없거나 더 이상 매력이 없는 자료를 저자가 버릴 수 있는 약간의 용기와 정직함을 담은 작은 유리병들.' 필요한 또 다른 유리병은 안내인데, 이는 Lackman(2010)이 하나의 활동을 자신이 만족할 만한 절차에 이르기까지 네 차례 교정하는 과정에 대해 기술한 고통스러운 비판적 성찰에 잘 드러나 있다. '우리가 언어학습 교재를 더 효과적으로 만들 수 있는 방법을 찾기를 진정으로 원한다면 우리는 혁신적이고 실험적이어야만 한다'(p. 439)는 Tomlinson(2011d)의 주장은 대학과 출판사 간의 협력의 필요성에 대한 논의 과정에서 제기되었지만, 이는 교사와 그들의 교실에도 똑같이 적용된다.

7.3 사용 중 평가와 사용 후 평가

개작에 대한 논의를 마무리하면서, Tomlinson과 Masuhara(2004: 18)는 다음과 같이 말한다: '교재를 개작하는 것은 당신이 가르치기를 원하는 교재를 만들 수 있도록 도움을 줄 수 있다. 만약 사용 중 그리고 사용 후 평가가 그 과정에 포함된다면, 당신은 학생들이 당신이 개작한 교재를 즐겁게 사용하고 있으며 목표언어를 성공적으로 학습하고 있다고 자신감을 느낄 수 있을 것이다.' 물론 평가가 Tomlinson과 Masuhara가 약속하고 있는 그러한 긍정적 결과를 가져올 것이라는 보장은 없지만, 왜 사용 중/사용 후 평가가 필요한지에 대한 두 가지 이유가 있다: (1) 우리가 교재에 대한 반응과 교재의 효과에 대해 평가하지 않는다면, 교재가 적절히 잘 선택된 것인지를 알 방법이 전혀 없으며; (2) 평가는 우리가 교재 그리고/또는 교재를 사용하는 방법을 향상시킬 수 있도록 하는 정보를 제공할 수 있다. 따라서 사용 중 그리고 사용 후 평가는 성찰적 실천의 일부로 포함될 수 있다. 실제로 개작을 하고 보충 교재를 제공하고 자신만의 교재를 만드는 수고로움을 마다 않는 교사는 자연스럽게 이러한 활동이 얼마나 성공적인지에 대해 성찰할 것이고, 만약 필요하다면 경험을 바탕으로 더 변경할 것이라고 기대할 수 있다(수정revision 과정에 대한 논의 및 예는 Lynch, 1996; McGrath, 2002; Jolly & Bolitho, 2011 참조).

　　교과서 역시 같은 과정을 거쳐야 한다. 3.3절에서 논의한 바와 같이 교과서 선정은 평가의 한 단계의 마지막 과정이라고 볼 수 있지만, Cunningsworth(1995)와 다른 학자들이 주장한 것처럼 사용 중 그리고 사용 후 평가 역시 중요하다. Ellis(1997)는 회고적 평가retrospective evaluation를 특정 교재가 사용된 후에 평가하는 방법으로서만 여겨져서는 안 된다고 주장하며, '회고적 평가는 예측 평가predictive evaluation의 타당성을 확인하는 수단이며 예측 평가 도구가 향후 향상될 수 있는 방법을 알려줄 수도 있다고'(p. 37) 지적한다. McGrath(2002)와 Masuhara(2011) 모두 체계적인 사용 중 그리고 사용 후 평가의 다양한 절차와 과정을 설명한다. 이는 학습자의 참여도 포함한다.

8. 교재 평가와 디자인에 있어 학습자 역할

학습자 중심의 교수에 대한 논의에서는 학습자가 그들이 무엇을 어떻게 배울지 뿐만 아니라 무엇을 가지고 배울지, 즉 교재에 대한 결정에 참여해야 한다고 지적한다. 어떤 면에서 이는 단지 학습자들과 그들의 흥미나 선호하는 활동 유형을 상의하는 것에 지나지 않을 것이다(이와 매우 상이한 접근법을 보려면, Spratt, 1999; Johansson, 2006 참조). 교재에 대한 피드백 역시 교재 선정 시점이나 교재가 사용 중일 때 학습자로부터 얻을 수 있다(Breen & Candlin, 1987; Peacock, 1997b; Davis, Garside & Rinvolucri, 1998; McGrath, 2002 참조). 이런 경우에 학습자 의견은 교사의 의사결정 과정에 도움이 된다.

　　상기 제시한 바와는 다소 다른 유형의 교재와 학습자 간의 관계가 Wright(1987)이 시도해 보기를 권장하는 과업 중 하나에 암시되어 있다. 이는 학습자가 자신만의 교과목을 계획하고 지속적으로 평가하는 것을 포함한다. 교수요목, 미리 정해신 교재 그리고 학생들과 관계있는 시험에 대한 정보를 먼저 모은 후, 교사는 학생들에게 다음의 일련의 질문에 답을 하라고 요구한다:

목표: 무엇을 성취하고 싶나요?

평가: 어떻게 평가 받고 싶나요?

학습하는 방식: 수업에서 어떤 방식으로 공부하고 싶나요? – 친구와 함께 또는 교사가 수업활동을 주도하는 방식으로?

활동: 어떤 종류의 수업활동과 언어학습 활동을 하기를 원하나요?

교재: 어떤 종류의 학습 교재를 가지고 학습하고 싶나요? 교과서/영어로 된 신문과 책/잡지/원어민의 녹음 자료? (Wright, 1987: 141)

이후 학습자들은 학습목표를 정하고, 학습 방식 및 학습 교재와 활동을 선택하고, 그들이 무엇을 하고 있는지를 기록해야 한다(협상된negotiated (과정) 교수요목에 대한 좀 더 일반적인 논의를 살펴보려면, Nunan, 1988b; Tudor, 1996; Breen & Littlejohn, 2000 참조).

교재와 관련하여 학습자들이 수업에 사용될 교재를 직접 만들어 보도록 하는 제안도 있다. Allwright(1978)은 교사의 많은 업무와 학습자의 참여 부족을 근거로 이러한 제안을 논리적으로 뒷받침한다(Clarke, 1989 참조). Deller(1990)와 Campbell과 Kryszewska(1992)의 글은 이 개념을 실제로 도입하는 것에 대한 책 분량의 설명서이다. 교실에서 진행한 실험에 대한 출판된 보고서는 불가피하게 긍정적인 경향이 있다(리뷰를 보려면 McGrath, 2002 참조). 이러한 보고서를 근거로 McGrath(2002)는 학습자가 만든 교재의 장점에 대해 다음과 같은 명백한 결론을 제시한다:

학습자들이 적극적이며 창조적으로 참여할 때, 그들의 동기가 증가하게 된다; 서로 가르치는 활동(고쳐주는 것 포함)은 소중하고 가치 있는 학습 경험이 되고 집단 결속력에도 도움이 될 수 있다. 교사에게도 혜택이 있다. 학습자들이 교재를 토론하고 준비하는 것을 모니터하는 것은 교사로 하여금 학습자 개개인이 느끼는 어려움 또는 일반적인 어려움에 대해 깨닫게 한다. 교재의 어떤 부분은 다른 수업의 학생들에게 재사용될 수도 있다. 교사의 수업 준비 시간은 줄어들 것이다. 그리고 언제나 예측불가라는 요소가 있기 때문에, 교실은 학습자뿐만 아니라 교사에게도 더 흥미로운 장소가 된다. (p. 178)

약 100명의(주로 초등학교) 교사가 참여한 싱가포르에서 진행된 최근 연구(McGrath, 출판 예정)는 학습자가 만든 교재가 교사에게 준비 및 문제해결이라는 점에서 어떤 작업을 요구하는지, 그리고 교사들이 이러한 작업에 드는 노력이 가치가 있다고 느끼는지를 연구하고 있다.

앞선 절에서 우리의 초점은 교사를 위해 제공된 교재에서 교재 제공자로서의 교사(개작, 선정 또는 개발을 통해)로 조금씩 이동해 왔다. 학습자는 그 논의에 항상 있었지만, 단지 참고할 부분으로 존재했었다. 이 절에서 언급한 저자들은 학습자에게 좀 더 적극적인 역할을 부여한다. 즉, 학습자는 교재를 소비하는 자일 뿐만 아니라 잠재적으로 교재를 제공하는 자일 수도 있다는 것이다. 그러나 이를 위해서는 교사와 학습자 모두에게 전통적인 교사와 학습자 역할을 재조정하는 것의 혜택이 충분히 설명되어야 한다. 이 주제는 7장에서 다룰 것이다.

9. 요약

이 장에서 논의된 교사의 역할 대부분은 다음의 둘 중 한 가지 제목하에 분류될 수 있다. 평가자로서의 교사(교과서와 다른 교재의 선정; 선택/생략, 개작 그리고 보충을 포함한 수업 계획 결정; 사용 중 평가; 사용 후 평가) 또는 디자이너로서의 교사(교과목 디자인; 교과서와 다른 교재의 개작; 원교재 디자인). 그러나 8절에서 보았듯이 교재 평가와 제공에 대한 책임은 학습자와 함께 나눌 수도 있다. 다음 장에서는 교사와 학습자 역할에 대한 이러한 관점이 교사교육에서 무엇을 의미하는지를 살펴볼 것이다.

4장

교사교육자 관점

교과서가 어디에 있나요? 휴지통 안에 있습니다.

(Harmer, 2001: 5)

ESL/EFL 분야에서 교사교육은 교과서를 효과적으로 사용하는 것에 대한 교육
보다는 ... 교사가 교재를 만드는 것에 더 관심이 있는 듯하다.

(Byrd, 1995b: 7)

1. 서론

3장에서 보았듯이, 교사는 교재와 관련하여 다음 두 단계의 교사의 책무라는
측면에서 맡은 역할을 수행하기에 필요한 인식, 지식 그리고 능력을 가지고
있을 것이라 기대된다.

● 교과목을 디자인하는 책임; 이는 교새 선정과 교과목을 전반적으로 평
가하는 것을 포함한다.

● 전반적 교과목 디자인의 틀 안에서 수업을 계획하고 진행하고 평가하는 책임; 이는 개작과 보충 그리고 교재 집필을 포함한다.

실제로는 교과목 디자인과 교과서 선정(선택권이 있을 때)의 책임은 보통 교육기관 담당자(예, 교과부장)나 소수의 교사들에게 있다. 따라서 많은 교사들은 자신들의 교과목을 디자인하거나 교재를 선택할 자유가 없을 것이다. 그럼에도 불구하고, 만약 기회가 있다면 선택의 결정에 도움을 줄 수 있도록 교사들이 이러한 과정에 대해 충분히 아는 것은 바람직하다고 여겨진다. 그러나 수업 계획의 차원에서는, 모든 교사는 사용 가능한 교재를 평가하고 그 중에서 선택하는 책임, 그리고 필요하다면 개작하거나 보충하는 책임이 있다고 여겨진다. 어떤 교사는 미리 정해진 교재를 보충하기 위해서 또는 사용하고 있는 교재에 대한 대안으로서 원교재를 개발하고자 하는 욕구-또는 필요-를 느낄 수도 있다. 이러한 이차적 수준의 교사로서의 책무에 필요한 능력조차도 단순히 경험을 통해서 습득될 수 있는 것은 아니다-적어도 처음 1, 2년의 교수 경험을 가지고서는 얻을 수 없다. 언어학습과 교수에 있어 교재의 중요성을 감안한다면, 이는 예비교사 및 현직교사를 위한 교사교육 프로그램에서 교재 평가와 디자인에 대해 지속적으로 관심을 가져야 한다는 것에 대한 강력한 주장이 된다.

물론 교재는 다양한 방식으로 불가피하게 교사교육 초점의 대상이다. 예를 들어, 전형적인 실용중심 예비교사 교과목은 칠판을 정리하는 방법, 막대그림을 그리는 방법 또는 어휘를 가르치고 연습하기 위해 플래시카드를 만들고 사용하는 방법에 대해 시범을 보여주는 것을 포함할 것이다. 반면에 예비교사교육 또는 대학원 수준의 교사교육에서 방법론에 관한 이론 중심의 교과목에서는 특정 교육방법을 보여주기 위해서 드릴drills 또는 의사소통 게임의 녹음(녹화) 자료가 사용될 것이다. 또는 교육과정계획이나 교수요목디자인에 관한 모듈에서는 마지막 두, 세 차례의 수업에서 교과서 선정 및 디자인의 형태로 실제 교실 수업에 도입해 보는 활동을 할 수도 있다. 각각의 예에서 교재에 대한 참조는 각 상황에 맞게 타당하다. 언어교사는 언어를 제시하고 효과적인 연습 기회를 제공하기 위해서 어떻게 테크놀로지가(보드board의 사용을 포함하여—그것이 blackboard, whiteboard 또는 interactive whiteboard든지 간에) 사용될 수 있는지에 대해서 잘 인식하고 있어야 한다. 그들은 또한 교재가 언어의 본질 및 언어를 학습하는 가장 효과적인 방법에 대한 특정 이론(과 신념)에 기반을 두었다는 것을 이해하고 있어야 한다. 교사들은 교재 선정이나 디자인이 교육과정계획 모델 속의 어떤 단계에 속하는지에 관심이 있을 수도 있다. 그러나 교사교육 프로그램 개발자들이 염두에 두어야 할 것은, (1) 테크놀로지는 교재와 같이 학습의 보조 수단일 뿐이며; (2) 예비교사들에게는 언어교수 역사에 대한 지식보다는 학교에서 사용되는 교재에 대한 친숙함이 더 중요하고; (3) 대학원 과정에서조차도 교육과정계획이라는 교과목에서 교재 선정과 디자인에 할애하는 시간이, 다른 모든 수업 시간을 합친 것보다 수업을 듣는 교사들의 매일의 업무에 더 많이 직접적으로 연관이 있을 것이라는 점이다. 만약 교사가 3장에서 언급된 다양한 능력을 습득하고 개발해야 한다면, 좀 더 통합적이고 체계적인 접근이 필요하다; 즉, 교재 평가와 디자인만을 위한 구성요소가 필요하다는 것이다.

이 장은 그러한 과정을 개발하는 것과 관련된 많은 이슈 중 두 가지, 즉 (1) 목표와 내용의 설정 및 어떻게 이것이 예비교사와 현직교사 프로그램에서 차이가 나는지에 대해서, 그리고 (2) 교사교육 과정의 수업 참여자 교수환경의 예측 가능성 또는 불가능성에 대해서 논할 것이다. 2-4절은 이 이슈 중 첫 번째에 대해서 논한다. 2절은 교과서가 교사교육의 초점이 되어야 하는가, 그리고 이 질문에 대한 긍정적인 대답이 시사하는 바를 고려할 것이다. 교과서에 바탕을 둔 교수활동에 대한 명백한 대안은 교사가 자신의 교재를 만드는 것이고, 따라서 3절에서는 교재 개발에 대한 교육이 일반적인 교사교육 프로그램에 포함되어야 하는가의 문제를 다룰 것이다. 4절 역시 프로그램 범위와 관련이 있는데, 이 경우에는 교육공학instructional technology과 교재 평가 및 디자인의 관계를 살펴볼 것이다. 5절에서는 교과목 디자인에 있어 가능하다면 교사의 교수환경이 고려되어야 하지만, 그럼에도 좀 더 논리적인 시작점은 교사의 역할이라는 점을 주장할 것이다. 4장 전체에 걸쳐 교사교육의 문헌을 참고할 것이지만 여기서 제시하는 결론은 저자 본인이 내린 것이다.

10장에서는 이 장에서 논의한 목표가 어떻게 실현될 수 있을지에 대한 구체적이고 실용적인 논의에 대해 다룰 것이다.

2. 교재 평가와 디자인 구성요소의 목적과 내용

2.1 서론

3장에서 논의한 교사의 역할에 비추어 볼 때, 교재 평가와 디자인에 대한 교사교육은 다음의 모든 것을 포괄할 것이다:

● 교과목 디자인(첫 단계로 상황분석 및 요구분석 포함)

● 교과서와 다른 교재의 선정

● 효과적인 교과서 사용(수업 계획, 개작)

● 보충 교재 찾기

● 교재 집필(보충 교재와 독립형stand-alone 교재)

● 사용 중 그리고 사용 후 교재 평가

● 교재 평가와 디자인에 있어 학습자 참여

그러나 교사교육 과정은 그 기간과 수준에 있어 다양하다. 교사교육 과정은 수많은 면에서 서로 다른—특정한 환경에서 또는 특정하지 않은 환경에서, 특정 나이의 학생들 또는 불특정 나이의 학생들을 가르치는—참여자들을 준비시킨다. 이것이 의미하는 바는 교사교육자는 특정 교육 상황에서 무엇을 포함하고 무엇을 강조해야 하는지에 대한 결정을 내려야 한다는 것이다. 특히 예비 교사교육 차원에서는, 교사교육자가 내려야 하는 이러한 결정 중 하나가 교과 서이다.

2.2 교과서 이슈

언어학습에 있어 교과서를 사용하거나 또는 그렇지 않거나에 대한 교사교육자 의 태도는 교과서가 교사교육 과정에서 다루어질지-만약 그렇다면 어떻게- 에 엄청난 영향력을 끼치게 될 것이다. 이 절은 반교과서anti-coursebook 관점 (즉, 교과서는 언어교수-학습에서 사용되어서는 안 되고 따라서 교사교육에 설 자리가 없다는 관점)과 이와 관계된 비전, 즉 교과목/교재 개발자로서의 교 사에 대한 시각에 관해 먼저 시작할 것이다. 이후 친교과서pro-coursebook 관 점(이 경우에는 교사교육에서 교과서에 대해 주목하는 것에 대한 정당화)과 이것이 무엇을 포함하는지에 대해서 제시할 것이다.

2.2.1 반교과서 관점

1장에서 살펴보았듯이, 교과서는 언어교사들에게 상당한 비난의 대상이었고, 그 결과 몇몇 교사들은 교과서를 사용할 기회가 있을 때조차도 사용하지 않기 로 선택하기도 한다. 몇몇 교사교육 과정에서도, 단순히 교과서를 언급을 하 는 것조차도 절대 하지 말아야 할 일일 수 있다. Harmer(2001)는 1970년과 1980년대 초에 런던의 International House에서 4주 연수 과정을 마친 교사들 을 인터뷰했던 것을 떠올린다. 그 중 한 교사는 '교과서를 사용하는 것은 죄 악'이라고 들었다고 주장했으며; 다른 교사도 그가 다른 학교에서 일하기 시 작했을 때에야 비로소 어떤 학교에서는 교과서를 사용한다는 것을 깨달았다고 이야기했다. 교과서에 대한 부정적 태도는 Harmer(2001:5)가 제시하는 또 다 른 예에서 재미있게 묘사되어 있다:

예전에 교사교육 담당자를 한 분 알았는데, 이 담당자는 연수생들 앞에서 교과서를 높이 들고는 '이러한 것들을 진짜 잘 활용하는 방법이 무엇인지 아시나요?'라고 말했다. 연수생들이 그를 멍하니 바라봤을 때, 그는 휴지통에 교과서를 떨어뜨렸다. '교과서를 잘 사용하는 유일한 방법은,' 그가 아래쪽을 가리키며 말했다, '시각 자료로서 쓰일 때입니다. 교과서가 어디에 있나요? 휴지통 안에 있습니다.'

정말 결정적인 얘기는 그 뒤에 나온다: '그 교과서를 교사교육 담당자 학교의 교장선생님이 집필했기 때문에, 이건 아마 그가 말한 얘기 중 가장 재치 넘치는 것은 아니었을 것이다 …'(ibid.).

교사교육에 있어 이와 같은 태도를 견지한 좀 더 최신판은 Thornbury (2002)의 논문에서 찾을 수 있는데, 그는 앞서 ELT 분야의 도그마 운동의 창시자로 언급되었었다. Thornbury는 그와 그의 동료 교사교육자들이 어떻게 '교재 주도적 수업과 전쟁을 벌이겠다'고 결심했는지를 설명한다. 여기서 교재는 단지 교과서만이 아니다: '복사물은 금지되었고, OHP는 추방되었다 … 실제의 대화가 수업의 핵심을 구성해야만 한다. 그리고 교사는 말을 해야 한다—학생들에게 일방적으로 말하거나 또는 학생들에게 말을 걸면 안 되고—그들과 함께 말을 해야 한다.' 여기에서 연수생들은 교수 유경험자 과정post-experience Diploma courses의 교사들이고, 따라서 Harmer의 이야기에 나오는 연수생들보다는 더 잘 대처할 능력이 있다고 추측할 수 있을 것이다. 그리고 그 동기도—교사와 학생 간의 의사소통 상호작용을 증가시키고자 하는—칭찬할 만하다. 그러나 의도적으로 교사와 학생들로부터 잠재적으로 도움이 되는 지원을 빼앗는 것은 심술궂을 뿐만 아니라 권력의 남용이다. Crawford(2002)는 온라인 포럼에 글을 기고한 사람을 인용하면서 이를 지적하는데, 그 기고자는 '교사가 교과서를 쓰지 않겠다는 결정은 학생보다는 교사의 손에 권력을 가지도록 하기 때문에 사실 "제국주의의 흔적"일 수 있다'(p. 84)고 느꼈다고 했다.

지금까지 살펴본 바는 사실 (몇몇) 교사교육 기관들과 학교(사립학교이든 공립학교이든) 사이의 분열됨을 보여주는 눈에 띄게 개별적인 예들이다. 호주의 다양한 교과목 관련 예비교사교육 과정에 대한 Horsley(2007)가 요약한 최신 연구에 따르면, 이러한 예비교사교육 과정들에는 정보와 의사소통 테크놀로지Information and Communication Technology, ICT 및 ICT를 수업활동에 어떻게 도입하는지에 대한 필수 과목들이 포함되어 있었다. 하지만 '모든 학생들은 교수와 학습 교재 및 교과서를 사용하는 방법에 대한 연수나 수업은 받지 못했다고 보고했다'(pp. 252-3). 아이러니하게도, '테크놀로지가 풍부한 대학 교사교육 환경은 많은 학교의 ICT 기반 시설의 부족과 상당히 대조되었고'(p. 254), 예비교사들은 수업을 준비하기 위해 '학교 교재를 다른 자원보다 훨씬 더 많이 사용했다'(p. 253). 가장 놀라운 것은, 연구의 일부로 살펴본 한 주요 문서 중 하나에는—빅토리아 주를 위해서 만들어진 500페이지의 리뷰(*Step Up, Step In, Step Out*, 2005)—교수 또는 학습 자료에 대해서 아무런 언급이 없었다는 것이다.

Horsley는 이 연구의 결과로 일곱 개의 주요 명제를 제시한다. 모두 ELT와 관계가 있으며, 자세하게 인용할 가치가 있는 듯하다:

1. 교사교육은 교과서 사용을 찬성하지 않는다: 이 '이데올로기'의 결과 중 하나는 교사교육 기관이 학교에서 쓰이는 다양한 출판된 자원을 예비교사들에게 사용할 수 있도록 하지 않는다는 것이다. 이것이 의미하는 바는 예비교사들은 교생실습 전에 '다양한 학습능력과 문화적 배경을 가진 학생들을 위해 교과서를 개작하고 변경하는 것에 대한 체계적인 소개'(p. 255)를 받지 못한다는 것이다. 이 주장은 특정 교과서에 국한된 것이 아니고 교과서 전반에 관한 것임을 주목해야 한다. 우리가 관심을 가지는 것은 일반적인, 전이 가능한 능력이다. 교사교육 기관이 다양한 범위의 교과서를 가지고 있을 필요는 없지만, 연수생들은 다양한 교과서와 다른 교재들에 익숙해질 기회가 정말 필요하다.

2. 교사교육 과정에서 학교 교과서가 부족하다는 것은 교사교육이 학교와 단절되고 있다는 인식에 일조한다: 교과서는 준비 시간을 줄여

주기 때문에 학교에서 사용된다. 그러나 교사교육 과정에서 예비교사들은 교과서를 어떻게 사용하는지를 배우지 않는다. 따라서 교사가 되었을 때 시간의 압박하에서 가파른 학습곡선을 경험하게 된다. 이는 연수생들이 교과서에 어느 정도 노출되었다 할지라도 적용된다. 예비교사들이 교과서가 어떻게 구성되어 있고 무엇을 기대할 수 있는지에 대해 어느 정도의 통찰력을 가질 수 있다면 익숙하지 않은 책을 좀 더 자신감을 가지고 접근할 수 있을 것이다.

3. 교사교육 과정을 밟고 있는 학생들은 학교에서 교육실습을 할 때 교과서를 상당히 많이 사용한다. 교사교육 연구에 따르면 75-85퍼센트의 예비교사들이 수업의 단원을 개발하거나 수업을 계획할 때 교과서를 사용한다고 한다(Loewenberg-Ball & Feiman-Nemser, 2005). 'Loewenberg-Ball의 학생 중 한 명은 "비록 제가 교과서에 대해 비판적으로 생각하도록 교육을 받았지만, 저에게 다른 대안은 없습니다'(p. 192)라고 자신의 의견을 표출했다. 다른 학생은 "하루 종일 가르치고 계획한다는 것은 ... 너무나 힘든 일입니다"(p. 193)라고 언급했다'(Horsley, 2007: 256). 교과서는 예비교사들이 아직 갖추고 있지 않은 전문가의 경험, 교수학적 내용지식pedagogical content knowledge을 구현한다. 교수학적 내용지식이란 '경험이 많은 교사들이 학생들과의 학습 및 교수활동을 촉진시키는 데 유용하다고 찾아낸 주제, 활동 그리고 접근법'(ibid.)을 지칭한다.

4. 교사교육 과정을 밟고 있는 학생들은 꼭 필요한 지식을 배우기 위해서 교과서를 사용한다. 예비교사들에게 교과서는 학생들의 수준 및 학생들이 지금까지 해온 과정에 쉽게 접근할 수 있도록 해준다. '교과서는 신임교사와 초임교사들에게 필요한 지식의 깊이와 넓이에 대해, 포함된 개념에 대해, 학생들이 학습해야 하는 주요 요점에 대해, 그리고 수업이 맞추어야 하는 수준에 대해 지침을 제공한다'(p. 257). 앞서 살펴보았지만, 자신의 언어능력에 대한 자신감이 부족한 비원어민 교사들에게 교과서는 유용한 도움이 된다. 그리고 비원어민과 원어민 교사 모두에게 교과서는 학습을 촉진시키고 연습의 기회를 제공하기 위해서 언어가 어떻게 나뉘고, 통합되고, 배열될 수 있는지를 보여주기도

한다.

5. 수업을 위해 자료를 찾는 것은 교수활동의 근본적인 측면이다. '모든 과업, 활동, 교수/학습전략은 자원과 교재에 기초를 두고 있으며 이들과 독립된 것이 아니다. ... 교수/학습자원의 선택, 자원을 마련하고 이용하는 것은 교수활동의 근본적인 측면이다'(pp. 256-7). 교사는 어떤 교재가 사용 가능한지를 알고 자신들의 선택을 정당화할 수 있어야 한다. 인터넷에 접속이 가능하다면, 도움을 받으며 웹사이트를 살펴보고 평가하는 것은 이러한 자원과 익숙해지는 과정의 일부여야 한다.

6. 교사교육은 교과서 교수법textbook pedagogy을 도외시한다: '교과서 교수법'이라는 용어는 Lambert(2000, Horsley, 2007: 258에서 재인용)에 의해서 처음 사용되었는데, 이는 '교사가 수업에서 교과서를 사용하는 방법, 교사가 어떻게 교과서에 접근하고 개작하는지, 그리고 교과서를 사용하기 위해서 어떻게 상황을 만드는지'(p. 258)를 말한다. 당연히 교사교육은 예비교사들이 경험을 통해서 이러한 것들을 배우도록 하는 것보다는 이러한 과정에 대해서 그들에게 소개해야 한다.

7. 교과서와 교수/학습 교재는 변한다: '교과서는 계속해서 더 발전하고 변화하며 더 복잡해져 왔다'(p. 259). 이는 우리가 앞서 살펴봤던 것처럼, ELT 교과서에도 해당되는 말이다. 물론 이는 앞서 언급한 것처럼 하나의 교과서에 대한 이야기가 아니고 일반적인 교과서라는 것에 초점을 두는 교육이 필요하다는 것에 대한 주장이다.

2.2.2 교과서의 대안: 스스로 교재를 집필하라!

Horsley가 설명한 것처럼 호주의 교사교육 연수생들은 교육실습 학교에서 교과서에 접근하게 되지만, 어떻게 교과서를 사용해야 하는지에 대해서는 교육을 받지 못했다. 다른 나라에서는, 반교과서 관점이 교육실습 상황에까지 확장된다. 홍콩에서 자신이 다닌 학교와 교육대학에서의 경험을 대조하며, Yuen(1997)은 교수활동에 처음 입문했을 때의 경험에 대해서 다음과 같이 기술한다:

중국어로 '공부한다'는 '교과서를 읽는다'는 뜻이다. 내가 학교를 간 첫 날부터, 나는 교과서를 가져가야만 했다. 학교를 다니는 동안 나는 교과서와 함께 학습했다. 내가 교육대학에 입학하고 나서야 나는 교과서를 사용하지 말라는 이야기를 들었고, 실습기간 동안 나만의 교재를 디자인하고 만들어야 했다.

이는 분명 많은 교사들에게 낯설지 않을 것이다.

이러한 원교재를 만들어야 하는 압박의 기저에 무엇이 있는지에 대해, 그리고 (미국 학교) 교사들과 교사교육자들에 대해 언급하면서, Loewenberg-Ball과 Cohen(1996)은 몇 가지 중요한 요점을 지적한다:

... [교사]교육자들은 종종 교과서를 폄하하고, 교육개혁을 지향하는 많은 교사들도 자신은 교과서를 사용하지 않는다고 경멸하듯 말하며 교과서를 무시한다. 교사의 전문직 자율성이라는 이러한 이상화는 결국 훌륭한 교사는 교과서를 따르지 않는 대신 자신만의 교과과정을 만든다는 관점으로 이어진다. 미국의 개인주의와 일치하는 이러한 관점의 옹호자들은 원교재와 수업을 개발하는 교사들을 칭송한다. 교과서는, 그리고 교과서 제작에 영향을 미치는 상업적, 정치적 제약은 보수적 영향(Ben-Peretz, 1990)이라고 여겨진다. 교과과정 교재는 학생들이 학습할 기회를 제한하면서(Elliott, 1990) 지식과 교수활동 모두를 제한하고 통제하는 것으로 여겨진다(Apple & Jungck, 1990; Ball & Feiman-Nemser, 1988). 수업을 기획하는 교사는 창조적이고 상상력이 풍부하다고 생각된다. 이러한 교과서에 대한 적대감, 그리고 개별 전문가에 대한 이상화된 이미지는 교과과정이 할 수 있는 건설적인 역할에 대해 신중히 살펴보는 것을 방해해 왔다. (Loewenberg-Ball & Cohen, 1996: 6, 꺾쇠괄호 추가7))

여기서 눈에 띄는 것은 '무시' 그리고 '적대감'과 같은 단어에 표현된 교과서를 반대하는 사람들의 감정의 강도와 상업적 교과과정 교재의 '보수적'이고

---

7) square brackets added

'제한적인' 영향력에 대항하는 방어막으로서 '창조적이고 상상력이 풍부한' 개인에 대한 그들의 칭찬이다. 이러한 관점에 대한 Loewenberg-Ball과 Cohen 의 태도 역시 '이상화된'이라는 단어의 사용(과 반복), 그리고 '폄하'와 이 발췌문의 끝에 나오는 '방해하다'와 같은 부정적인 함축에서 명확히 드러난다. 특히 '경멸하듯'이란 단어를 보면, 이 저자들이 교과서를 거부하는 것은 순전한 오만이라고 여기고 있다는 것을 확실히 알 수 있다.

O'Neill(1982: 105)은 비슷한 이야기―ESP와 관련된 흥미로운 사례―를 전한다. 그는 잠수함을 정비 및 수리하는 이란 사람들을 교육하는 독일 기술자들에게 영어를 가르치며 독일 조선소에서 3주를 보냈는데, 영국의 한 대학에서 응용언어학을 공부하고 막 졸업한 '젊고 똑똑한 교사'에게 자신의 자리를 막 물려주게 되었다:

> '아, 교과서를 사용하지는 않으셨죠, 사용했었나요?' 그가 내 공책을 보며 말했다. 그건 마치 최신 의학 기술을 전수받은 의사가 자신의 동료가 거머리를 가지고 환자의 피를 뽑는 것을 발견한 것과 같았다. 사실 나는 그 수업의 중요한 한 부분에서는 교과서를 사용했었다. 새로 온 교사는 이것은 근본적으로 문제가 있다고 믿었다. 그가 반대하는 이유는 결국 자신의 학생들이 그가 다음 날 무엇을 가르칠지를 알게 하고 싶지 않다는 것이었다. '스릴이라는 요소를 없애버리잖아요. 게다가 저는 다른 사람의 교재를 쓰는 것을 좋아하지 않습니다. 너무 비창조적이거든요!' 그가 소리쳤다.

물론 준비를 더 해야 하고 학생들이 부정적으로 반응할 수 있다는 것에도 불구하고 교과서를 사용하지 않겠다고 결심하는 개별 교사, 그리고 연수생들의 교과서 사용을 금지시키는 교사교육자, 이 둘 사이에는 중요한 차이가 있다. 만약 연수생들이 교육실습을 하는 학교에서 교과서를 사용한다면, 그들이 교과서를 사용하는 것은 이해가 된다(그리고 학생들에게도 덜 방해가 된다). 초임교사, 특히 사신의 언어능력에 자신감이 부족한 비원어민 교사들은 교과서가 제공하는 도움에 안심을 하게 된다. 물론 좀 더 경험이 많은 교사들을 위한 교사교육 과정에서 자신의 교재를 집필하도록 장려하는 데에는 좋은 이유가 있겠지만, 그렇게 하도록 계속해서 우기는 것은 정당성이 없어 보인다. Johnson(2003)이 이탈리아의 영어교사들에게 교재집필 과정을 운영하면서 발견했듯이, 아주 훌륭한 교사라도 꼭 좋은 교재를 집필할 수 있는 능력이 있는 것은 아니다.

2.3 친교과서 관점

여기서 확실히 할 것이 있다. 예비교사교육 및 현직교사교육 과정에서 교과서를 연구하도록 해야 한다는 주장은, 언어를 배우는 과정에서 교과서를 사용하자는 주장과는 같지 않다. 교사교육자의 관점이 무엇이든지 간에, 원해서 또는 필요에 의해서 교과서를 사용할 수도 있는 참여자들에게, 교과서가 어떻게 (좀 더) 효과적으로 사용될 수 있을지를 고려하도록 하는 것은 교사교육자의 의무이다.

2.3.1 교과서와 예비교사교육 과정

앞에서 살펴 본 것처럼, 교과서는 널리 사용되며 초임교사에게는 꼭 필요한 도움을 줄 수 있다. Senior(2006)는 교사교육자로부터 '교과서 회피 신드롬'을 앓고 있다고 진단받은 한 연수교사의 이야기를 들려준다. 그 연수생은 다음과 같이 이야기 한다. '그들의 주장은 다음과 같아요, "교과서를 집필한 사람들은 전문가입니다. 왜 다시 새롭게 제작하고 싶나요? 여러분들을 위해서 저자들이 이미 어려운 일들을 해 놓았습니다. 이 분야에서 오랫동안 연구를 한 훌륭한 분들이죠. 그들의 지식을 이용하세요." 맞는 말이죠. 전 신임교사이고, 제가 교과서에 대해서 뭘 알겠어요'(Senior, 2006: 49).

예비교사교육 과정에서 교과서를 그저 부수적으로 다룬다거나 또는 전혀 다루지 않는 것은 예비교사들을 과소평가하는 것이다. 예비교사들은 이상적으로는 교과서를 분석적으로 탐구하면서 교과서가 무엇을 제공하는지, 제한점은 무엇인지, 그리고 서로 어떻게 다른지를 알 필요가 있다. 그들은 교과서의 제한점을 최소화하거나 다른 방식으로 보충하고, 교과서의 장점을 잘 활용하면서, 교구로써 교과서를 어떻게 사용하는지를 배워야 한다. 교사교육은 예비교사들이 이러한 것들을 할 수 있도록 돕는 지침을 제공할 수 있고, 이와 함께 그들 스스로 선택할 수 있도록 인식, 지식 그리고 능력을 쌓을 수 있는 기회를 제공할 수 있다(이러한 선택 중 하나는 교과서를 사용하지 않는 것일 수도 있다). Harmer(2001: 9)는 '교과서 디자인, 선정 그리고 사용을 둘러싼 이슈들을 살펴보는 것은 ... 예비교사들이 검토해야 할 모든 이론적 그리고 실제적 이슈들을 분명하게 해준다'고 주장한다.

예비교사교육에서는 이와 관련된 이슈로 예비교사들이 출판된 교재를 평가할 수 있을지−따라서 평가하도록 시켜야 하는지−가 있다. Brumfit과 Rossner(1982: 129)는 의심의 여지없이 예비교사들은 할 수 없고, 그렇게 해서도 안 된다고 주장한다:

> 다른 사람들이 만든 교수요목을 가지고 다른 사람들의 교재를 사용해본 경험이 쌓일 때까지, 무엇이 좋은 교재이며 좋은 교수요목인지에 대한 결정은 결국 예비교사 스스로의 내적인 결정이라기보다는 그들을 가르치는 이들의 외부 관점을 반영할 뿐이다.

3장에서 교재 평가와 교재 분석에 대해 구분지어 설명했었다. 단기 예비교사교육 과정이라면, 교재 분석은, 예를 들어, 예비교사들이 어떻게 교과서가 구성되었는지를 이해하고, 어떤 신념과 원칙을 바탕으로 교과서가 쓰였는지를 찾아낼 수 있도록 돕는 것에 관한 것일 것이다. 좀 더 긴 예비교사교육 및 현직교사교육 과정에서는, 교재 분석은 그 범위가 넓어지고 더 깊이 있게 다루어질 수 있다(Littlejohn & Windeatt, 1989; Ellis, 2011; Littlejohn, 2011 참조). 반면 교재 평가는, 예를 들어, 우리가 교재가 근거한 신념과 원칙에 *동의하는지*(Breen & Candlin, 1987), 교재와 특정 상황에 대한 우리의 요구분석이 서로 잘 *맞는지*(Hutchinson & Waters, 1987), 그리고 한 권의 교재가 다른 것보다 그 상황에 *더 적합한지*에 대한 판단을 내리는 것에 관한 것이다.

Brumfit과 Rossner에 따르면, 연수교사들은 교재의 장단점에 대해 그리고 교재가 특정 상황에 잠재적으로 적합한지에 대한 판단을 내릴 수 있는 경험을 가지고 있지 않다. 그러나 연수생들이 교육실습을 시작하고 학생들을 고려해서 수업을 계획해야 할 시점에 이르면, 이러한 주장은 그 힘을 어느 정도 잃게 된다. 연수생들이 학생들의 필요에 대해 알게 되면서, 우리는 그들이 교재와 관련해서 조금씩 좀 더 평가적 결정을 내릴 것이라고 기대한다(예, 설명을 다른 말로 바꿔 써야 할 것인가 아니면 보충해야 할 것인가, 다른 예시나 추가 예시가 필요한가, 이 연습문제 또는 활동을 사용할 것인가 아니면 개작하거나 대체할 것인가).

교과서 사용에 대한 교사교육은 보충의 필요성에 대해 고려하는 것까지 확장된다. 보충이 이미 존재하는 자원(예, 다른 교과서, 온라인 자원)으로부터 빌려오는 것이라면, 이는 경험이 있는 교사에게는 비교적 문제가 없어 보인다. 특정 요구사항을 알아낸 후에, 교사는 잠재적으로 적합한 교재를 찾아서 바꾸지 않고 사용하거나 또는 3장(4절)에서 논의한 절차와 원칙을 따라서 개작하게 된다. 그러나 초임교사들은 적합한 자원이 무엇일지 그리고 어디서 찾을 수 있는지 거의 알지 못하거나 전혀 모를 수 있다. 따라서 가능한 다양한 범위의 자원과 익숙해지는 것이 예비교사교육 과정에 포함되어야 한다.

연수생들에게 교과서 및 다른 교재의 선정에 대한 체계적 절차를 소개해야 하는가의 문제는 단순히 그들이 향후 가르칠 환경에서 그들에게 무엇이 요구되느냐에 의해서 결정되어서는 안 된다. 교사가 결정을 내리는 위치에 있지 않을 때에도 그들은 여전히 교과서에 영향을 줄 수 있다는 것을 3장에서 이미 논의했었다. 따라서 연수생들이 스스로 책임을 지도록 놔두는 것보다는 평가 도구나 경험을 제공하는 것이 더 바람직해 보인다.

2.3.2 교과서와 현직교사교육 과정

교과서를 사용해 본 경험이 있는 교사들은 그들이 무엇을 좋아하는지/싫어하느지 그리고 교과서에서 무엇을 원하는지에 대한 견해가 있을 것이다. 만약 보충 교재를 사용한다면, 아마도 그러한 교재에서 무엇을 찾고 있는지 역시 알 것이다. 그럼에도 불구하고 그들은 교과서와 다른 교재들을 좀 더 체계적으로 선택하는 데 도움이 필요하다고 느낄 수 있다. 이는 새로운 교재(잠재적으로 유용한 웹사이트를 포함하는)에 대해 인식을 높이는 활동과 함께 통합되어 제시될 수 있다.

교과서에 의존하는 것에서 멀어지고자 하는 노력은 다음의 싱가포르 교사의 이야기에서 매우 명확하게 드러난다:

교사로서 처음 몇 년 동안 저는 완전히 교과서에 의지했습니다. 완전히 교과서에 이끌려 다녔죠. 첫 페이지부터 시작해서 다음 페이지로 넘어가며 학생들을 가르쳤어요. 각 수업은 단계적으로 진행되었습니다. 문단을 크게 읽는 것으로 시작해서 그 다음은 문법 요소를 다루고 등등. 모든 것이 이미 제공되었기 때문에 보충 교재를 찾거나 개작하거나 수업을 차별화할 필요가 정말 없었어요. 말할 필요도 없지만, 교과서가 널리 적용할 수 있도록 만들어진 것이었기 때문에 차별화된 교육도 없었죠. 제가 그때 모든 것에 만족하고 있었다는 것을 인정하는 것도 당황스럽습니다. 제 수업에서 가르쳤던 모든 것은 같은 수준의 다른 대여섯 반에서 그대로 사용되었어요. 저희와 같은 초임교사들에게 안정감을 주었죠. 저는 초임교사였을 때의 우리에게 너무 냉정할 필요는 없다고 생각해요.

하지만 제 옆에 교수 매뉴얼을 끼고서 몇 년을 지내고 나서 변하기 시작했어요. 신문을 오려낸 것이나, 브로슈어, 센토사(싱가포르 근처의 섬)의 지도를 가지고 수업에 들어가기 시작했습니다. 교과서에 덜 의존하기 시작했어요. 만약 수업의 목표가 대명사를 가르치는 것이었다면, 그걸 가르치고자 했죠. 비록 내 방식대로 했지만 '교수요목을 다루는 것'은 잊지 않았습니다.
(Asmoraniye Shaffie, 2011)

이 교사는 처음 몇 년 동안은 말 그대로 교과서만을 가르쳤다. 이는 그녀에게 안정감을 주었고, 학생들 역시 시험을 위해 철저히 준비되고 있다는 생각에 안정감을 느꼈다. 그러나 이 교사가 깨달았던 것과 같이, 교과서는 교과목의 목적을 성취하기 위한 보조 수단일 뿐이다. 자신감이 생겼을 때 그녀는 교과서를 덜 사용했다.

이는 분명히 긍정적인 발전이다. 교사는 자신이 하고 있는 일을 장악했고, 학생들이 매력을 느낄만한 실제 자료를 선택해서 사용했다. 만약 교사가 경험이 쌓이면서 이러한 발전이 있을 것이라고 예측할 수 있다면, 교과서 사용에 대한 교육이 정말 필요한 것인가? 교사교육자들은 필요하다는 것을 의심치 않는다. Richards(2001b: 16)의 견해는 전형적이다: '교사는 실제 자료를 사용하고 자신의 교재를 만들어 내는 것뿐만 아니라 교과서를 개작하고 변경하는 교육과 경험이 필요하다.' 교사는 학습자의 필요에 부합하기 위해서 교과서를 개작하고 보충하는 전략을 발전시켜야 하는데, 교사교육은 이러한 과정을 가속화시킬 수 있다(그리고 교수-학습을 더 쉽게 만들 것이다). 현직교사교육도 더 많은 범위의 가능성에 대해서 알게 하고, 습관적이 되어버린 교수 활동의 대안에 대해서 되돌아보도록 격려할 것이다.

상기 제시한 예에서, 교사는 교과서보다는 실제 자료를 더 선호하고 있다는 것을 표현했다. 이러한 선호도가 명백히 올바른 선택일 경우도 있지만, 교과서가 비교적 많은 노력을 들이지 않고 개작될 수 있는 경우도 있을 것이다. 현직교사교육은 그러한 옵션을 탐구하고 새로운 능력을 개발시킬 기회를 제공한다.

교과서를 사용하는 교사에게 이러한 새로운 능력 중 하나는 보충 교재를 개발하는 것이다. 예비교사교육 과정과 관련하여 앞서 논의한 다른 책이나 자료에서 빌려서 보충하는 것(현직교사교육 차원에서는 서로 추천할 만한 것을 모으거나 새로운 자원을 찾는 것), 그리고 완전히 새로운 보충 교재를 개발하는 것(이러한 보충 교재가 연습문제지의 형태이든지, 텍스트에 기반을 둔 활동이든지 또는 대규모 프로젝트이든지 간에), 이 둘 사이에는 틀림없이 질적인 차이가 있다. 교재 집필은 아래 3절에서 논의할 것이다.

물론 교사가 보충 교재에 대해서 모든 부담을 떠안을 필요는 없다. 학습자들도 보충 교재를 공급하는 데 참여해야 한다는 주장이 이미 제기되었다(3장의 8절 참조). 이는 새로운 주장이 아니지만, 영어교육 문헌에서 많이 논의되는 주제는 아니다. 현직교사교육 과정이야말로 장점과 단점에 대해 논의하고, 새로운 형태의 자율성을 가지도록 학습자를 준비시키는 것과 같은 이슈를 고려하며, 이와 함께—만약 시간과 여건이 허락한다면—소규모의 실험을 하고 피드백을 받도록 하기에 이상적인 환경인 듯하다.

3. 다시 살펴보는 교재 집필

교과서에 대해 좀 더 열성적으로 반대하는 사람들이 주는 인상은 교사가 교과서를 사용할 것인가 아니면 스스로 교재를 집필할 것인가에 대한 *양자택일의* 선택(거의 도덕적 선택)과 마주하게 된다는 것이다. 하지만 실제는 그렇지 않다. 교사는 교과서를 사용*하면서 이와 함께* 자신의 교재를 집필할 수 있다. 교과서에 기반을 둔 교수활동은 교과서를 자주 사용하는 것에서 덜 자주 사용하는 연속선상에 있는데, 이때 가벼운 개작에서 대규모의 보충에 이르기까지 자율성과 창조성을 발휘할 수 있는 기회가 있다.

이 절에서 우리는 교과서 보충의 형태로 집필하는 것(예, 연습문제지나 텍스트에 기반을 둔 활동을 준비하는 것)과 좀 더 어려운—그리고 잠재적으로 독립형의—교재를 집필하는 것에 중점을 둔다. 3장(6절)에서 논의했듯이, 이는 그 범위가 하나의 주제가 있는 단원에서부터 쓰기와 같은 언어능력에 대한 하나의 컴포넌트까지 아우르지만, 하나의 교과목 전체를 개발하는 것은 해당되지 않는다.

자연스럽게 교사교육 문헌에서도 교사교육 과정(예비교사 또는 현직교사)이 참여자들로 하여금 자신만의 교재를 집필하도록 도와야 하는지에 대한 의견 차이가 존재한다.

먼저 교사가 교재를 집필하는 것에 대해 반대하는 이들에 대해서 알아보자. Allwright(1981: 6)은 교사와 교과서 저자는 서로 다른 전문성을 가지고 있기 때문에 서로 보완하면서도 동시에 서로 구별되는 역할을 한다고 보았다. Brumfit과 Rossner(1982)는 연수생이 교재를 집필한다는 발상에 대해 좀 더 관대하지만, 그럼에도 불구하고 매우 조심스럽다.

> 교재를 만드는 것은(물론 전문적 교육을 필요로 하지 않는) 기존의 교재(교사가 사용하는)에 대한 불만족에서 나오는 것이고, *예비교사교육을 위한 목표로는 부적합하다.* (여기서 우리는 예비교사교육 과정에서 교재를 집필하는 것에 반대하는 것이 아니라는 것을 다시 한 번 강조해야 한다. 왜냐하면 이는 연수생들이 교재 디자인의 몇몇 어려운 점들을 이해할 수 있도록 하기 때문이다. 우리가 걱정하는 것은 교사가 예비교사교육 과정을 떠날 때 그들이 스스로 집필한 교재를 바탕으로 교수활동을 할 수 있는 능력이 있고 그럴 의지가 있어야만 한다는 발상이다.) (Brumfit & Rossner, 1982: 129-30, 강조 추가)

이들은 교재를 집필하는 연습이 '교재 디자인의 몇몇 어려운 점들'에 대해 연수생들이 인지할 수 있도록 한다는 점은 인정하고 있다. Brumfit과 Rossner는 아마도 또한 연수생들이 교육실습에서 사용하도록 요청 받은 교재에 불만족할 때, 이러한 교재를 어떻게 적절하게 변화시킬 수 있을지(생략 또는 다른 개작의 형태로) 또는 어디에서 보충할 만한 자료를 찾을 수 있는지를 알아야 할 필요가 있다는 것을 인정하고─따라서 이러한 지식과 인식은 예비교사교육 과정의 일부가 되어야 한다는 데는 동의할 것이다. 하지만 그들은 교재 집필이 인식을 높이는 활동으로서 여겨지는 것과 예비교사는 교수활동을 위해 필요한 *거의 모든 교재를* 고안해낼 능력이 있어야 한다는 기대 사이에 확실히 선을 긋는 듯하다.

그러나 상기 제시한 인용문에서 가장 눈에 띄는 것은 첫 문장이다. '교재를 만드는 것은 ... 전문적 교육을 필요로 하지 않는다.' 3장(6절)에서 보았듯이, 이제 교재 개발이라는 주제에 관해 언어교사들에게 원칙과 실용적 조언을 제공하는 문헌들이 점점 더 많아지고 있으며, 그러한 교육을 제공하는 단기/장기 전문 과정들도 있다(Tomlinson, 2003c: 446, 456, 460 참조). 하단에 제시되어 있는 교사교육 프로그램의 하나의 구성요소로서 실행연구action research에 대한 인용문에서도 볼 수 있듯이, 교사교육에서 교사의 역할에 대한 인식도 바뀌어 왔다:

> 교사들은 자신의 교재를 만들어 보고 나서야 드디어 다른 사람들이 만든 교재를 평가할 수 있는 일련의 기준을 개발하기 시작한다. 그제서야 다른 교재를 무조건 수용하는 것에서부터 개작과 보충을 넘어 '목적에 맞추어' 교재를 제작하는 것까지의 폭넓은 선택권이 분명해진다. 교재 집필의 과정은 가르치는 것을 배우는 데 중요한 거의 모든 이슈들— 즉, 언어의 선정과 단계별 나누기, 학습이론에 대한 지식, 사회문화적 적절성—을 제기한다. 이 목록은 더 확장될 수 있다. 이와 아울러 ... *교재 집필이 예비교사교육 과정에서 주요 요소이며 현직교사교육 프로그램에서는 기본 특징이라는 점을 확립함으로써 교사교육 프로그램에서 최근 강조되고 있는 실행연구에 대한 관심을 뒷받침해야 한다.* (Jolly & Bolitho, 2011: 129, 강조 추가)

Jolly와 Bolitho가 말하는 예비교사교육 과정은 아마도 좀 더 장기적인 과정(예, 1년 교사자격증 과정 또는 3-4년의 학사학위 프로그램)을 칭하는 듯한데, 이 과정에서 연수생들은 상기 인용문에서 설명한 '폭넓은 선택권'을 경험하며, 교육실습 과정에서 필요한 것을 평가하고, 개작하거나 또는 특별히 집필한 자신의 교재를 사용해 볼 수 있는 기회를 가지게 된다(이러한 원칙에 근거한 현직교사 학부 모듈에 대한 논의를 보려면 Al-Sinani, Al-Senaidi & Etherton, 2009 참조).

이러한 교재 집필에 대해 지원을 해주는 것은 당연히 필수적이다. 아래의 인용문에서 Samuda(2005)는 특별히 스스로 과업을 개발하는 교사에 대해서 쓰고 있지만, 이는 어떤 형태이든 교재 개발에도 똑같이 적용 가능하다:

각 학교에 맞게 교재를 제작하자는 이니셔티브는 ... 교수활동 레퍼토리에 과업 디자인을 추가하는 것은 근본적으로 문제가 없다는 가정에 근거한다. 문제가 없는 이유는 교사가 이미 과업을 개발할 수 있는 디자인 능력을 습득했다고 여겨지거나 ... 또는 과업 디자인은 쉽게 습득할 수 있는, 전문가가 아닌 사람도 할 수 있는 활동이라고 추측되기 때문이다. (Samuda, 2005: 236)

이러한 가정에 대한 근거가 부족함을 강조하면서, Samuda는 Tsui(2003) 연구의 한 교사의 사례를 인용한다. 이 교사는 '과업을 완수하기 위해 학생들이 서로 협력해야 할 필요가 있도록 과업을 디자인하는 방법을 한 번도 고려한 적이 없었고'(p. 174, Samuda, 2005: 236에서 재인용) '활동이 잘 디자인 되었는지 판단을 내릴 때 근거할 원칙을'(p. 219, Samuda, ibid.에서 재인용) 알지 못했다. 이 예는 1장에서 언급한 홍콩 교육부의 교사는 학습자를 위해 과업을 디자인할 수 있어야 한다는 구체적인 기대에 빗대어 봤을 때 더 의미가 있다.

교사교육 과정에 교재 집필을 포함해야 한다는 또 다른 주장─이는 특히 현직교사교육 과정에 해당된다─은 교사가 불편하게 느끼는 교재를 사용하는 것('자신에게 맞지 않는 방식으로 가르치는 것')은 '불만족, 자신감 상실 그리고 학습 부진에 이르게 한다'(Jolly & Bolitho, 2011: 129)는 것이다. Jolly와 Bolitho는 교사가 자신의 교재를 만들도록 도움을 받을 때 이러한 느낌은 최소화될 것이라고 제안한다. 또한 이러한 과정은 교사가 '스스로를 가르치는 것'을 포함하기 때문에 전문성 신장의 한 형태로도 볼 수 있다. 물론 여기에는 예비교사와 현직교사 모두 언어능력 수준이 그들의 학습자들에게 적합한 모델을 제시할 수 있는 교재를 집필할 수 있을 정도이거나 또는 교사교육자가 편집/교정에 도움을 줄 수 있을 정도여야 한다는 것이 암시되었음을 기억해야 한다.

교재 개발을 시도하는 것이 연수생들로 하여금 평가자로서 훨씬 더 잘 알도록 만든다는 것도 맞지만(Brumfit & Rossner, 1982; Jolly & Bolitho,

2011), 이러한 교재 집필은 상황에 의해서 동기 부여가 된다는 것도 맞는 말이다. 교사교육 프로그램에 참여하지 않은 교사들이 교재를 집필하고자 결정했을 때, 보통은 다음의 두 가지 이유 중 하나 때문이다. 사용하고 있는 교재에 불만족 할 때―Brumfit과 Rossner(1982)가 주장한 요점―또는 생각하고 있는 목적에 맞는 적절한 교재가 없을 때. 만약 교사교육자가 교사들의 현실을 진지하게 받아들인다면, 이는 교사교육 프로그램의 모든 교재 개발 과정은 어떤 종류이든지 평가 활동(예, 학습자 요구 확인, 교재 평가) 이후에 와야 한다는 것에 대한 주장이 될 수 있다. 따라서 우리는 초기에는 평가와 디자인 과업 모두 매우 제한적이고 집중적이었다가(예, 언어연습의 차원) 점진적으로 더 커지고 복잡해지는 순환적인 과정을 그려볼 수 있다.

    이러한 유형의 체계적이고 점진적인 접근법은 예비교사교육 차원에서 적절할 수 있는데, 현직교사교육 차원에서는 또 다른 가능성이 있을 수 있다. 만약 교사들이 자신의 교재를 만들어 왔다면―예를 들어, 연습문제지, 경과평가―그리고/또는 실제 자료를 활용해왔으며, 토론의 자료로서 이를 기꺼이 사용하고자 한다면, 이러한 예들은 지금까지 교사가 무엇을 해왔으며 무엇이 가능한지를 탐구하는 것뿐만 아니라 교수와 학습의 다른 주요 측면―목표, 방법론, 교수요목 그리고 이러한 것들의 기저에 있는 신념과 이론―에 대해 고려하도록 하는 이상적인 출발점을 제공할 수 있다(교재가 '더 넓고 더 중요한 교육적 이슈로 가는 길을 제시하는'(p. 114) 장기 현직교사교육 프로그램에 대한 흥미로운 설명을 보려면 Breen, Candlin, Dam & Gabrielsen, 1989 참조). 만약 교사가 만든 교재가 없다고 하더라도, 경력교사가 그들이 사용하는 출판된 교재에 대해 어느 정도의 자율성을 행사하지 않는 상황을 상상하는 것은 어렵다. 또한 그들이 사용하는 책의 특정 부분을 왜 그리고 어떻게 활용했거나 개작했는지에 대해 토론하는 것은 결국 상기 제시한 것과 같은 방향으로 이끌 수 있다.

    우리는 교재 집필에 대한 교육은 다양한 이유로 바람직하다고 결론 내릴 수 있는데, 이러한 이유 중 몇 가지는 그 과정과 관련이 있다. 예를 들어, 교

재 집필에 대한 교육은:

- 교수와 학습에 대한 신념과 이론을 면밀히 연구하도록 장려한다.
- 교재 디자인뿐만 아니라 수업 디자인의 근거가 되는 원칙을 고려하도록 촉진한다.
- 평가 기준에 대해서 잘 인식하도록 한다.
- 학습자의 필요를 충족시키는 교사의 능력을 향상시킨다.
- 전문성 개발의 기회를 제공한다.

하지만 교재 집필은 Jolly와 Bolitho(2011)가 언급한 '폭넓은 선택권' 중 그저 하나일 뿐이다. 물론 다 알다시피 가장 부담이 큰 일이다. 게다가 어떤 교사 교육 상황에서는 그 중요성에 의문을 제기할 수도 있다. Byrd(1995b)가 지적했듯이, 역설적으로, 'ESL/EFL 분야에서 교사교육은 교과서를 효과적으로 사용하는 것에 대한 교육보다는 ... 교사가 교재를 만드는 것에 더 관심이 있는 듯하다'(p. 7). 따라서 교과서를 사용하는 것이 필수이거나, 기대되거나 또는 일반적인 상황에서는, 개작이나 보충에 대한 교육이 우선시되어야 하며, (교육부가 반대하지 않는 한, 또는 교사 스스로 이를 필요하다고 여기지 않는 한) 교재 평가 및 디자인에 관한 수업에서 교재 집필은 의무라기보다는 하나의 선택권으로 교사에게 제시되는 것이 타당한 듯 보인다.

4. 교재와 교육공학

출판사가 그들의 교재를 향상시키고자(그리고 그들의 경쟁 상대보다 한 발 더 앞서나가고자) 하는 방법 중 하나는 새로운 테크놀로지를 사용하는 것인데, 이러한 교재를 효과적으로 사용하기 위해서 교사는 테크놀로지를 어떻게 사용하는지 알아야 한다. 이미 교수활동을 하고 있는 교사들에게는 현직교사 워크

숍이 준비될 수 있고, 지속적인 (학교 내) 지원이 제공될 수 있다. 다양한 분야에서 예비교사교육을 제공하는 큰 교육기관에서는 세 가지 선택권이 있는 듯하다: (1) 교육공학에 대한 일반 교과목과 교재 평가 및 디자인에 관한 주제 중심 교과목; (2) 두 개의 주제 중심 교과목; 그리고 (3) 이 둘을 결합시킨 하나의 교과목. 이제 세 번째 선택권에 대한 두 가지 예를 비교해 보자.

터키의 고등교육부는 모든 공립, 사립대학의 미래 영어교사를 위한 프로그램에 교육공학과 교재 개발에 관한 교과목을 포함시킬 것을 필수화했다. 이 교과목은 다음을 포함해야 한다:

교육공학의 개념, 다양한 교육공학 유형의 특징. 교수활동에 있어 교육공학의 역할 및 사용. 교실과 학교에서 테크놀로지 필요 확인. 테크놀로지 사용에 대한 적절한 계획과 관리. 테크놀로지를 사용해서 2D와 3D 교재 만들기, 교수활동 도구 개발하기(연습문제지, 활동, 슬라이드, DVD, VCD, 스마트보드와 같은 시각 미디어 도구 그리고 컴퓨터에 기반한 도구). 교육용 소프트웨어를 분석하고 다양한 품질의 교수활동 도구 평가하기. 인터넷과 원격교육, 시각 디자인의 원리, 교재의 효과에 관한 연구. 터키와 다른 나라(번역)의 교수활동을 위한 교육공학 상황.

예를 들어, 빌켄트 대학에서 해석한 것처럼, 이 수업은 '교수활동에서 테크놀로지―즉, 컴퓨터, 시각 자료, 그리고 다른 모든 쌍방향 교재―의 사용에 관한 것이며, 예비교사가 이러한 교재를 제작하고 이들이 교수활동에 사용되었을 때 평가하는 것'에 관한 것이다. 이 수업은 14주에 걸쳐 일주일에 3시간의 강의로 이루어졌다(Margaret Sands, 개인 대화[8]).

이 과목에 할당된 시간(총 42시간)을 보면 이 과목의 중요성을 알 수 있다. 또한 교수요목이 제시하듯이, 이 과목은 단순히 다양한 교구를 사용하는 방법에 대한 강의 시리즈를 제시하고자 한 것만은 아니다. 개념, 원칙, 연구뿐만 아니라 요구분석, 교재 개발을 위한 테크놀로지의 사용, 소프트웨어와 다

---

8) personal communication

른 교구의 분석 및 평가에 대해서도 다루고 있다. 수업은 연수교사들이 향후 근무하게 될 학교환경에 대해서 그리고 교사가 만든 유용한 교재에 대해서 일차적 지식을 가지고 있는 교사교육자가 가르쳤으며, 이러한 교수요목에 근간을 두었기에 연수교사들에게는 도움이 되는 준비 프로그램이라고 할 수 있다. 그리고 적어도 빌켄트 대학에서 예비교사들이 자신만의 교재를 만들고 교육실습에서 이를 평가하도록 필수화 한 것은, 예비교사들의 학습에 있어 실제 상황에 적용하도록 하는 구성요소를 구비하도록 한 것이다. 혹자는 예비교사들이 최첨단 테크놀로지를 구비한high-tech, 테크놀로지가 많이 없는low-tech, 그리고 테크놀로지가 전혀 없는no-tech 교수활동의 장단점을 고려하고, 특정 목적을 위해 어떤 테크놀로지 형태가 적절한지를 평가하고-그리고 전기가 끊겼을 때 대응할 수 있는 전략을 짜도록 교육받기를 바랄 수도 있다.

이제 이를 표 4.1에 있는 교재와 ICT의 활용과 비교해보자. 이 표는 성인학습자 대상 영어교육 캐임브리지 ESOL 자격증Cambridge ESOL Certificate in Teaching English Language to Adults, CELTA 취득을 위한 과정의 5-단원 교수요목 중 4단원('다양한 교수환경을 위한 계획과 자원')에서 가져온 것이다.

표 4.1 CELTA 교수요목의 발췌문

교수요목 내용	성공적인 후보자는 다음을 할 수 있다:
4.4 수업 계획 시 교재와 자원을 선정, 개작 그리고 평가(컴퓨터 및 다른 테크놀로지 기반 자원 포함)	a. 교재와 자원을 선정하고 평가할 수 있다(테크놀로지 사용 포함). b. 특정 성인학습자 그룹의 필요를 충족시키기 위해서 자원과 교재를 개작하는 것의 필요성을 이해하고 저작권 규정에 따라 실행할 수 있다.
4.5 성인학습자를 위한 영어교육을 위해 상업적으로 제작된 자원, 출판되지 않은 교재 그리고 교실 자원에 대한 지식	성인학습자를 위한 영어교육을 위해 상업적으로 제작되거나, 출판되지 않은 교재, 그리고 교실 자원에 대해서 기본적인 실용적 지식을 개발할 수 있다.

University of Cambridge ESOL Examinations (2011: 10)

캐임브리지가 승인한 센터에서 제공되는 교과목은 이 교수요목에 바탕을 두어야 하며, 최소 120시간의 수업으로 구성되어야 하는데, 이 중 최소 6시간은 경력교사들이 수업관찰을 해야 하며, 6시간의 교육실습 및 평가가 있어야 한다. 이 프로그램은 ELT 경험이 거의 없거나 아예 없는 지원자들 또는 약간의 경험은 있지만 교사교육은 거의 받지 못한 지원자들을 대상으로 하고 있다. 교재 평가와 디자인에 대한 관심은 캐임브리지 ESOL에서 제공되는 모든 자격증 프로그램을 관통하고 있다—http://www.cambridgeesol.org/sector/teaching/index.html을 참조하라.

4단원 전체는 수업 계획, 수업관찰 그리고 숙제를 통해서 평가된다. 교육실습에 대한 평가의 기준 중 처음 몇 가지는 다음과 같다:

(4a) 각 수업에 대한 적절한 목표/결과를 밝히고 서술하기

(4b) 수업의 목표/결과를 성취하기 위해 활동을 순서대로 배치하기

(4c) *수업에 적절한 교재, 활동, 자원 그리고 기술적 도구를 선정, 개작 또는 디자인하기.* (CELTA 교수요목, p. 15, 강조 추가)

상기 제시된 기준은 다음 세 가지 이유로 주목할 만하다. 첫째, 이 기준은 수업 계획에 있어 특정한 접근법을 암시하고 있는데, 이 접근법에서는 수업의 목표/학습의 결과가 먼저 결정되고, 그 후 이러한 목표를 성취하기 위한 방법으로 교재가 선정된다(3장에서 추천된 것처럼). 둘째, '교재를 개작하거나 또는 디자인하기'에서 볼 수 있듯이 개작은 '또는'을 사용할 수 있는데, 이를 통해 우리는 교재를 디자인하는 것(또는 우리가 앞서 '보충'이나 '교재 집필'로 칭했던 것)은 개작의 대안이며 모든 수업의 필수조건은 아니라는 것을 알 수 있다. 셋째, '교재, 활동, 자원 그리고 기술적 도구'는 결과를 성취할 수 있도록 하는 수단으로서 함께 분류된다. CELTA 교수요목과 평가 기준, 그리고 터키의 교수요목 둘 다 교수방법론적으로 기대하는 바를 표현하는데, 사실 이 둘은 다소 다르다. 특히 터키 교수요목은 테크놀로지와 테크놀로지를 사용한

교구의 개발에 좀 더 무게를 두는 반면, CELTA 교수요목은 교재 개작(교재 디자인 역시 언급되어 있다)과 교육자원에 대한 의식의 고취를 더 우선순위에 두는 듯 보인다. 두 가지 더 비교 대상이 있는데, 이는 교수요목의 범위와 시간이다. CELTA 교수요목은 교재와 자원의 사용에 대한 추가 부분(5.4단원)을 포함하고 있지만, 그럼에도 터키 교수요목보다는 그 범위에 있어 훨씬 더 한정적이다. 교재에 할당된 시간에 대해서 이 두 교수요목에 대해 의문을 제기할 수도 있다. CELTA 교수요목에서 4.4-4.5 그리고 5.4 부분은 120시간의 수업 중 아주 작은 부분이라고 할 수 있다; 터키 교수요목에 관해서는, 테크놀로지가 교재보다 더 중요하게 여겨지는 상황이라고 말할 수도 있겠다. 하지만 모든 과정은 시간의 제약하에 운영되고, 이는 교재 평가와 디자인에 있어 지속적인 교육이−공식적으로 구성되든지 교사 자발적으로 행해지든지−필요하다는 것을 말해 준다.

5. 교사교육 상황과 교수 상황

이전 절에서 우리는 CELTA 교수요목의 발췌문을 살펴보았다. 이 교수요목을 바탕으로 한 과정은 보통 4주간의 기간에 걸쳐 집중적으로 수업을 한다. 예를 들어, 런던의 어학원에서 이러한 과정을 듣는 연수생들은 다양한 국적을 가지고 있고, 나이는 20세에서 60세까지 정도이며, 잠재적으로 서로 매우 다른 교육 배경과 교수 경험을 가지고 있을 수 있다. 이러한 과정은 보통 매일 학습과 교육실습(다언어 청소년 그룹 대상)이 혼합된 형태로 수업을 하게 되는데, 다음 날의 수업실습을 위해 매일 밤 미친 듯이 준비해야 할 것이다. 이러한 상황에서 교사교육자는 *교사교육* 상황에서의 교수활동에 적합한 지원, 그리고 이 과정 후의 일반적인 교수활동을 위해 준비를 시키는 것 사이의 균형을 맞추도록 해야 한다. 일반적인 교수활동 상황은 아마도 영국에서 다국적의 아동들(그리고 성인들)을 가르치거나 또는 학습자 그룹이 단일어를 쓰는 나라에서 가르치는 상황을 포함할 것이다.

이러한 시나리오가 보여주는 것은 상기 제시한 '누구에게나 열려있는' 예비교사교육 과정을 위한 출발점은 정확하게 정의 내릴 수 있는 상황은 아니라는 것이다. 이러한 출발점은 오직 교사가 해야 할 역할과 이러한 역할을 해내기 위해 필요한 지식, 기술과 인식에 대한 구체적인 설명서일 뿐이다. 다른 교육 상황에서 일하는 교사교육자 역시 예측할 수 없는 것에 대해 연수생들을 준비시켜야 한다. 예를 들어, González Moncada(2006)는 콜롬비아의 안티오키아 대학 학부 교사교육 프로그램을 이수하고 있는 예비교사들은 졸업 후 테크놀로지 자원이 넘쳐나거나 또는 이러한 자원이 하나도 존재하지 않는 교육기관에서 일할 수도 있다는 것을 지적한다. 교육실습에서 어떻게 연수생들이 교재 사용과 관련하여 더 잘 준비될 수 있을지에 대한 질문에, 첫 번째 유형의 환경에서 근무하는 교사는 다음과 같이 제안했다. '예비교사들이 멀티미디어 소프트웨어의 사용과 인터넷 페이지를 개작할 수 있도록 교육시켜야 합니다.' 하지만 두 번째 상황처럼 아주 가난한 지역에서 근무하는 교사는 다음과 같이 주장했다. '예비교사로서 학생들은 아무것도 없는 상황에서 어떻게 교수할 수 있을지를 배워야 합니다. 저는 우리 학생들에게 교과서나 사전을 사라고 할 수 없고, 복사비를 내기 위해서 돈을 가져오라고도 할 수 없습니다. 전 그냥 칠판과 분필만이 있어요. 이러한 환경에서 창의적이 되기란 쉽지 않죠. 예비교사들이 저의 학교에 방문해서 아무것도 가지고 있지 않은 사람들의 현실을 직시했으면 좋겠습니다'(González Moncada, 2006: 10). González Moncada의 핵심 결론은 예비교사들에게 다음과 같은 것들이 필요하다는 것이다. '실제 학교환경에 노출되고 보통의 영어교실에서 겪을 수 있는 … 제약들을 직면하는 것'; '기술적 그리고 비기술적 교재 사용에 대해 더 장기적이고 깊이 있는 교육'을 받는 것; 그리고 '적절한 선택을 하기 위해서 다양한 가능성들과 익숙해지는 것'(p. 11). 교육환경의 다양성을 고려한 좀 더 일반적인 결론은 교재 평가 및 디자인이라는 예비교사교육 과정을 위한 교수요목은 이 장에서 논의한 바와 같이 교재 관련 핵심적인 교사의 역할에 대한 설명서에 바탕을 두어야 하지만, 동시에 연수생들이 다양한 예측 가능한 제약에 유연하게 대처할 수 있도록 준비시켜야 한다는 것(8장에서 다시 살펴볼 주제)이다.

교사가 하나 이상의 구체적인 교육환경을 경험하고 자신만의 필요에 대해서 알게 되었을 때, 그들은 교사교육 과정에서 단순히 새로운 지식이나 유용한 통찰력을 배워가는 것만이 아니라 실제 상황에 적용할 수 있는 실용적인 아이디어 또한 습득할 것이라고 기대된다. 영어권 국가의 대학원 프로그램에 관해 이야기하면서, Canniveng과 Martinez(2003)는 이러한 과정을 가르치는 교사교육자는 참여자의 상황과 이전의 경험을 고려하지 않는다고 주장한다. '보통 연수생들에게 교재 개발, 평가와 개작에 대한 일반적인 기준은 교육하지만, 연수생들의 상황에 맞는 개인적인 구체적 기준을 개발할 수 있는 방법에 대한 과정에는 거의 시간을 쏟지 않는다. 그 결과 연수생들이 언제나 자기 성찰을 하게 되는 것은 아니다'(p. 483). 물론 이러한 과정을 가르치고 있으며 연수생들의 교육환경에 대해 이해하고자 하는 것뿐만 아니라 개별 연수생이 어떻게 일반적인 원칙과 절차를 자신들의 교육환경에 적용할 수 있을지에 대해 성찰해보도록 장려하는 교사교육자들은 이러한 확인되지 않은 주장에 분명히 화가 날 것이다. 이들은 또한 대학원 프로그램의 합법적 목표는 연수생들이 새로운 지식과 기술에 어울리는 변화된 책임감을−그리고 반짝거리는 새로운 자격증을−갖도록 하는 것이라고 주장할 수도 있다(Tomlinson & Masuhara, 2003).

6. 요약

이 장에서 제기한 주장은 언어학습 교재는 교수-학습에 있어 너무나 중요한 요소이기 때문에, 교재 선정, 사용 그리고 디자인에 대해 고려하는 것이 교과 과정/교수요목 또는 방법론을 다루는 폭넓은 교과목 속에서 짧게 다루어지거나 또는 선택적인 것으로 분류되어서 교사교육 프로그램의 주변부로 떼어 놓여서는 안 된다는 것이다. 교재 평가와 디자인은 예비교사교육 그리고 현직교사교육 프로그램의 주요(핵심) 구성요소가 되어야 한다. 이 장은 또한 예비교사교육 프로그램에서의 목표와 내용은 예측 가능한 교사의 역할에 관련된 것이어야 한다고 제안했다. 이러한 역할 다수는 교과서를 효과적으로 사용하는 것과 관련이 있다. 따라서 교과서가 주요 초점이 되어야 하고, 다른 교육자원을 탐구할 기회도 주어져야 한다. 연수생들은 교과서를 사용하지 않을 수도 있지만 교재는 사용할 것이다. 따라서 그들은 어떻게 대안 교재를 찾아내고 평가 및 활용할 수 있을지, 그리고 필요하다면 변경하고 보충할 수 있을지를 알아야 한다. 현직교사교육 과정에서는 가능하다면 그 출발점은 교사 스스로 만든 교재를 포함하여 그들이 사용하고 있는 교재여야 하고, 이와 함께 체계적인 교재 평가 절차에 대한 지침이나 교재 집필과 같은 교사 스스로의 필요에 대한 그들의 관점이어야 한다.

이 장이 교사의 역할에 대한 세 가지 외부 관점의 마지막이고, 1부의 마지막 장의 끝이다. 이제 우리는 교사와 학습자의 관점을 살펴볼 것이다. 1부에서 우리가 가져갈 질문 중에는 다음과 같은 것들이 있다:

- 교사들은 교재 및 학습자와 관련하여 그들의 책임은 무엇이라고 생각하는가?
- 교사와 학습자는 교과서에 대해서 무엇을 느끼는가?
- 교과서는 어떻게 선정되는가?
- 교사들은 교과서를 비판적으로 그리고 창의적으로 사용하는가?
- 교사들은 교재 선정, 평가 그리고 디자인에 있어 학습자들을 참여시키는가?

제2부

교사와 학습자 관점: '실제'

5장

교사는 어떻게 교과서를 평가하는가

> 대부분의 사립과 공립학교는 출판사가 제공하는 것을 바탕으로 교과서를 선정
> 하고; 어떤 경우에는 교과서를 평가하고 선정하기 위한 적절한 절차를 따르는
> 것보다는 출판사가 컴퓨터를 기증하는가가 더 중요한 요소가 된다.
>
> (Inal, 2006: 20, 터키의 상황에 대한 설명)
>
> 모든 학교에서 자연스럽게 다수의 의견이 지배하게 되고, 이러한 방식으로 의
> 견 충돌이 해결된다. 보통 투표는 필요하지 않고, 결정은 의견의 협상이나 설
> 득을 통해서 이루어진다.
>
> (Law, 1995: 105, 홍콩 중등학교의 교과서 선정 과정에 대한 설명)

1. 서론

교과서 평가에 관한 선행연구는 왜 교사가 교과서 선정을 진지하게 받아들이
고 체계적으로 접근해야 하는지에 대해 매우 설득력 있는 이유를 제시한다(3
장 3절 참조). 가장 명백한 이유 중 하나는 교과서는 다양한 이유로 부자이기
때문이다: '학생들은 1년 동안만 교과서를 사용하지만 ... 교사는 해마다 사용

한다'(Fredriksson & Olsson, 2006: 22). 권장되는 선정 과정은 체크리스트를 사용하고, 학습자를 포함하여 선정된 교과서를 사용하게 될 모든 사람들을 참여시키는 것이다. 보다 광범위하게 영어교육 문헌에서는 평가 과정이 단순히 예측적인 것만이 아니라, 즉 선정 시점에서 멈추는 것이 아니라, 사용 중 또는 사용 후(회고적) 평가의 형태로 계속되어야 함을 강조한다. 비록 이 장의 주요 초점이 교과서 평가에 있지만, 이러한 원칙들은 다른 형태의 교재에도 똑같이 유효할 것이다.

2절은 다수의 회고적 평가 연구, 즉 연구자가 제공한 체크리스트를 바탕으로 교사들이 이미 사용했던 교과서를 평가하도록 한 연구들을 살펴볼 것이다. 3절은 교과서 선정 과정이 서로 다른 영어교육 환경에서 어떻게 차이가 있는지를 보여주는 다양한 예를 제시할 것이다. 4절은 교사 스스로 만든 평가 기준을 탐구한 연구들을 보고할 것이다. 마지막으로 5절은 사용 중 그리고 사용 후 평가가 진지하게 받아들여지고 있는지를 고려할 것이다.

2. 회고적 평가 연구

교육부가 만든 새로운 공식 교과서 시리즈가 소개되면 이에 따른 독립적인 평가 연구가 진행되는 것은 당연한 듯하다. 결국 이러한 교과서들이 효과적인 교수-학습을 증진시켜야 하는 것이 국가의 관심사이기 때문이다. 또한 부정적인 연구결과가 있다면 이는 향후 새로운 판을 개정해야 한다는 것을 의미하게 될 것이다.

2004년에 소개된 사우디아라비아의 남학생들을 위한 6학년 영어교과서를 평가한 Alamri(2008)의 연구는 이러한 전제를 바탕으로 한다. 그는 시리즈의 첫 교과서는 학생들이 영어와 처음 접하게 되는 매개체이고 따라서 '초등 영어교육의 기본 구성요소'(p. 2)가 되기 때문에 매우 중요하다고 지적한다.

Alamri의 연구는 리야드Riyadh 교육지구만을 중심으로 제한적이었지만,

그럼에도 이 지역의 모든 교사와 교장(127)을 포함시키고자 했다. 총 64개의 문항이 12개의 범주로 분류된(예, 주제의 적절성, 교수전략) 설문이 사용되었다. 설문의 응답을 위해 4점 리커트 척도를 사용했는데, 이때 4는 강한 동의, 1은 강한 불찬성을 나타냈다. 설문의 응답률은 81%(93명의 교사와 11명의 교장)였다.

범주에 의한 통계분석을 바탕으로 Alamri는 교과서에 대해 가장 불만족을 일으키는 요소로 교수전략을 꼽았으며, 대부분의 응답자들이 교과서가 교수방법과 학습전략에 있어 '시대에 뒤쳐졌다'고 여기고 있다고 언급했다. 또한 '압도적인 다수는 책이 교사 중심적이고, 학생들의 참여를 장려하지 않으며, 영어 교수와 학습을 증진시킬 수 있는 수업활동의 모든 기회를 효과적으로 제한하고 있다고 주장했는데'(pp. 81-2) 이는 매우 부정적인 결론이다.

다른 범주들은 응답자들의 매우 복잡한 관점을 보여준다. 예를 들어, 주제의 적절성이라는 범주하의 네 개의 기준 중 세 개에 대해, 영어능력 개발 범주하의 여섯 개의 기준 중 다섯 개에 대해, 그리고 교수가능성 범주하의 모든 세 개의 기준과 유연성 범주하의 모든 네 개의 기준에 대해 다양한 만족 수준이 드러났다. 비록 설문 참여자들의 응답이 때때로 강한 동의에서 강한 불찬성까지 모든 범위를 아우르며 넓게 분포된 것에 대한 설명은 제시되지 않았지만, 이는 아마도 설문 항목이 하나 이상의 명제를 포함하고 있거나, 또는 응답자들이 서로 다른 방식으로 개념('종합 언어능력' 또는 '의사소통'과 같은)을 해석했기 때문일 것으로 추측할 수 있다.

아래에 일반적으로 응답자들이 부족하다고 느낀─2.5 이하의 평균을 기록한(교사와 교장의 통합된 응답에 기초하여)─13개의 개별 항목의 예가 평균이 낮은 항목부터 높은 항목으로 제시되어 있다:

● 주제가 학생들로 하여금 창의적으로 생각하도록 한다(주제의 적절성).
● 삽화는 학생들이 창의적이 되도록 자극한다(디자인과 삽화).

- 사용된 교수방법은 교사보다는 학생들이 더 많이 이야기하도록 한다 (교수전략).

- 교과서는 다양한 수준의 격식formality을 포함하고 있다(유연성).

- 교수방법은 학생 중심적이다(교수전략).

- 교과서는 실제 생활에서 학생들이 의사소통 과업을 하는 데 도움이 되는 의사소통 연습문제와 활동을 제공한다(연습과 시험).

- 듣기 교재는 녹음이 잘 되어 있고, 가능한 실제와 같으며, 배경 정보, 질문 그리고 활동과 함께 제시되어 있다(언어능력 개발).

결국 응답자들은 주제가 학생들로 하여금 창의적으로 생각하도록 하지 않고, 삽화는 학생들을 자극하지 않으며 등등이라고 판단하고 있는 것이다. 전반적으로 교장은 교사보다 좀 더 긍정적으로 평가하는 경향을 보였다. 이는 그들이 교과서를 사용해서 가르쳐 보지 않았고 따라서 교과서의 단점을 잘 알지 못한다는 것을 보여준다고 추측할 수 있다. 만약 교사의 평가만 사용되었다면 더 많은 개별 기준이 불만족스럽다고 평가되었을 것이다.

표면적으로 이 연구는 순전히 연구가 진행된 지역의 사람들에게 흥미가 있을 것이며, 교육부와 교과서 저자들에게 가장 많은 관심을 끌 것으로 보인다. 이는 특정 결과와 관련해서는 맞는 듯하다. 하지만 누군가는 이러한 연구도 관심이 있는 다른 교사와 교장에게, 연구가 없었다면 생각해보지 못했던 교재의 면면들에 대해 깊이 생각해보도록 하거나, 표출할 기회가 없었던 감정을 발산할 수 있는 기회를 제공한다는 점에서 가치가 있다고 생각할 수도 있다. 보다 광범위한 관점에서 보면, 이 연구나 이와 비슷한 연구들은 (교과서 패키지로 구현된) 교수-학습에 대한 제안, 그리고 교과서가 사용될 환경에 대해 잘 알고 있는 사람들이 이러한 제안이 적절한지를 판단하는 것, 이 둘 사이의 적합성에 대해 살펴보는 체계적인 시도로서 중요하다. 비슷한 목적을 가진 연구자들은 원 연구를 참고하여 이와 비슷한 연구를 계획하는 데 있어 세심한 주의를 기울이고자 할 것이다.

Al-Yousef(2007)는 2005년에 소개된 같은 시리즈의 3학년 (중급) 교과서를 연구하면서 다소 다른 동기-교사와 학생들의 비판-를 제시한다.

> 어떤 이들은 CB가 너무 많은 새로운 어휘로 과부하 되었다고 말하고, 다른 이들은 학습자들에게 너무 어렵다고 주장한다. 몇몇 교사와 교장은 수업에서 다룰 내용과 영어수업에 할당된 시간 사이의 불일치에 대해 비판한다. 이러한 관점은 동료 교사와의 개인적 대화를 통해서, 그리고 몇몇 교육 포럼에서 교사와 교장이 게시한 온라인 메시지에서 찾을 수 있었다. (Al-Yousef, 2007: 3)

교사와 교장을 대상으로 했다는 점에서 Al-Yousef의 연구가 Alamri의 연구와 비슷하다고 할 수 있으나, 지리적 범위에서 보자면 사우디아라비아 전역의 30개의 도시와 마을에 살고 있는 응답자들을 포함했다는 점에서(79명의 교사, 8명의 교장 그리고 설문 당시 고용되지 않은 8명의 교사관리자) 훨씬 더 광범위하다고 할 수 있다. 이 연구는 또한 학생들(88명)로부터 피드백을 받기도 했다. Cunningsworth(1995)의 연구에 기반을 두었지만 본 연구에 맞게 변형된 교과서 평가도구Textbook Evaluation Tool, TET라고 불리는 주요 데이터 수집 도구는 14개의 범주로 나뉜 50개의 서술형 문항을 포함하고 있으며, Alamri의 연구에서와 같이 4점 리커트 척도를 사용했다. 학생들은 연구자 자신의 수업에서 모집한 자원자들이었다.

교사와 교장만 평가한 네 가지 항목 모두 일반적으로 부정적인 응답을 보였는데, 교사용 지도서에 대한 평균 1.88에서부터 성적과 재활용에 대한 평균 1.74까지 다양하다. 학생들은 발음을 다룬 부분에 대한 응답을 제외하고는 일반적으로 교사/교장보다는 책에 대해 좀 더 높이 평가했다. Al-Yousef의 표 30(p. 85)에서 선정하여 재조직화한 표 5.1은 학생 응답의 가장 높고 낮은 평균값을 보여준다. 비교를 위해 통합된 교사/교장의 평균이 그 옆에 제시되어 있다.

이 범주들의 마지막(보충 교재)을 빼고 모든 범주에서 이 차이는 통계적으로 유의미했다.

표 5.1 특정 항목에 대한 학생과 교사/교장의 평균

항목	학생 평균	교사/교장 평균
시각 자료	2.84	2.56
내용	2.74	2.48
어휘	2.69	2.15
문법	2.57	1.98
학습 기술	2.53	2.25
음운체계	1.98	2.22
보충 교재	1.97	1.70
평균의 평균	**2.44**	**2.09**

이러한 학생과 교사/교장 평가 사이의 차이는 우리에게 무엇을 말해주는 가? 아마도 학생들은 자신들이 알아야 하는 것과 그러한 것들이 어떻게 제시 되어야 하는지에 대해서 잘 모르고 있었고, 따라서 덜 비판적이었을 수도 있 다. 좀 더 일반적인 관점에서, 그리고 2.5 이하의 점수는 부정적인 견해로 해 석해야 한다는 점을 기억한다면, 표의 첫 다섯 항목에 대한 학생들의 다소 긍 정적인 응답에도 불구하고, 평균의 평균을 보면 전반적으로 교재가 학생과 교 사 모두에게 흥미롭게 다가가지 않았다는 것을 알 수 있다. 이는 지금까지 학 생의 필요와 교사의 신념에 대해 많은 관심을 가지지 않았다는 것을 암시한다 고 할 수도 있지만, 이러한 결론을 내리는 데는 좀 더 신중할 필요가 있다. 예 를 들어, 교재는 혁신적이었지만 교사들이 이를 사용할 수 있도록 적절히 교 육을 받지 못했었을 수도 있다. 이는 불가피하게 교사의 평가에 부정적 영향 을 주었고, 학생들의 평가에도 연쇄적으로 부정적으로 영향을 끼쳤을 수도 있 다.

다수의 다른 연구들은 설문지나 체크리스트를 사용하여 상업적 교재에 대한 교사의 시각을 탐구해왔다. Kayapinar(2009)는 2006/2007학년도 터키의 25개 고등학교에서 근무하는 영어교사를 대상으로 한 설문연구에 대해 보고한다. 이 중 14개 학교에서는 글로벌 교과서 패키지(*Opportunities*)를 사용했고, 11개의 학교에서는 다른 교과서 패키지(*New English File*)를 사용했다. 95명의 교사가 76개 항목의 설문지에 응답했고, 또 다른 40명의 교사는 인터뷰에 참여했다. 안타깝게도 지면의 부족 때문인지 논문에는 원래의 설문이나 자세한 연구결과는 포함되어 있지 않다. 또한 설문의 결과에 대한 논의는 두 개의 교사 그룹이 서로 다른 교과서 패키지를 사용했음에도 불구하고 모든 교사의 통합된 응답에 기초하고 있다. 그럼에도 결과에 나타난 부정적인 경향은 좀 더 살펴볼 만하다. 예를 들어, 교사들은 교과서 패키지가 독립적 학습을 충분히 지원하고 있지 않으며; 발음 역시 체계적으로 다루어지지 않았고; 어휘에 대한 강화 활동이 좀 더 있는 것이 바람직할 것이라고 생각했다. 두 교과서 패키지 모두 글로벌 시장을 목표로 하고 있기 때문에 놀라운 일은 아니지만, 교사들은 목표언어 문화가 언제나 또는 대개는 제시되어 있는 반면, (터키) 학생들의 문화는 거의 없거나 또는 하나도 제시되어 있지 않다는 점을 지적했다.

인터뷰는 확실히 교사들이 자신의 견해를 좀 더 강력하게 표현할 수 있도록 해주었다. 그들은 학생들이 할로윈이나 교회에 가는 것과 같은 특정 문화적 행사와 관련된 언어 요소들을 다른 언어사용 환경에 적용하여 사용할 수 없을 것이고, 따라서 이러한 언어 요소를 배우는 학생들의 동기에 영향을 미칠 것이라고 언급했다. 또한 이러한 교과서 패키지들은 교사로서 그들의 자유를 심각하게 제한한다고 덧붙였다.

... 특정 교과서들은 교사의 교수 레퍼토리를 넓혀주지 않는다. 오히려 이러한 교과서들은 교과서를 그대로 따르는 것 외에는 할 수 있는 것이 아무것도 없기 때문에 교사의 레퍼토리를 축소시킨다.

교사들은 때때로 연습문제집으로 교과서를 보충하기로 결정하지만, 수업에
서는 서둘러서 해야 하거나 또는 연습문제 몇 개는 빼야 하기 때문에 실제
로는 거의 그렇게 하지 않는다. (Kayapinar, 2009: 75)

인터뷰에서 드러난 가장 큰 주제는 이러한 글로벌 교과서는 현지의 필요에 적
절히 대응할 수 없다는 것이다. 한 교사는 교과서 저자들은 '그저 인터넷이
연결된 어두운 방안에서 글을 쓰는 작가에 불과하다'며 경멸하듯 말했고, 응
답자들은 현지의 필요에 대해서 잘 알고 있는 '국립대학의 전문가들이'(ibid.)
좀 더 적절한 교재를 만들 수 있을 것이라는 데 동의했다.

　　이러한 결론은 Çakit(2006)의 연구의 결과와는 상반된다. Çakit은 설문을
사용해서 터키 교육부에서 만들어진 9학년 (고등학교) 교과서에 대한 336명의
터키 학생들의 태도를 연구했다. 또한 여덟 명의 교사를 인터뷰했다. 학생들
은 교재의 외관이나 흥미 수준에 대해 부정적이었다. 교사들은 연습문제, 과
업과 활동이 너무 어려우며 지문이 너무 길고 언어적으로 복잡해서 학생들이
읽고 싶어 하지 않는다고 지적했다. 또한 충분한 재활용도 없고, 학생들의 자
율성 개발에 대한 관심은 거의 없는 듯하며, 학습 스타일의 차이 또한 고려하
지 않았다는 것도 지적했다. 이와 함께 교사들은 1년 동안 하기에는 너무 많
은 내용이 있다고 느꼈다. Çakit의 결과는 교재 평가 과정에 학습자 요구분석
을 포함시키는 것의 중요성을 강조한다. '교사들은 *New Bridge to Success 3*
의 목적과 목표가 9학년 영어 교과 교수요목과 꽤 일치한다면서도 [...]; 학습
자의 필요, 목적 그리고 관심사는 두 책 모두에서 완전히 무시되었다고 지적
했다'(p. 139). 이 박사논문은 터키의 여러 대학에서 사용된 대학 내 교재 관
련 다수의 연구에 대한 짧은 리뷰가 포함되어 있다는 점에서 흥미롭다.

　　앞서 제시한 연구들과는 연구 동기가 다르지만, Litz(2005)의 연구 역시
특정 책, 즉, *English Firsthand 2*라는 글로벌 교과서를 평가하는 것에 관한
것이다. 이 교과서는 한국의 한 대학 행정부에 의해서 EFL 프로그램의 '초급'
수업 '필수 교과서'로 '임의적으로 소개되었는데', 이전에 교사들은 '다양한
"대학 내" 교재를'(p. 10) 사용해 왔으며, Litz가 언급하듯이, 교사들은 대학의

이러한 결정에 만족하지는 않았다. 그는 다음과 같이 냉담한 어조로 덧붙인다: '곧 교수진들은 이 책의 전반적인 교육적 가치와 적절성을 판단하기 위해 연구 프로젝트가 착수되어야 한다고 결정했다'(ibid.).

연구는 교재를 사용한 첫 해인 2000-2001학년도 말에 진행되었다. 특별히 제작된 10점 응답 척도의 40문항 설문이 수업을 담당하는 여덟 명의 교사 모두에게 실시되었고, 이 설문의 요약본(25개 문항)이 22세 이상의 500명의 학생들에게 실시되었다. 평균 교사 평가에 반영된 가장 긍정적인 응답을 받은 문항은 9, 12 그리고 37문항이었는데, 모두 평균 9점이었다:

9. 적절한 어휘목록 또는 용어사전이 포함되어 있다.
12. 교사용 책은 교과서를 어떻게 가장 잘 사용할 수 있을지에 대한 지침을 제공한다.
37. 교과서는 우리 대학의 언어학습 목표에 적합하다.

가장 낮은 평균을 받은 항목은 아래의 문항들인데, 평균은 괄호 속에 제시되어 있다.

10. 적절한 복습 활동과 연습문제가 포함되어있다(6).
19. 과업은 새롭게 소개된 언어를 내재화하는 데 도움이 된다(6).
24. 교과서는 자연스러운 발음을 강조하고 연습하도록 한다(즉 강세와 억양)(5).

Litz의 온라인 보고서는 교사와 학생 평가 사이의 구체적인 항목별 비교를 하고 있지는 않지만, 표 5.2를 보면 다수의 항목들이 학생 설문과 교사 설문에서 발췌되었다. 평균은 1(낮음)에서 10(높음)의 척도에 근거한다.

교사와 학생 간의 차이가 명확하지는 않지만, 누군가는 교재가 자신들의 필요에 적합한가에 대해 학생들이 교사보다는 덜 확신하고 있다는 것을 보여준다고 생각할 수도 있겠다(학생 설문의 19, 10 그리고 14문항). 사실 설문과 함께 실시된 요구분석 조사에 답하며, 학생들의 44%는 교과서를 사용하는 것을 좋아하지 않는다고 말했다(이유는 제시되지 않음).

표 5.2 특정 문항에 대한 학생과 교사의 평가

학생 설문	교사 설문	문항	학생 평균	교사 평균
13	26	언어의 실제성	8	8
19	32	관련성	6	7
21	34	흥미	7	7
6	15	의사소통의/의미 있는 연습의 적절성	8	6
10	21	내가 연습할 필요가 있는 언어능력에 대한 초점	6	7
14	27	나의 언어능력에 맞는 수준	6	8

그러나 좀 더 광범위한 관점에서 보면 교사와 학생 모두 책에 적당히 만족하고 있음을 우리는 알 수 있다. 저자의 결론은 다음과 같다:

> 몇 가지 단점(예, ESP에 대한 관심 부족)에도 불구하고, 교사들은 교과서가 비교적 대학의 언어학습 목표(중급 의사소통 언어능력)에 부합하며, 4학년 한국 대학생들이 수강하는 소규모의 단일 남녀합반 수업에 적합하다고 느꼈다. 또한 책의 문제가 되는 부분을 보충, 변경 또는 개작함으로써 불필요한 걱정거리들은 완화되거나 없앨 수 있다고 생각했다. (Litz, 2005: 34)

대학은 물론 자신들의 결정에 대한 정당성이 입증되었다고 느꼈다.

앞서 보았던 것처럼, 회고적 평가 연구는 다양한 목적을 수행할 수 있다. 교사들에게는 성찰적으로 되돌아보도록 하여 그들의 개인적 발전과 전문성 개

발을 향상시키며; 또한 그들에게 자신의 목소리를 낼 수 있는 창구를 제공한다. 무엇보다 회고적 평가 연구는 교재를 사용하면서 자연스럽게 드러나는 교재의 단점-즉, 추후 개정해야 할 수도 있는 부분에 대한 피드백-을 알려 준다. 교사에게 15개 문항을 질문한 Litz(2005) 연구와는 다르게, Al-Yousef(2007)의 연구에서는 교사에게 네 개의 질문을 하였다. 그러나 연구의 공통된 결과는 교사들이 좀 더 많은 복습 활동이 있기를 희망했다는 것이다. 이 연구들이 제시하는 바는 명백하다: 액션이 필요하다는 것이다. 만약 책이 복습 활동을 충분히 제공하고 있지 않다면, 교사들은 스스로 복습 활동을 만들어 넣어야 한다. 이와 함께 Litz(2005)의 연구에서 학생들은 교재의 특정 부분에 대해서는 교사보다 덜 긍정적이었다. 학생들의 흥미, 필요와 원하는 것에 대한 초기 설문은 교과목 계획에 있어 유용한 기초 자료를 제공할 것이다. 하지만, 학생과 교사 모두로부터 교재 사용에 대한 피드백을 받는 것이야 말로 수업 검토와 개발에 있어 필수적인 도구이다.

3. 교과서 선정하기: 과정과 기준

교사들이 항상 그들이 사용하는 책을 선택할 수 있는 위치에 있는 것은 아니다. 교사들은 교육부나 자신이 일하고 있는 교육기관에서 만들어진 교과서를 사용해야만 할 수도 있다. Jazadi(2003)가 설문 조사한 106명의 인도네시아 교사들 중 67%가 '모든 시간 또는 대부분의 시간에' 그리고 또 다른 27%는 '때때로' 교육부에서 만든 교과서를 사용한다고 했다. 하향식 규정은 아마도 훨씬 더 효과적이지 않을 것이다. Chandran(2003)이 말레이시아 도심의 학교에서 근무하는 60명의 교사를 대상으로 한 인터뷰 연구에서 교사 대부분은 주어진 교과서를 사용하지 않았으며, 대신 상업적으로 출판된 연습문제지를 사용하는 것을 선호했다.

만약 교과서를 선택할 수 있다면, 다양한 요인들이 교과서 선정에 영향을 줄 것이다. Inal(2006)에 의하면, 터키에서는 '대부분의 사립과 공립학교는 출판사가 제공하는 것을 바탕으로 교과서를 선정하고; 어떤 경우에는 교과서를 평가하고 선정하기 위한 적절한 절차를 따르는 것보다는 출판사가 컴퓨터를 기증하는가가 더 중요한 요소가 된다'(p. 20)고 한다.

보통 교과서 선정 결정은 교육기관 내의 권한을 가진 누군가에 의해서 내려지게 된다. Hayes(2008)는 두 명의 태국 교사, Arunee와 Sasikarn(모두 가명)이 중등학교 교육현장에 입문하는 과정에 대해 다음과 같이 설명한다. Arunee에게는 책이 주어졌고, 그것을 사용하라는 지시가 있었다. Sasikarn의 경우에는 선택권이 있었지만 도움은 없었다:

[누군가 저에게 얘기했어요] 여기가 선생님 방이에요. ... 이곳은 영어과입니다. 저 쪽이 선생님 책상이고 ... 이건 선생님을 위해서 준비한 또 다른 교과서입니다. 이 책은 작년도 거예요. 아, 여기에 책 몇 권이 있는데, 이 중에서 선생님이 한 권을 선택해서 가르치게 될 거예요. 선생님이 책을 선택하시면 저희가 학생들을 위해서 주문할 거예요. ... 네, 그리고 나서, 아시겠지만, 교과서를 살펴보고 수업을 준비하시면 됩니다. ('Sasikarn', Hayes, 2008: 62-3에서 인용)

다음의 레바논 교사와의 인터뷰 발췌문이 보여주듯이, 교사에게 교과서에 대한 그들의 의견을 물어볼 수는 있지만, 마지막 결정은 코디네이터나 심지어는 행정가의 손에 달려 있을 수 있다:

교사: 연말에 ... 코디네이터가, 예를 들어, 다섯 권 정도의 각각 다른 교과서를 제시할 거예요. '자, 이 책들이 새로운 교과서입니다. 어떻게 생각하세요?' 우리는 집에 가서 그 교과서들을 살펴보고, 맘에 들면, 다 된 거죠; 만약 그 교과서들이 맘에 들지 않으면 코디네이터에게 말합니다. 하지만 우리가 교과서를 좋아한다고 해서 선정되는 것은 아니에요. 학교 행정부가, 아니요, 이 책은 너무 비쌉니다, 또는 다른 이유를 댈 수 있습니다. ... 교과서 선정에 대한 회의도 없는걸요. 그냥 코디네이터를 만나서 편하게 말해요,

'이 책이 좋아요, 이 책은 이런 게 있고, 이런 게 없고, 그게 다예요' ...

연구자: 이러한 과정을 체계적이라고 할 수 있을까요?

교사: 아니요, 절대 아니죠. ... [그냥] 질문을 받는 거죠 – '이 책을 어떻게 생각하나요?' 우리는 교사니까 교과서에서 무엇을 살펴봐야 하는지를 알 것이라고 다들 기대하고 있어요. 근데, 사실 저도 잘 모르거든요. 그냥 솔직히 말하면 제 직감을 사용하는 거죠.

위의 예에서 분명하게 드러나는 것은 약 8년 정도의 교수 경력을 가지고 있는 교사조차도 (교사교육을 통해서 또는 코디네이터를 통해서) 제대로 교육받지 않은 일을 하도록 요청받았다고 느꼈다는 것이다. 상기 묘사된 과정에서 또 다른 놀라운 점은 교사들이 코디네이터에게 개별적으로 보고했다는 것이다. 그들이 서로 다른 교재에 대한 자신들의 생각을 교환할 수 있는 회의는 마련되지 않았다.

　　Fredriksson과 Olsson(2006)은 스웨덴의 중등학교에서 근무하는 네 명의 경력교사들과 함께 인터뷰 연구를 진행했는데, 이 학교에서는 한 달에 한 번 교사 회의를 열고 있었다. 다음 해에 사용하게 될 교과서 선정에 대한 결정은 보통 이러한 회의에서 이루어졌다. 이 중등학교는 개교한지 8년이 되었는데, 그 기간 동안 영어교과서는 세 번 바뀌었다. 교사들은 첫 번째 교과서는 – 다른 학교의 추천에 영향을 받아 선택했는데 – 너무 서둘러서 결정했다고 생각하고 있었다. 두 번째의 경우는 한 교사가 자신이 알고 있는 저자가 공동집필한 교과서의 사본을 가지고 왔고, 토론을 거쳐 책을 사용하기로 결정했다. 그 후 다른 교과서가 제안되었을 때 몇몇 교사가 새로운 교과서를 수업에서 사용해 보기로 자원했고, 두 반에서 시험적으로 사용되었다. Fredriksson과 Olsson은 이 학교에서 채택한 다양한 교과서 선정 접근법이 '학교가 교과서를 선정하는 능력이 어떻게 향상될 수 있는지'(p. 27)를 보여주고 있다고 생각했다. 교과서를 시범적으로 사용해 보는 단계를 포함한 것은 확실히 한 단계 발전한 것을 보여주는 듯하다. 하지만, 교과서 선정 과정에 있어 명백한 기준이 없다는 것은 여전히 체계적이지 않은 단계에 머물러 있음을 보여주는 것이라고 생각할 수도 있다.

대만의 지방분권화 과정의 일환으로 대만의 중학교 교사들은 2002년 이래로 교육부에서 만들어진 교과서를 사용하기보다는 교사 스스로 교과서를 선택해서 사용해 왔다. 여섯 명의 교사를 대상으로 한 Wang(2005)의 연구에서, 교사들은 코디네이터가 제공한 체크리스트를 사용해서 예측 평가를 하는 과정을 '부담'으로 여기고 있었는데, 이는 시간이 많이 소요될 뿐만 아니라 그들 스스로 전문성이 부족하다고 느끼기 때문이었다. Wang은 교사들이 스스로 미흡하다고 느끼는 것에 대해 '이 분야에 대한 교사 전문성 교육이 거의 없었기'(교사 1, Wang, 2005: 80에서 인용) 때문이라고 생각했는데, 이와 함께 연구에 참여한 중학교 교사들에게 교재 선정은 여전히 비교적 새로운 역할이었기 때문이라고 생각할 수도 있다. Wang(2005)의 연구에서 인용된 Ie(2003)와 Huang(2004)의 연구에서, 초등학교 교사들은 이와는 반대로 교과서를 평가하는 자신들의 능력에 대해 자신감을 느끼고 있었다.

Wang의 연구에 참여한 교사들은 또한 그들에게 제공된 평가 기준 중 몇 가지는 너무 애매모호하다고 생각했다: '"교수목표에 부합하는가"에 대한 항목에 어떻게 표시를 해야 할까요? 이건 정말 중요한 질문이거든요. 사실 교과서에 대해서 그냥 일반적인 느낌만 가지고 있습니다'(교사 3, Wang, 2005: 87에서 인용). 이들은 동시에 체크리스트가 가치가 있다고 생각하고 있기도 했다: '교과서를 평가하는 초기 단계에는 어떻게 평가하고 무엇을 검토해야 하는지 몰랐어요. 체크리스트를 사용하면서, 고려해볼 만한 가치가 있는 항목이 몇 개 있다는 것을 알게 되었습니다. ... 체크리스트 사용을 통해서 여러 교과서에서 두, 세 권의 교과서로 줄일 수 있었습니다'(교사 1, Wang, 2005: 87에서 인용). 그럼에도 불구하고 이러한 과정을 다 없애버리려는 시도가 있었음을 보여주는 증거들도 있다. 두 명의 교사는 그들이 '정반대의 방식'이라고 칭한 그런 방식을 따랐다고 인정하면서 다음과 같이 설명했다: '먼저 우리가 선호하는 교과서를 찾고 체크를 했습니다. ... 제가 어떤 책이 선정되기를 원하면 그 책에 좀 더 높은 점수를 주었죠'(교사 3, Wang, 2005: 87에서 인용). 이 연구에서 알 수 있듯이 체크리스트가 초반에는 유용하게 사용될 수도 있지만, 더 이상은 체계적인 결정 과정의 길잡이로 사용되지는 않는다.

Law(1995)는 홍콩의 10개 대표 학교의 모든 영어교사(101명)와 설문연구를 진행했고, 이후 네 명의 영어과 부장교사―홍콩에서는 '패널 체어'panel chairs라고 불리는―와 인터뷰를 진행했다. 설문은 교사의 교과서에 대한 태도, 교과서의 사용, 그리고 교과서 평가 모델의 필요성에 대한 그들의 인식에 초점을 두었다. 교육과정 개발기관Curriculum Development Institute, CDI의 영어 분과 전문가들도 설문에 참여했는데, 이는 '공식적' 견해와 교사의 의견을 비교하기 위함이었다. 교사의 71%는 5년 이상의 교수 경력이 있었고, 54%는 학사 학위와 교사자격증을 갖추고 있었으며, 23%는 교사자격증만 있었다. 다시 말해, 참여자의 거의 4분의 1은 자격 미달이었다. Law는 CDI 연구원으로서의 자신의 직위, 설문이 익명이 아니었다는 점, 그리고 패널 체어가 설문을 수집했다는 것이 인터뷰 결과에 영향을 주었을 수도 있다고 인정했다.

교사의 약 10%는 패널 체어가 교과서를 선정한다고 했으며, 나머지는 모든 교사가 교과서 선정에 참여했다고 했다. 거의 모든 교사들이(96%) 교과서 선정 결정은 교사가 해야 한다고 생각하고 있었다. 그러나 소수의 교사들은 그들이 교과서 선정 과정에서 적극적인 역할을 하지 않았지만 여전히 더 적극적인 역할을 원하지 않는다고 했는데, 그 이유로 경험과 자신감의 부족을 꼽았다. 다른 교사들은 그들의 업무량이 교과서 선정과 평가에 들일 시간을 제한한다고 지적했다. 교사들은 교과서 논의를 위해 더 많은 공식 회의를 할 것과 신임교사들을 위한 지침을 제공할 것을 제안했다.

패널 체어 중 두 명만이 교과서 선정 및 평가를 토론하기 위해 공식 회의를 가졌다. 이들은 이러한 과정 전에 먼저 고려 중인 교과서를 교사들에게 나누어주고 양식을 완성하거나 의견을 쓰라고 요청했다. 그러나 다섯 명의 패널 체어는 공식 회의를 하고 회의에 대한 기록을 하는 것은 너무 많은 시간을 소요하며, 비공식적인 방식으로 의견을 나누는 것이 더 많은 아이디어를 끄집어낼 수 있다고 생각하고 있었다. 나머지 패널 체어들은 공식적, 비공식적 논의 모두 유용하고 필요하다고 했다. 열 개의 학교 중 어느 학교도 교재 선정에 대한 서면 지침서를 가지고 있지 않았다. 세 명의 패널 체어는 교사들에게 구두로 일반적인 지침을 전달한다고 했다. 또한 패널 체어들은 일반적으로 선호하는 교과서에 대해 투표를 하는 것은 필요하지 않으며, 교과서 선정 결정은 보통 '협상이나 설득'(p. 105)의 결과라고 했다. 세 명의 패널 체어는 '학교의 스태프들 모두 순종적이거나 협조적이고 타협을 하기 때문에 이들 사이에 의견 차이는 없었다'(p. 104)고 주장했다.

비록 자신의 학교에 근무하는 교사들의 교과서 선정 능력에 대해서 더 자신감을 보이는 패널 체어가 있었지만, 두 명을 제외한 모두는 교과서 선정과 평가에 있어 교사를 교육하고 그들에게 지침을 제공하는 것이 가치가 있다고 생각했다. 이러한 지침에 대한 합의를 보는 것의 필요성은 Law의 순위 실험ranking experiment에 잘 드러나 있다. Law는 패널 체어, 영어교사 그리고 CDI 연구원들에게 12개의 기준을 제시하고 중요도의 관점에서 순위를 매기도록 요청했다. 총 15.8%의 교사들은 Law의 설명을 잘못 이해했고, 3명의 교사는 모든 기준이 동등하게 중요하다고 대답했다. 표 5.3에서 볼 수 있듯이, 세 집단 간 차이도 있었다(예를 들어, 처음 네 개의 문항에 대한 패널 체어와 영어교사의 평균, 그리고 4, 10, 11문항에 대한 이 두 집단과 CDI 연구원들 간의 평균 참조). 한 집단 내에서도 의견의 차가 크게 있었다.

모든 참여자의 평균을 보여주는 네 번째 열은 당연히 참여 인원이 훨씬 적은 패널 체어와 CDI 연구원들보다는 교사의 수에 많은 영향을 받았다.

표 5.3 평가 기준의 상대적 중요성(각 집단 순위)

기준	패널 체어 (*n*=8) 평균	영어 교사 (*n*=77) 평균	CDI 연구원 (*n*=33) 평균	전체 평균 (*n*=118)
1. 학생들이 영어를 의미 있고 적절하게 사용할 수 있는 기회를 제공하면서 영어의 기능에 바탕을 둠	4.75	3.17	3.67	3.33
2. 학생들의 흥미를 끔	6.50	4.21	5.67	4.47
3. 언어의 네 영역을 통합적이며 체계적으로 가르침	4.38	5.32	5.33	5.24
4. 언어사용의 적절한 모델을 제공	4.00	5.62	2.67	5.38
5. 적절히 순차적으로 제시되어 있음(예, 통제 활동에서 시작하여 유도 활동, 그 후 자유 활동으로, 그리고 쉬운 연습문제에서 좀 더 어려운 연습문제로)	5.25	6.16	5.67	6.06
6. 각 수준에 맞는 적절한 범위의 어휘와 구조를 다룸	5.88	6.16	6.33	6.14
7. 실제적인 과업이 있음	6.88	6.39	7.00	6.45
8. 상황 속 문법을 가르침	6.88	6.68	6.00	6.67
9. 다양한 교재와 활동을 제시함	7.38	6.92	8.00	7.00
10. 기본 방향, 목적과 내용에 있어 영어 교과의 CDC 교수요목과 일치함	7.50	7.29	1.67	7.12
11. 쉽게 사용하고 개작할 수 있음	7.75	7.51	11.00	7.65
12. 시험의 목적을 위한 충분한 연습문제를 제공함	10.88	9.82	11.23	9.97

(Law, 1995: 84)

상기 제시된 교과서 선정의 접근법은 훨씬 더 다양한 접근법의 한 예일 뿐이지만, 그럼에도 다음의 세 가지 중요한 논지를 분명히 한다: (1) 교사가 항상 자신들이 사용하는 교과서를 결정하는 것은 아니다; (2) 선정 과정은 교재를 체계적으로 분석한 것에 근거하지 않는 경향이 있다; (3) 무엇보다 교사는 선정 결정에 좀 더 적극적으로 참여하기를 원하고, 이러한 결정 과정에 도움이 되는 지침이 제공되기를 바란다.

4. 교사 자신만의 기준

Sercu, Mendez Garcia 그리고 Castro Prieto(2004)는 외국어 교육에 있어 문화의 역할에 대해 연구하는 국제 프로젝트를 진행했는데, 이 연구를 통해 부수적으로 교과서 선정 시 특정 기준의 중요성도 함께 연구하게 되었다. 연구자들은 2년에서 26년(평균 11.2년)의 교수 경력이 있는 35명의 교사들에게 일련의 기준을 제시하고 그들이 가장 중요하다고 생각하는 여섯 개의 기준에 표시하라고 했다. 보고서에 통계자료는 제시되지 않았지만, 결과는 표 5.4에 순위를 매겨 제시되어 있다.

표 5.4 교과서 선정에 사용된 기준(순위)

1	책이 학생들에게 동기를 부여할 수 있는 정도
2	책이 학생들의 수준과 나이에 맞는지의 정도
3	추가 교재가 있는지(연습문제집, 듣기 자료, 지문, 비디오 등)
4	교과서가 교과 필수요건에 부합하는 정도
5	제공된 교재의 양과 나의 교과목에 할당된 수업 일수 사이의 일치 정도
6	교사용 지도서의 질

7	책이 제공하는 문화적 정보의 양
8	책의 속도, 책이 진행되는 속도
9	레이아웃
10	가격
11	교과서 저자의 국적

(Sercu, Mendez Garcia & Castro Prieto, 2004: 15)

연구자들은 그들이 문화적 요소에 특별히 관심을 가졌던 만큼, 문화적 요소가 일곱 번째로 순위 매겨진 것에 대해 꽤 놀라워했다. 교사들은 예상대로 학습자 요소(1과 2)나 실제 고려사항(3, 4, 5)에 더 영향을 받는 듯하다.

Botelho(2003) 역시 브라질 국적(34명)과 비브라질 국적(27명)의 EFL과 ESL 교사들을 대상으로 특정 기준의 중요성을 비교하도록 하는 기준-순위 접근법criterion-ranking approach을 사용했다(표 5.5 참조). 비브라질 국적의 교사 대다수는 미국인이었는데, 많은 교사들이 미국 외 다른 나라에서 가르친 경험이 있었다. 이 집단 중 17명은 원어민 교사였다. 모든 브라질 교사들은 사립학교에서 교수 경험이 있었으며, 네 명은 전문대나 대학에서 가르쳤었다. 또한 한 명을 제외하고 모두 5년 이상의 교수 경력이 있었다. 비브라질 집단의 대부분은 ESL 환경에서 가르친 경험이 있었는데, 이 중 22명은 대학에서 그리고 14명은 공립학교에서 근무했었다. 비브라질 집단의 교사들은 비교적 경험이 많이 없었다. 12명은 5년 이하, 세 명은 1년 이하의 교수 경력이 있었다.

두 집단을 비교했을 때 두 집단 모두 똑같은 네 개의 범주를 중요하게 여겼지만, 교과서의 문화적 부분의 중요성, 지침서의 유무, 그리고—정도는 덜하지만—가격과 저자의 중요성에 대한 의견에는 차이가 있었다. 하지만 주목할 만한 점은 교과서를 선택할 때 고려하는 것이 연구자가 제시한 것 외에 무엇이 있느냐는 질문에, 참여자들은 매우 다른 기준에 대해 언급했다는 것이다(표의 마지막 줄 참조). 비브라질 교사 집단이 이러한 추가 기준을 더 많이 열거했고, 이미 주어진 몇몇 기준보다는 이러한 추가 기준을 확실히 더 중요하게 생각하고 있었다.

표 5.5 교과서 선정에 사용된 기준(참여자 집단에 의한 순위)

	브라질 교사	다른 국적 교사
교수법/접근법/이론	1	2
활동/연습문제(의미 있는가, 의사소통 중심인가)	2	1
문화적 요소(고정관념은 없는가, 모든 문화에 대해 다루는가 등)	3	8
추가 자료가 있는가(비디오, CD, 오디오 테이프 등)	4	3
레이아웃(색깔이 화려하고, 실제 사진이 있으며, 구성이 잘 되어 있는가 등)	5	4
지침서(교사 노트, 책을 보충하기 위한 제안 등)	6	10
출판년도	7	5
가격	8	11
저자	9	6
출판사	10	9
그 외: 통합적 언어능력, 학생들의 필요에 적절한가(브라질 교사들)/미국 영어, 설명, 사용 가능성, 내용, 책의 길이, 본문의 명료성(다른 국적 교사들)	11	7

(Based on Botelho, 2003, 표 10과 11: 70)

Sercu 외 2인(2004)의 연구와 같은 설문연구의 약점 중 하나는 연구의 결과가 연구자가 제공한 기준에 달려있고, 따라서 교사들이 그들이 생각하기에 동등하거나 또는 더 중요하다고 느끼는 다른 기준을 사용할 수도 있다는 점을 무시하게 된다는 것이다. Botelho의 표에 '다른' 범주를 포함시킨 것은 적어도 교사들이 연구자가 기대한 기준들 외에 다른 기준들을 가지고 교재를 선택할 수도 있다는 것을 인정하는 것이다. 그러나 이러한 다른 기준들이 똑같은 방식으로 수치화될 수 없기 때문에 참여 교사들이 느끼는 이러한 기준의 실제 중요성을 밝힐 수는 없다.

Botelho의 연구의 결과가 흥미롭기는 하지만 이는 결국은 일반화일 뿐이다. 교사들의 경험에 있어 차이가 있었는지, 비브라질 교사 집단의 원어민과 비원어민 교사 사이에는 눈에 띄는 차이가 있었는지, 또는 비슷한 경력을 가진 교사들은 같은 기준을 사용하는 경향이 있는지를 알기 위해서는 좀 더 세분화된 분석이 필요했을 것이다. 이와 함께 Botelho의 연구에서는 교과서를 평가할 때 참여자들이 자신만의 기준에 의존하는지, 또는 평가 도구를 사용하는지에 대해서도 묻지 않았다. 경력교사들은 학생들에 대한 자신의 직관이나 지식에 의지할 수 있다고 생각하며 평가 지침이나 체크리스트를 수용하기 꺼릴 수도 있기 때문에 이는 관계가 있는 질문이었을 것이다.

Fredriksson과 Olsson(2006)이 연구한 스웨덴 교사들도 비슷한 견해를 보였다. 예를 들어, 이들 모두는 학생들에게 CD를 제공하는 것이 중요하다고 보았고, CD에 학생들의 책에 나온 본문이 포함되기를 바랐는데, 이는 학생들도 원하는 바였다. 그들은 이렇게 하는 것이 학생들이 원할 때마다 본문을 들을 수 있도록 하고, 특히 읽기 또는 쓰기에 어려움을 가지고 있는 학생들에게 도움이 될 것이라고 생각했다. 교사들은 또한 잘 정리된 용어사전과 교사용 지침서도 가치가 크다고 여겼다. 교사들은 특히 본문을 중요하게 생각하며, 본문이 교과서 선정의 주요 기준이 되어야 한다고 했다. '본문은 실제적이어야 하고'(p. 21); '몰입하게 하고 재미있고 현대적인'(p. 22) 주제를 통해 '학생들에게 영감을 주며 그들의 흥미를 끌어야 한다'(p. 21). 교사들이 교재의 본문에 대해서 느끼는 바 역시 중요했다. '새로운 교과서를 선정한 이유 중 하나는 교사로서 그들이 오래된 본문에 싫증났기 때문이다'(ibid.). 소설의 발췌본보다는 단편 소설이 더 선호되었다—두 명의 교사는 '끝까지 읽을 수 없는 본문에 대해 이야기하는 것은 의미가 없다'(p. 21)고 느꼈다. 시대에 뒤떨어진 것은—예를 들어, 학생들이 잘 알지 못하는 사람들에 대한 이야기 또는 현대 테크놀로지에 대한 얘기가 없는 것은—걱정거리로 여겨졌다. 교사들이 언급한 다른 기준들은 시각적인 매력(색의 사용, '신선하고 현대적인 인상'(ibid.)), 다양한 언어능력 수준의 학생들에게 사용할 수 있는 적절성, 그리고 학생용 책과 연습문제집의 통합(실용적으로 여겨짐) 등이 포함되었다.

저자들이 내린 결론은 '경력이 있는 교사들은 무의식적으로 무엇을 살펴봐야 하는지를 안다'는 것이다; 그럼에도 불구하고, 체크리스트를 따르지 않는 것은 '몇몇 요소들을 누락할 위험을 증가시킬 수 있다'(p. 30).

캐나다의 ESL 교사 여섯 명을 대상으로 한 인터뷰 연구에서(Çakit, 2006에서 재인용) Xu(2004)는 ESL 교과서를 선택할 때 교사들은 어떤 요소들을 고려하는지를 살펴보고자 했다. 교사들이 제시한 자신들만의 기준은 다음과 같이 요약되었다:

- 쉽게 접근할 수 있는 구성요소와 내용
- 단계적 진행
- 학생들과 관계가 있고 흥미로운 주제
- 캐나다와 관련된 내용
- 다양한 활동
- 같은 주제에 대한 충분히 다양한 활동
- 최신식
- 다양한 수준이 섞여있는 수업에 대한 대비
- 모든 독해에 수반되는 질문
- 매력적인 디자인/레이아웃
- 교과서에 사용된 언어의 질
- 편집의 질 (Xu, 2004: 23, Çakit, 2006: 58에서 재인용)

사용해야 하는 교재에 대한 교사들의 부정적인 견해 역시 흥미로운 사실을 보여준다. Jazadi(2003)의 연구에서 소수의 인도네시아 교사들은 교재가 인도네시아의 한 지역에 살고 있는 학생들과 특정 사회경제적 수준의 도시 학생들에 대해 편향적으로 쓰였다는 점을 지적했다. Tomlinson(2010b) 연구의 베트남 교사들도 그들이 사용하는 교과서가 학생들의 삶과 관계가 없다는 것에 대해 불평했다. 말레이시아 교사들에 관한 Chandran(2003)의 연구에서도 학생들의 삶과 관계없는 교재는 여러 차례 언급되었다. 이 연구에서 교육부가 지정한 교과서에 대한 교사들의 비판 중에는 교재가 너무 구식이라는 지적이 있었다; 또한 레이아웃은 보수적이고 지루하며, 수준 역시 영어실력이 낮거나 높은 학생들에게는 부적절하다는 의견이 있었다; 이와 아울러 문법구조에 대한 설명이나 연습 역시 충분하지 않고, 시험을 충분히 준비시켜 주지 않는다는 점도 지적되었다. 상업적 연습문제집은 교육부 교과서가 제공하지 않는 것들을 제공하기 때문에 더 좋은 것으로 여겨졌다. 상업적 연습문제집은 '학습자들의 개인적 경험, 생각, 믿음 그리고 흥미와 더 잘 조화를 이루었으며' '매력적이며 색채가 풍부했다.' 또한 수준별 본문과 과업; '문법구조에 대한 자세한 설명과 ... 다양한 [연습] 활동'; 그리고 '시험을 대비하기 위해 필요한 시험공부 연습문제'(pp. 165-6)도 포함했다.

교사의 개인적 기준은 대만의 중학교 교사들을 대상으로 한 Wang(2005)의 연구에서도 드러났다. 교재가 학생들의 수준에 적절한가가 교사들에게는 가장 중요한 것으로 여겨졌다. 한 교사는 다음과 같이 말했다: '저는 교과서가 학생들의 언어 수준에 적합한가를 주로 고려합니다. ... 만약 교과서가 학생들의 자신감을 떨어뜨리게 한다면 ... 교과서를 사용하는 것이 학생들에게 상처만 남길 것입니다'(교사 4, Wang, 2005: 84에서 인용). 또 다른 교사는 '저는 먼저 레이아웃을 볼 거예요. ... 그리고 나서 주제가 학생들의 흥미를 끌 것인가를 확인할 겁니다. 다른 고려사항은 통사구조의 양과 제시 순서예요. 학생들이 쉽게 배우기에 적절한가를 검토할 거예요. 마지막으로 보조 교재를 확인할 겁니다'(교사 2, Wang, 2005: 85에서 인용). 교사 6도 비슷한 기준을 사용

했다: '타당한 제시 순서, 충분한 연습문제, 매력적인 레이아웃, 적당한 어휘의 양, 그리고 학생들이 문장을 좀 더 효과적으로 습득할 수 있도록 하는 자연스런 상황이 있는지가 중요합니다'(ibid.).

Wang의 연구는 또한 교사들이 현재 사용하고 있는 책에 느끼는 감정에 대해 들여다 볼 수 있도록 해준다는 점에서 흥미롭다. 예를 들어, 교사 6은 중학교 3학년 교과서에 좀 더 많은 문학적 본문 그리고 영감을 주는 본문이 포함되기를 희망했다─'학생들의 마음을 갈고 닦을 수 있도록 만드는 … 더 많은 기사들 … 깊이와 지혜가 있는 교재. 교과서가 그러한 지도자의 역할을 할 수 있다고 생각해요.' 교사 5는 비판적 요소가 있기를 바랐다: '컴퓨터를 예로 들어 보죠. 저는 교과서가 컴퓨터의 긍정적인 면에 대해서뿐만 아니라 부정적인 면에 대해서도 이야기해야 한다고 생각해요.'(모두 Wang: 2005: 72에서 인용). 교사 3은 문화적 내용의 적절성에 대해서도 관심을 가졌다:

> … 영어를 배울 때, 영어로 우리의 문화 또한 함께 탐구할 수 있을까요? 예를 들어서, 우리는 다른 언어를 배우면서 크리스마스나 할로윈과 같은 다른 문화에 대해서 배우죠. 그런데 우리의 문화, 우리의 일상생활 속의 것들, 예를 들어, 보름달 축제, 드래곤 보트 축제, 쌀로 만든 만두 또는 소고기 국수에 대해서도 배울 수 있을까요? 그렇게 된다면 학생들의 관심을 더 끌 수 있을 것이라고 생각해요. 영어를 배우면서 우리 문화와 더 멀어지고 있습니다. 학생들은 수업 밖에서는 영어를 사용할 기회가 없을 거예요. 영어가 우리의 삶이 되도록, 그리고 학생들이 영어로 자신의 문화에 대해서 이야기할 수 있도록 기회를 줍시다. (Wang, 2005: 71에서 인용된 교사)

교사 3은 또한 수업에서 다양한 수준의 학생들을 다루는 데 어려움을 느꼈다. '영어실력이 높은 학생들은 교재를 매우 빨리 끝내고' 지루해 합니다. '교사들은 그들을 위해 더 높은 수준의 수업 자료를 따로 준비할 시간이 없기 때문이죠.' 반면에 '영어 수준이 낮은 학생들은 수업을 따라올 수가 없어요' (교사 3, Wang, 2005: 75에서 인용).

인터뷰에 기반을 둔 또 다른 대만의 연구에서, Huang(2010)은 여섯 개의 공과 대학에서 근무하는 19명의 EFL 교사가 교과서를 선정할 때 사용하는 기준을 조사했다. Huang은 이 기준들을 1970년대와 2002년 사이에 출판된 19개의 체크리스트에 있는 기준들과 비교했다. 연구 참여자 대부분(즉, 10명 이상)이 언급한 기준은 아래에 순서대로 제시되어 있다.

교과서는:

● 언어의 네 영역을 다루어야 한다(19).

● 실생활의 주제를 소개해야 한다(16).

● 학생들의 어휘에 대한 필요와 문법적 수준을 맞추어야 한다(16).

● 숙제를 위해 CD-ROM을 포함해야 한다(12).

● 깨끗한 페이지 레이아웃을 가지고 있어야 한다(12).

● 교사용 지도서에 풍부한 자료와 정보를 가지고 있어야 한다(11).

● 외국의 문화를 소개해야 한다(10).

● 주어진 시간에 알맞은 적절한 내용의 양을 제공해야 한다(10).

● 단계별로 구성되어 있어야 한다(10).

상기 제시된 기준은 대체적으로 대부분의 교과서 평가 체크리스트에서 발견되는 것들인데, 이는 흥미로운 문제를 제기한다. 만약 교사들이 이미 이러한 기준을 가지고 교재를 선정하고 있다면, 출판된 체크리스트는 도움이 되는가? 이에 대한 대답은 Huang의 설문에서 19명의 교사 모두가 책은 언어의 네 영역을 다루어야 한다는 데 동의했지만, 다른 기준에는 동의하지 않았다는 점에서 찾을 수 있을 것이다. 출판된 체크리스트는 교과서를 판단할 수 있는 공통의 기준을 명확하게 해준다. 또한 적절한 수준의 포괄성을 보장하기 위해서 다양한 범위의 기준을 포함하고 있다.

표 5.6 교과서 패키지에 대한 교사들의 상황별 기대 (n = 19)

상황별 특징		테크놀로지 자원	
대만 문화 소개	9	숙제를 위해 CD-ROM 포함	12
중국어로 지시문과 설명 제공	7	시험 문제 데이터뱅크 포함	7
짧은 독해지문 제공	7	수업에서 사용할 수 있는 CD-ROM 포함	5
GEPT 시험(국가시험)과 관련된 학생들의 필요 충족	6	온라인 학습 자료 수반	5

(Based on Huang, 2010)

하지만 대만 교사들이 얘기한 기준과 출판된 체크리스트에 있는 기준 사이에는 차이가 있다. 이는 교과서 패키지가 (1) 상황에 맞는 필요를 충족시킬 것이고 (2) 테크놀로지의 발전에 보조를 맞출 것이라는 교사의 기대 때문인 듯하다(표 5.6 참조).

이 연구는 비록 기존의 체크리스트가 교재 평가와 선정에 유용한 기초를 제공하고 있다고 하더라도, 특정한 상황에 적합한지에 대해 자세히 살펴봐야 하며 상황에 맞게 바꾸어야 할 필요가 있다는 점을 보여주는 실용적인 예시가 된다. 이는 Williams(1983)에서 Bahumaid(2008)에 이르기까지 일련의 저자들이 이미 영어교육 문헌에서 지적해 왔던 점이다.

지금까지 살펴본 바로는 교사들은 체크리스트의 가치에 대해서 다소 다른 견해를 가지고 있을 수도 있다는 것이 명백한 듯하다―적어도 몇몇 경력교사들은 체크리스트가 불필요하다고 느낄 수도 있겠다. 그러나 Johnson, Kim, Liu, Nava, Perkins, Smith, Soler-Canela와 Wang(2008)의 최신 연구에서는 경험과 교육의 개념을 뚜렷이 구분한다. 연구자들은 '경험이 많은 교과서 평가자가 실제로 무엇을 하는지를 보여주는 실험 연구는 거의 없다'(p. 158)는 점을 지적하며, 사고구술 프로토콜think aloud protocol을 사용하여 같은 교수 상황에서(중국의 대학교 상황) 근무하는 같은 국적을 가진 세 명의 교사들이 채택한 접근법을 탐구했다. 이 세 명의 교사들은 그들이 서로 다른 경험과 교사 교육 배경을 가지고 있었기에 연구 참여자로 선정되었다. 교사 1은 1년의 교수 경력이 있었으나 이전에 교사교육을 받은 경험이 없었고 교과서 선정에 참여한 경험도 없었다; 교사 2는 5년의 교수 경력이 있었고 캐임브리지 ESOL CELTA를 취득했으며 교과서 선정을 해 본 경험이 있었다; 교사 3은 12년의 교수 경력과 DELTA 자격증 및 석사학위 소지자였는데, 석사학위 프로그램에서 교과서 평가에 대해 약간의 교육을 받은 경험이 있었다. 또한 교과과정 코디네이터 및 교과서 집필 프로젝트의 책임자로 일해 왔다. 교사들은 최근 출판된 교사용 그리고 학습자용 책이 자신의 교수 상황에서 사용될 수 있는지를 평가하도록 요청받았다. 당연히 교사 3이 가장 체계적이고 가장 효과적이었다. 연구자들이 언급하듯이, 교사 3은 자신이 무엇을 살펴봐야 하는지 그리고 교과서의 어느 부분에서 이것을 찾을 수 있는지를 알고 있었다. 실제로 그는 학습자용 책의 두 단원만을(14개 단원 중 4과와 8과) 살펴보았고, 이들을 교사용 책과 비교했다. (이와는 다르게 교사 2는 교사용 책의 몇 단원을 보기 전에 학습자용 책의 첫 13개 단원의 모든 페이지를 자세히 살펴보았다.) 세 교사의 접근법에 있어 차이점은 다음과 같이 특징지을 수 있다:

교사 1: '교과서를 수업을 위한 대본과 동일시하고, 책을 평가할 때 교사가 "살아남을 수 있는가"를 우선순위에 둠.'

교사 2: '학생들의 필요에 초점을 둠. 학생들이 가장 중요하게 생각한 것은 영어권 환경에서 제대로 살아가기 위한 즉각적인 필요였음.'

교사 3: '교과서가 학과 공부를 대비한 장기 프로그램에 얼마나 부합하는지 그리고 다른 교사들은 그 교과서를 어떻게 생각하는지를 고려함. 또한 교사 1이 보충 교재의 필요성을 줄여주는 활동이 교과서에 있는지를 살펴보는 경향을 보인 반면, 교사 2와 특히 교사 3은 교과서가 제공하는 "새로운" 기회가 있는지를 중요하게 생각함. 교사 1에게는 생명줄과 같은 것이 좀 더 경험이 많은 교사들에게는 구속인 듯함.' (Johnson et al., 2008: 161-2)

이러한 소규모의 연구에서 우리가 잠정적으로 얻을 수 있는 결론은 경험(특히 특정 교수 상황에서 교과서를 선정하는 경험)은 중요하지만, 이것이 평가에 대한 교육을 대체할 수는 없다는 것이다. 그러나 상기 제시한 인용문의 마지막이 제시하듯이, 교수 경력이 서로 다른 교사들은 교재와 관련하여 서로 다른 필요가 있을 뿐만 아니라 자신의 수업에서 사용하는 교재를 평가하기 위해 서로 다른 교육과 지원을 필요로 한다.

이 장에서 살펴본 연구에 참여한 교사들은 아마도 지원(결국은 교육의 한 형태인)이 필요하다는 기본적인 명제에 동의할 것이다. Law(1995)의 연구에서 설문에 답한 홍콩 교사들은 교과서 평가가 필요하다고 거의 만장일치로 동의했다. 다수의 교사들은 또한 교과서 평가에 참여하기를 원했는데, '교과서를 판단할 수 있는 지식과 능력을 습득하고 현명하게 사용하는 것은 교사의 임무'(p. 76)라고 느꼈다. 또한 상당수의 교사들은 교과서 평가는 그들의 전문적 지식과 판단력을 발달시킬 수 있도록 돕는 수단이라는 명제에도 동의했다. 이 장의 주제와 관련하여 특히 중요한 것은 이미 평가 기준이나 지침을 사용하고 있다고 말한 교사를 포함하여 교사의 90% 이상이 사용 가능한 공통의 평가 지침이 필요하며, 이러한 지침은 CDI와 교사가 함께 만들어 나가야 한다고 생각하고 있다는 것이다. 이는 패널 체어도 강력하게 동의했다.

홍콩의 한 대학 언어센터의 교사를 대상으로 한 Sampson(2009)의 설문 연구 역시 비슷한 결론에 도달했다. 설문에 답한 41명의 교사들은 그들이 사용하고 있는 (센터가 만든) 교과서를 평가하는 것은 그들의 임무이며, 평가하는 데 자신이 있다고 응답했다. 하지만 대표로 선정된 11명의 교사와 진행한 인터뷰에서는 조금 다른 그림이 드러났다:

> ... 교과목을 평가할 때 어떤 단계나 과정을 거치는지를 설명해달라고 했을 때, 대부분의 교사들은 설명할 수 없었다. 좀 더 설명을 해 달라고 하자, 교사들은 (한 명을 제외하고) 교과목 교재를 평가할 때 특별히 단계를 따르지는 않는다는 것을 인정했다. ... 모든 교사들은 수업 교재를 분석적으로 평가할 수 있도록 돕는 평가 지침이 있다면 기꺼이 받아들일 것이라고 말했다. (Sampson, 2009: 197)

5. 사용 중 그리고 사용 후 평가

홍콩 교사들을 대상으로 한 Law(1995)의 연구에서 응답자의 77%는 사용하고 있는 교과서는 학년 말에 공식적인 회의(51%)나 비공식적인 논의를 통해서 회고적으로 평가한다고 했다. Fredriksson과 Olsson(2006)의 연구에서는 연구에 참여한 네 명의 교사 중 한 명의 교사가 학생들에게 교과서 및 자신이 사용한 다른 교재들을 평가하는 양식을 완성하라고 요청했는데, 이때 '이러한 절차를 위해 시간을 따로 떼어 놓지 않았으며 [표준] 양식도 제공되지 않았다' (p. 24). Kang(2003, Wang, 2005에서 재인용)은 대만의 중학교 교사들이 회고적 평가의 부재에 대해서 걱정하고 있음을 보고한다.

6. 요약 및 결론

Tomlinson(1998c: 341)은 다음과 같이 이야기한다: '나는 아직까지 교사와 학습자들이 자신이 사용하고 있는 교재가 제공하는 것이 그들이 실제로 원하는 것이라고 생각하도록 한 연구를 본 적이 없다. ... 또한 그들이 교재에 불만족하고 있음을 보여주는 연구를 본 적도 없다.' 이 장에서 살펴 본 바와 같이, 교사들이 교재에서 무엇을 좋아하는지(그리고 좋아하지 않는지) 또는 원하고 있는지를 보여주는 출판된 연구는 현재 매우 제한적이다. 7장에서는 교재에 대한 학습자들의 반응에 대해 보고할 것이다.

　　연구자가 교재 평가를 진행한다면, 이는 교재에 변화를 가져오는 결과를 낳을 수도 있을 것이다(만약 변화를 가져올 수 있는 위치에 있는 이들이 연구를 보고 그렇게 하고 싶어진다면). 반면에 교사들이 진행한 평가는 교재 관련 교사의 활동에 영향을 줄 수 있을 것이다. 교재 선정을 위한 평가는 어떤 교재가 선택될지를 결정하게 되고, 이러한 결정은 교사와 학습자에게 중요한 함의를 가진다. 평가는 또한 교재의 단점을 찾아낼 수 있고 따라서 다른 자원들을 개발하도록 하게 할 것이다. 그 중요성을 감안할 때, 교재 선정을 위한 평가가 신중히 계획되고 도입되어야 하는 것은 매우 중요하다. 이 장에서 검토한 증거들로 봤을 때, 이는 관례적이라기보다는 예외적인 일일 수 있겠다.

　　교사의 사용 중 그리고 사용 후 평가에 대한 출판된 연구가 많이 없다는 것은 교재 선정을 위한 평가를 훨씬 더 중요하게 여기고 있다는 것을 반영한다고 할 수 있겠다. 하지만 교과서를 개작하거나 또는 보충하려는 교사의 결정은 당연히 사용 중 평가의 한 형태라고 볼 수 있다. 이것이 다음 장의 주제이다.

6장

교사는 어떻게 교과서를 개작하고
보충하는가

교과서의 모든 페이지를 개작할 필요는 없습니다. 만약 모든 부분을 보충하거나 개작해야 한다면, 그건 문제가 있거나 적절치 않은 교과서입니다. ... 너무 많이 개작하거나 보충한다면 교재의 효과를 감소시킬 것이고 따라서 교과목의 틀이 약해질 겁니다.

(Dunford, 2004: 48에서 인용된 교사)

연극의 요소도 자주 소개되었다. 예를 들어, 아랍에미리트에서는 학생에게 관광객 역할을 하도록 하기 위해 야구모자와 선글라스를 쓰게 하고 카메라를 주었다. 이탈리아에서는 교사가 생일을 맞은 학생이 쓸 수 있도록 '생일' 모자를 준비했고, 나머지 아이들은 미리 잘 연습한 대화를 반복하면서 상상의 선물을 주었다.

(Garton, Copland & Burns, 2011: 15)

1. 서론

5장에서 보고된 연구와 교사들의 개인적인 이야기는 자신의 교과서에 전적으로 만족하고 있는 교사는 거의 없다는 것을 보여준다. 하지만 교수 경험이 거의 없거나 교과서 사용에 대한 교육을 받지 않는 교사에게 이는 어려운 질문을 던진다. 다음의 한 젊은 대만 교사의 말처럼 말이다. '전문 교사는 한 페이지도 빠짐없이 교과서를 그대로 따라야 하나요? 아니면 훌륭한 교사는 목표 학습자들에게 더 적합하도록 내용을 선정해서 변경해야 하나요?'(Hsiao, 2010). 여기서 중요한 논점은 무엇이 교사 전문성과 교사 책임의 본질을 구성하고 있느냐이다. 이 교사가 묻는 것처럼 교사의 전문성은 자신에게 주어진 대본—전문가가 준비하고, 관계자들이 승인하고, 이 책을 사용할 학생들에게 가시적인(그리고 학교 상황이라면 학부모에게도 가시적인) 대본—을 그대로 따르는 것에 있는 것인가? 아니면 무엇이 필요한지를 교사 스스로 판단하고 그에 따라 행동하는 일인 것인가? 만약 교사에게 기대되는 바대로 행동하는 것과 학습자들에게 가장 도움이 될 것이라고 교사가 느끼는 대로 행동하는 것 사이에 충돌이 있다면, 이를 어떻게 해결할 수 있을까? 이 딜레마는 사용하는 교재는 언어능력을 향상시키는 것에 초점을 두고 있지만, 교사는 언어체계의 지식을 평가하는 졸업/대학입학 시험과 같은 고부담 시험을 준비시켜야 하는 상황이라면 더 심각해질 수 있다.

2장에서 4장까지 살펴보았듯이, 교과서 저자, 교사교육자 그리고 다른 논평가들은 교사가 주어진 교재뿐만 아니라 스스로 찾은 교재를 개작*해야만 한다*는 의견에 동의한다. 생략, 추가 그리고 바꾸기라는 세 가지 형태의 개작이 소개되었으며, 교과서와 함께 따라오는 교사용 책이나 설명이 수반된 예시를 담은 영어교육 문헌에 지침이 나와 있다. 만약 교과서에서 부족한 점이 발견된다면 보충하는 것 역시 필요하다고 여겨진다. '교과과정 개작'은 언어학습을 향상시키고 교실 학습에 대한 흥미를 고취시키는 반면, '교재를 그대로 사용하는 것'은 그러한 효과가 없다는 것이 연구를 통해서 증명되었다(Shawer, Gilmore & Banks-Joseph, 2008: 6).

이 장에서 우리는 교사들의 실제 교수활동이 이러한 기대에 어느 정도 부합하는지에 대해 고찰할 것이다. 2절에서는 교사가 실제로 교과서를 개작하는지를 간단히 살펴볼 것이다. 물론 대부분의 교사는 개작을 한다. 3절과 4절에서는 각각 교사들의 이유(왜)와 가장 흔한 개작의 형태(어떻게)를 살펴볼 것이다. 5절에서는 보충에 대해 논의할 것이다.

2. 교사는 교과서를 개작하고 보충하는가

교과서 사용에 할당된 수업 시간의 퍼센티지에 대한 연구자들의 추정치에 비춰보자면—이는 연구마다 매우 다양한데(예, Richards & Mahoney, 1996: 50-80%; Jazadi, 2003: 67% '모든 시간 또는 거의 모든 시간'; Ravelonanahary, 2007: 20%)—교사는 자신의 교과서를 맹목적으로 따르지 않는다. 만약 그렇다 하더라도 이러한 추정치 자체는 교사들이 무엇을 하는지에 대해서 아무것도 말해 주지 않는다. 교사들이 교과서를 사용하는 동안 그들은 교과서를 그대로 따를 수도 있고, 또는 교과서를 사용하지만 3장에서 설명한 것과 같은 방식으로 개작할 수도 있다. 또한 개별 교사의 교과서 사용에 대한 정보가 없는 상황에서 이러한 추정치는 교수 경력에 따른, 그리고 교과서 사용에 대한 교육 유무에 따른—그리고 특히 원어민과 비원어민 교사의—교사 간 실제 차이를 모호하게 할 수도 있다. 자신의 역할에 대한 교사의 믿음 또는 태도 역시 영향을 미칠 수도 있다.

이와 아울러 우리가 이러한 통계를 믿을 수 있느냐의 문제도 있다. 개작과 보충에 관한 연구는 대충 다음의 두 그룹으로 나뉠 수 있다: (1) 교사의 자기보고self-report에 근거한 연구(예, Jazadi, 2003; Lee & Bathmaker, 2007), 그리고 (2) 관찰 또는 다른 증거에 기반을 둔 연구(예, Richards & Mahoney, 1996; Tsui, 2003; Zheng & Davison, 2008). 비록 자료 수집 및 분석에 있어 문제가 없는 것은 아니지만, 후자가 훨씬 더 신뢰할 만하다. 일회성의 짧은 묘사는 당연히 여러 차례 관찰을 한 것보다 덜 믿을 만하고, 많은 것을 알려 주지 않는다. Sampson(2009)의 연구는 네 명의 교사를 대상으로 각각 두 번의 수업을 관찰했다. 경험이 부족한 두 명의 교사들은 첫 번째 수업에서 각각 수업 시간의 94%와 87% 동안 교과서를 사용했으며, 두 번째 수업에서는 두 교사 모두 97% 동안 교과서를 사용했다. 좀 더 경험이 많은 두 명의 교사들은 훨씬 더 적게 그리고 각 수업마다 다양하게 교과서를 사용했는데, 첫 번째 수업에서는 56%와 62% 동안, 그리고 두 번째 수업에서는 15%와 40% 동안 교과서를 사용했다.

개작과 보충이 실제로 일어나느냐의 문제는 물론 교사가 교과서를 사용하는데 있어 하나의—그리고 아마도 가장 재미없는—측면일 뿐이다. 더 중요한 문제는 교사들이 어떻게 교과서를 사용하며, *왜* 개작/보충하기로 결정하는지, 그리고 언제, *무엇을, 어떻게* 개작/보충하느냐이다. 그리고 이러한 교사의 활동이 실제로 효과가 있는지 역시 큰 관심의 대상이다. 이러한 것들이 우리가 살펴볼 질문들이다.

3. 교사들은 왜 개작과 보충을 하는가

지금까지 다양한 연구들이 왜 교사가 교과서와 다른 교재들을 개작하는지에 대한 일반적이고 구체적인 통찰력을 제시해 왔다.

Dunford(2004)는 일본의 셰인Shane 영어학교에서 일하는 29명의 원어민 교사를 대상으로 설문연구를 했는데, 이 학교는 학교에서 만든 교과서를 사용했다. 설문의 한 문항은 교사들이 사용하고 있는 특정 교과서에 대한 그들의 관점(과 평가)에 대해 물었다. 표 6.1은 이들의 반응을 요약해 놓았다. 각 명제에 대한 참여자들의 동의 또는 강력한 동의는 퍼센티지로 나타나 있다.

교과서의 다루기 용이함manageability의 이슈와 관련해서 Dunford(2004: 36)는 다음과 같이 추측한다: '교과서의 편리성은 스케줄에 맞추어서 교재를 다루어야 하는 교사들의 능력이라는 측면에서 그들에게 문제가 될 수도 있다. 예를 들어, 교사는 교과서 양이 너무 많다고 느낄 수도 있다.' 응답자들은 또한 교과서를 개작/보충하는 것에 대한 추가적인 이유를 제시했다. 다섯 명의 교사들은 학생들의 개별 요구사항이 있음을 언급했고, 각 교사들은 다음의 이유 하나씩을 언급했다: 다양성이 필요하고; 교과서는 실제 언어사용 자료를 항상 제공하는 것은 아니며; 교과서 선정이 학생의 요구분석보다 먼저 행해지고 있고; 학생들은 교사로부터 창의성을 기대하며; 최신 정보를 제공하는 것도 필요하다. 이러한 응답은 숫자 면에서는 적지만, 만약 이러한 견해가 선다형 문제의 선택 항목으로 포함되었더라면 동의를 이끌어 냈을 가능성도 있다. 그러나 한 교사는 질문의 기저에 있는 명제에 문제를 제기하기도 했다: '교과서의 모든 페이지를 개작할 필요는 없습니다. 만약 모든 부분을 보충하거나 개작해야 한다면, 그건 문제가 있거나 적절치 않은 교과서입니다. ... 너무 많이 개작하거나 보충한다면 교재의 효과를 감소시킬 것이고 따라서 교과목의 틀이 약해질 겁니다'(Dunford, 2004: 48에서 인용된 교사). 교과서를 개작하지 않는 15%의 교사들은 어떠한 설명도 제시하지 않았다.

표 6.1 교사들이 교과서를 개작 및 보충하는 이유 (n = 29)

순위	우리 교과서는 더 .... 하기 위해 개작과 보충되어야 한다	%
1	참여를 유도하는	72
2	재미있는	71
3	의욕을 북돋우는	68
4	다양한	57
5	다루기 쉬운	55
6	수월한	42
7	문화적으로 적합한	30

(Based on Dunford, 2004: 36)

Yan(2007)은 중국 중부지방의 한 대학에서 열린 1년간의 중-영 교사교육 프로그램의 2주 교육실습 기간 동안 30명의 중국 연수생들을 연구했는데,

이들 역시 상기 제시한 비슷한 이유로(예, 흥미 증가, 참여의 가능성, 다양성, 그리고 도전) 개작과 보충의 결정을 내리는 듯했다. 이 연구에서 모든 교사들은 같은 교과서 한 세트를 사용했지만, 언어능력 수준이 다른 학급을 가르쳤기 때문에 똑같은 교재를 사용하지는 않았다. 연수생이나 교과목에 대해서 더 자세한 내용은 제시되지 않았다. 연구의 일부로 수업관찰은 하지 않았으며, 연구의 주요 도구는 연수생 설문이었다. 연수생의 수업계획서와 몇몇 학생들의 인터뷰(지나가는 말로 잠시 언급함)도 연구의 보충 자료였다. Yan(2007)은 연구에 참여한 연수생의 개작과 보충에 대한 결정은 다음의 네 가지 원칙에 의해 영향을 받는다고 결론지었다.

1. *전통적 교수법과 의사소통 중심 교수법의 통합*: 한 명을 제외한 모든 연수생들은 교과서가 언어체계에 초점을 두고 있는 것을 장점으로 보았고, 3분의 1 이상이 추가적인 언어 연습문제를 제공했다. Yan에 따르면, 연수생들은 정확성 및 유창성을 지향하는 활동의 균형을 맞추고자 노력했다(예, 한편으로는 문법설명과 어휘학습 연습문제의 수와 문장번역의 양을 줄이면서, 그리고 다른 한편으로는 학생들 간의 상호작용의 기회를 만들면서).

2. *학생들의 필요에 부응하기*: 학생들의 흥미를 촉진시키고자 하는 바람이 새로운 것을 시도하는 이유 중 하나였다; 또한 다수의 연수생들은 연습문제의 난이도 수준을 조정함으로써 학생들의 '언어적, 지적 필요'를 만족시키고자 했다.

3. *독해에 기반을 둔 수업에 듣기와 말하기 능력을 통합하기*: 이는 대부분의 교사들이 교과서가 듣기/말하기 연습 활동을 제공하지 않는 것을 인지한 데서 나왔다.

4. *연수생 자신의 선호도와 필요를 충족하기*.

상기 제시된 설명은 Dunford의 응답자들이 명확하게 언급하지 않은 다음의 두 가지 요점을 포함한다. 즉, (1) 정확성과 유창성을 지향하는 활동을 균형

있게 제공하고자 하는 바람, 그리고 (2) 듣기/말하기 연습 활동의 형태로 보충하기.

그리스의 사립언어학교에서 네 명의 학교 이사장을 포함한 20명의 교사를 대상으로 한 Tsobanoglou(2008)의 연구는 설문, 인터뷰(일곱 명의 교사) 그리고 수업관찰(여섯 명의 교사)로 이루어졌다. 연구에 참여한 대부분의 교사들은 캐임브리지 ESOL 언어능력 시험을 통과했기 때문에 그리스 법에 의해 영어를 가르칠 자격을 갖추고 있었다. 11명의 교사는 2-4년의 교수 경력을, 그리고 나머지 교사는 최소 7년의 교수 경력을 가지고 있었다. 교과서를 따라서 그대로 사용하느냐는 질문에 55%는 '네'라고, 35%는 '다소'라고 응답했다. 교사들은 명확한 목적이 없는 듯한 연습문제나 불필요한 연습을 계속시키는 연습문제는-관련성 원칙이라고 부를 수 있는 원칙을 적용하여-생략한다고 했다. 교과서를 사용하지 않거나 또는 개작하는 또 다른 이유는 학습자의 동기를 촉진시키거나 유지시켜야 할 필요였다. 한 교사는 때때로 교과서를 책가방에 넣으라고 한다고 했다. "'오늘은 책을 사용하지 않을 거예요' ... 이러한 방식으로 이 교사는 학생들이 더 재미있는 활동을 할 것이라는 ... 환상을 심어줄 수 있다. 사실 학생들이 깨닫지는 못하지만 그들은 필요한 수업을 받고 있는 것이고, 책을 사용하지 않는다는 것은 학생들에게는 매우 흥미롭고 동기부여가 되는 것이다'(Tsobanoglou, 2008: 41). 또 다른 교사는, '학생들이 처음부터 끝까지 교과서에 집중하고 있을 것이라고 기대할 수는 없어요'(p. 42)라고 덧붙인다. 개작이나 보충을 하는 또 다른 이유로는 문법, 어휘, 듣기나 시험전략과 같은 구체적인 학생들의 어려움에 대한 부수적인 도움을 제공할 필요-즉, 학생들이 필요로 하는 것에 대한 평가에 바탕을 둔 보충-도 포함되어 있다.

관련성과 감정적 고려사항은 설문에 기반을 둔 Botelho(2003)의 연구에서도 언급되었다. 이 연구는 또한 교사들에게 왜 교과서가 보충되어야 할 필요가 있다고 느끼는지에 대해서도 질문했다. 이에 대한 이유의 대부분은 학습을 촉진시키고 학습자들에게 좀 더 관련이 있도록-내용을 강화시키고, 학생들의 흥미를 계속해서 유지하도록(예, 다양성을 제공함으로써)-할 필요와 관계가 있었다. Graves(2000: 188)가 인용한 한 교사는 왜 보충 활동을 고안하는지에 대해 설명하면서 다음과 같이 이야기한다. '저의 주된 관심사는 학습자의 필요에 초점을 맞춘, 학생들이 어느 정도 통제할 수 있도록 하는, 학생들의 창의성을 사용하도록 해서 자신감과 자존감을 향상시킬 수 있도록 하는 활동을 개발하는 거예요.' 물론 학습자의 언어적 필요도 언급되었지만, 다양한 감정적 요소 역시 구체적으로 언급되었다.

바르셀로나의 12명의 교사—모두 원어민이며 대부분 영국인—를 대상으로 한 Gray(2000)의 설문에 기반을 둔 연구는 그 초점이 더 제한적이다. 연구에 참여한 교사들은 교수 경력이 1년에서 20년에 이르는 아홉 명의 여성과 세 명의 남성으로 이루어져 있었으며 모두 사교육 기관에서 근무하고 있었다. 이들은 교과서 독해지문의 문화적 내용에 대해서 어떻게 생각하는지와 만약 그러한 문화적 내용에 대해 그들이 '불편하다고' 느낀다면 어떻게 할 것인지에 대해 질문을 받았다. 모든 교사는 주로 영국에 대한 고정관념적 표현'과 '관계없고 구식이며 성차별적 내용'(p. 276) 때문에 그러한 불안감을 경험했었다고 언급했다. 예를 들어, D교사는 자신이 사용한 책에 나온 내용을 다음과 같이 묘사한다.

> 영국의 술집 문화에 대한 지문이 나오고, 그 후 알코올성 음료, 음료를 주문하는 방법 등과 관계된 어휘연습이 제시된다. (책 전반에 걸쳐 술과 영국 술집에 대한 언급이 수차례 나온다.)

그리고 교사는 왜 이러한 내용에 대해서 불편하게 느꼈는지를 다음과 같이 설명한다.

> 카이로에서 두 명의 젊은 아즈하르Al Azhar 학생들과 히잡을 쓴 여성들을 포함한 학생들을 가르치고 있었어요. 교재는 명백히 학생들과 관계가 없었고, 적절하지도 않았으며 몇 명에게는 아마도 모욕적으로 느껴졌을 겁니다. 술에 대한 계속적인 언급은 그러한 것에 사로잡힌 문화를 암시하는 듯했고—이를 방어해야 한다고 느끼지도 않았습니다. (Gray, 2000: 277)

교사 여섯 명은 불편하다고 느끼는 부분은 그냥 생략했다고 했으며, 다섯 명은 개작을 했고(또는 그렇게 할 것이라고 했고), 한 명은 이 질문에 답을 하지 못했다. 저자가 명백하게 밝히지는 않았지만, 우리는 연구의 모든 교사가 성인 또는 청소년을 가르치고 있었음을 언급하고 있다는 것을 추측할 수 있다.

영어교육 문헌에서 밝힌 개작과 보충의 주요 이유는(3장 4.3절과 5.1절 참조) 상황에 적합하도록 교재를 맞추고, 교재에 있어 부족한 점을 보충하며, 교재와 학습자의 필요/요구 사이의 간극을 메우고자 하는 데 있다. 이 모든 이유들은 상기 언급된 이야기에 잘 제시되어 있지만 주로 학습자의 동기를 유지하거나 향상시키는 수단으로서 설명되어 있다.

4. 개작: 언제, 무엇을, 어떻게

4.1 언제?

교사교육을 받고 있는 교사들은 수업계획서를 작성하도록 요구되는데, 바로 여기에서 우리는 교사들이 교과서 대본으로부터 벗어나고자 하는 의도에 대한 증거를 찾을 수 있을 것이라고 기대할 수 있다. 설문의 응답으로 판단하자면, Yan(2007)의 연구에 참여한 30명의 연수생들은 먼저 교과서의 장점과 단점을 평가했다. 그들이 밝힌 단점에는 교과서가 독해와 쓰기를 강조했지만 말하기와 듣기를 무시하고 있다는 점; 구식이라는 점; 학생들의 필요에 적합하지 않다는 점; 다양한 활동을 거의 제공하지 않는다는 점; 그리고 언어에 기반을 둔다는 점(즉, 언어능력 향상을 지향하고 있지 않다는 점)이 있다. 연수생들은 이 평가를 바탕으로 개작의 필요성에 대해, 그리고 필요한 개작의 형태와 관련하여 결정을 내렸다. 그들이 교재에서 찾은 수많은 단점들을 고려해 본다면, 그들의 모든 수업계획서에 개작의 형태로 '추가'가 있었다는 것은 놀랍지 않다; 반대로 단지 여덟 명만이 원교재의 요소를 '삭제'하기로 했고, 여섯 명은 '변경'하기로 계획했다.

개작은 계획할 수도 있지만 때로는 즉석에서 결정할 수도 있는데, 특히 경력교사일수록 더욱 그럴 가능성이 있다. 예를 들어, Tsobanoglou(2008)의 연구에서 한 교사는 수업 운영방식의 변화에 대해서 다음과 같이 설명한다.

> 수업은 대화 활동을 하고 있었고, 책에서는 두 명씩 짝을 지어서 서로 대화를 나누도록 했습니다. 하지만 학급 전체가 동시에 상호작용을 하는 것이 어려워서, 저는 매번 한 쌍을 선택하고 나머지 학급은 이 쌍에게 집중하도록 하고 ... 그들의 활동에 점수를 매기도록 했습니다. (Tsobanoglou, 2008: 43에서 인용된 교사)

Hutchinson과 Torres(1994)가 보고한 필리핀의 ESP 교과서를 사용하는 교사들에 대한 Torres의 연구에서는 다음을 발견했다.

> ... 교사들과 학습자들은 교과서의 대본을 그대로 따르지 않는다. *교사들은 대부분 교과서에 기반을 둔 과업을 개작하거나 바꾸면서, 새로운 지문을 추가하거나 지문 몇 개를 삭제하면서, 과업의 진행방식을 바꾸면서, 과업의 입력언어 또는 기대되는 출력언어를 바꾸면서 자신만의 대본을 따른다.* 또한 이 연구에서 확실하게 알 수 있는 것은, *교사가 미리 계획한 과업은 수업 중 교사와 학습자들의 상호작용에 의해서 새롭게 변형되고 재해석된다*는 것이다. (Hutchinson & Torres, 1994: 325, 강조 추가)

이탤릭체로 된 부분이 보여주듯이, 미리 계획된 개작도 교실내의 역학 관계에 따라 조정될 수 있다. 경험이 많은 교사들과 경험이 적은 교사들이 어떻게 상호작용을 통한 결정을 내리는지를 비교한 연구를 통해서 Richards(1998b)는 이에 대한 추가 증거를 제공한다. 경험이 더 많은 교사집단은 총 여덟 명의 교사로 이루어져 있었는데, 이들은 평균 9.6년의 교수 경력이 있었고, 모두 학사학위나 석사학위와 같은 학문적 자격을 갖추고 있었으며, 이와 함께 TEFLA의 RSA 자격증과 RSA 수료증(현재 캐임브리지 자격과 동등)을 가지고 있었다. 경험이 부족한 여덟 명의 교사들은 평균 1.6년의 교수 경력을 가지고 있었으며, 이 중 한 명은 전문 교사자격증이 있었고, 나머지는 RSA 자격증을 갖추고 있었다. 모두 홍콩의 영국문화원에서 일반 영어 또는 비즈니스 작문을 가르치고 있었고, 영국문화원에서 제공한 상업적 교과서나 교재를 사용하고 있었다. 각 교사마다 두 번의 수업관찰이 있었고, 이때 관찰자에게 수업계획서와 교수 자료를 제출했다. 경험이 많은 교사들이 제출한 수업계획서는 훨씬 더 간략했다. 녹음은 하지 않았지만 교사들은 수업 후 즉시 인터뷰를 했고, 수업계획서와 다르게 진행한 변화들이 있다면 얘기하도록 요청되었다. 학생들과 상호작용을 하면서 내린 결정의 유형은 그 후 범주화되고 수량화되었다(표 6.2 참조).

표 6.2 수업 중 상호작용을 통한 결정

	경험이 부족한 교사 (n=8)	경험이 많은 교사 (n=8)
시간 요소		
시간 때문에 활동을 하지 않음	6	3
시간을 채우기 위해 활동을 추가함	2	1
감정적 요소		
수업을 활기차게 하기 위해 활동을 추가함	2	3
흥미도를 높이기 위해 활동을 변경함	2	5
교수법적 요소		
활동의 순서를 바꿈	1	1
활동을 더 자세하게 함	1	7
그룹 배치를 바꿈	4	3
난이도 때문에 활동을 바꾸거나/하지 않음	1	2
필요하지 않은 듯한 활동은 하지 않음	–	1
수업을 강화하기 위해 활동을 추가함	–	3
언어 초점		
언어 초점을 바꾸기 위해 활동을 변경함	1	3
더 많은 언어연습을 위해 활동을 추가함	2	6

(Richards, 1998b: 115)

위의 표에서 확실한 것은 만약 우리가 첫 번째 카테고리(시간)—경험의 부족이 활동에 필요한 시간을 잘 예측하지 못하도록 했을 가능성이 있는 경우—를 제외한다면, 경험이 많은 교사들이 두 배는 더 많은 상호작용시 내리는 결정을 했고(17회와 비교해서 총 34회), 이는 그들이 훨씬 더 유연하다는 것을 보여준다. 이러한 결정의 대다수는 이미 계획했던 것에 추가하거나 또는 더 발전시키는 것(더 상세하게 다루는 것)을 포함하는 듯하다. 이러한 유연성은 더 다양한 선택 레퍼토리를 가지고 있는 것에서부터 오거나, 또는 경험—문제를 어떻게 해결해야 하는지를 아는 것—에서 나오는 자신감의 발현일 것이다. 두 집단이 내린 결정이 실제로 적절하거나 또는 효과적이었는지를 알 방법은 없다. 그러나 확실한 것은 경험이 많은 교사들은 학생들과 수업에서 일어나는 상황에 더 즉각적으로 대응했고, 경험이 적은 교사들은 아마도 학습자보다는 교재에 더 집중하고 있었기 때문에 교재나 수업 계획을 변경해야 할 필요를 덜 인식하고 있었거나 또는 그러한 상황에 대응할 능력이 부족했었던 듯하다. Richards는 두 집단 간의 비슷한 점과 차이점을 일련의 원칙들로 요약했다. 그에 따르면 경험이 부족한 교사들이 자주 사용하는 원칙은 '수업계획서를 다 다루라'를 포함하는 반면, 경험이 많은 교사들이 더 자주 사용하는 원칙은 '학생들이 어려워하는 것에서 시작하라'(p. 117)를 포함한다.

홍콩에서 진행되었으며 경험이 많은 교사와 경험이 적은 교사를 비교한 Sampson(2009)의 연구에서, 관찰적 요소는 비록 소규모였지만, 교사의 모국어(영어 대 광둥어)가 그들의 교재 사용에 미치는 영향력을 조사하고자 했다는 점에서 새로운 측면을 소개하고 있다. 이 연구에 참여한 교사들은 같은 대학의 언어센터에 근무하고 있었다. 연구의 서로 다른 단계에 참여하고 있었던 많은 교사들 중에서 네 명의 교사가 선정되었고, 각 교사에게 일주일 동안 두 번의 수업관찰이 있었다. 이 중 두 명은 원어민 교사였는데, 한 명은 경험이 별로 없었고, 또 다른 한 명은 경험이 있는 교사였다. 나머지 두 명의 교사는 모국어가 광둥어였고—즉, 비원어민 교사—역시 이 중 한 명은 경험이 많이 없었고 또 다른 교사는 경험이 많은 교사였다. 네 명의 교사 모두 비즈니스를

전공하는 학생들을 위해 언어센터에서 만든 사례연구를 이용한 영어교과서의 같은 부분을 가르쳤다. 연구자는 데이터를 수집하기 위해 수업 중 관찰 스케줄을 잡았고, 수업관찰 후 인터뷰를 했다. 연구를 통해 드러난 차이는 아래의 표 6.3에 제시되어 있다. 이 장에서의 설명을 위해 개별 교사에게 부여된 숫자가 변경되었다. 여기서 교사 1은 경험이 부족한 원어민(원어민교사-I), 교사 2는 경험이 부족한 비원어민교사, 교사 3은 경험이 많은 원어민(원어민교사-E), 그리고 교사 4는 경험이 많은 비원어민교사이다. L1/2 = 수업 1 또는 수업 2이다.

역시 두 집단 간 차이 중 몇 가지는 매우 확실히 보인다. 예를 들어, 경험이 많은 교사 3과 교사 4는 경험이 적은 교사들보다 교과서 교재를 덜 사용했다; 이들은 두 번째 수업의 많은 부분을 자신들 스스로 만든(그리고 예전에 사용했던) 활동을 하는 데 보냈다; 또한 이전의 수업과 연결고리를 만드는 데 신경을 썼다. 하지만 명백히 보이는 공통점들이 차이점을 숨길 수도 있다. 표는 수업 1에서 네 명의 교사 모두 사례연구를 소개하고 평가에 대해 토의했지만, 교사 1만은 25분이 지나고 나서 학생들이 질문을 하자 그렇게 했음을 보여준다. 수업운영에 있어서도 차이점이 발견되었다. 경험이 적은 교사들은 모든 학생들이 각자 과업을 하도록 하는 경향을 보였지만, 경험이 더 많은 교사들은 학생들이 서로 다른 과업을 하도록 한 후에 피드백을 모으도록 했다. 경험이 없음은 시간운영에서도 드러났다. 수업 1에서 교사 1은 계획했던 것의 반이 조금 넘는 것을 겨우 해내었는데, 교사 2는 더 적은 활동을 하기로 계획했지만, 여전히 마지막 활동을 축소하고 수업 1의 계획했던 마무리 활동을 포기해야 했다; 반면, 교사 4는 계획했던 것에 맞추기 위해서 활동에 쓰는 시간을 조정했다.

표 6.3 똑같은 교재를 사용하는 네 교사간의 차이

수업 1	교사 1 원어민 교사-I	교사 2 비원어민 교사-I	교사 3 원어민 교사-E	교사 4 비원어민 교사-E	수업 2	교사 1 원어민 교사-I	교사 2 비원어민 교사-I	교사 3 원어민 교사-E	교사 4 비원어민 교사-E
이전 수업과의 연계	X	X	√	√ (새로운 사례를 소개하기 전에 이전 사례를 간단히 언급함)	이전 수업과의 연계	X	X	√	√
예비 활동	X	√	√	√ 그리고 퀴즈	예비 활동	X	√	√	√
사례 소개 (목적, 목표) 그리고 평가	√	√	√	√	수업 내용 소개	√	√	√	√
그룹 활동	√	√	√	√	그룹 활동	√	√	√	√
생략된 활동	시간 부족으로 몇몇 활동은 생략됨	2 (그러나 다음 수업에서 다룸)	3	3	생략된 활동	X	1	2	3
개작된 활동	X	X	X	1 (좀 더 확실하게 초점을 두기 위해 변경됨)	개작된 활동	X	√	X	X

수업 운영	모든 그룹이 모든 활동을 함	모든 그룹이 모든 활동을 했으나, 서로 다른 그룹에 대해 발표함	각 그룹은 서로 다른 활동을 한 후, 줄어들어서 새로운 그룹을 만들고 그 안에서 공유함	각 그룹은 서로 다른 활동을 한 후, 전체 수업에서 발표함	각 그룹은 다른 활동을 한 후, 교사가 답을 확인함	각 그룹은 특정 활동을 하고 발표함	즉흥적 발표를 한 후, 교사가 즉시 피드백을 줌	각 그룹은 (노트북을 사용하여) 조사 및 토론을 한 후, 서로 다른 주제에 대해 발표함
순서를 바꾼 활동	X	X	1회 바꿈	1회 바꿈	X	X	√	√
자신이 만든 교재를 사용한 보충	X	X	X	X	X	X	수업의 중반부 이후에는 교사가 디자인한 활동을 함, 비즈니스와 관련되었지만 관련되지 않은 사례와는 관련되지 않음 - 상기 참조	수업의 대부분은 교사가 만든 활동을 함 - 상기 참조
마무리 활동	X	시간부족으로 생략됨	√	√	X	X	√	√
숙제	X	X	학생들은 수업 후 각자 숙제를 하도록 요구됨	1개의 그룹 숙제가 있음	X	X	X	X

(Based on Sampson, 2009: 159–71)

이러한 예에서 볼 수 있듯이, 즉석에서 개작하는 것은 시간운영의 이유로 연습문제나 활동을 빼거나 축소시키는 방식으로, 그리고 수업운영 과정을 변경하는 결정 – 예를 들어, 그룹 활동 대신 짝 활동을 하거나 피드백을 주는 방식을 변경하는 결정 – 을 통해서 드러난다. 따라서 우리는 교사가 무엇을 그리고 어떻게 개작하는지에 대해서 이미 살펴보기 시작한 것이다. 다음 두 절에서 우리는 이러한 개작의 측면을 좀 더 자세하게 살펴볼 것이다.

4.2 무엇을?

영어교육의 문헌을 바탕으로(3장 4.4절 참조) 우리는 교사들이 다음에 제시된 교재의 네 가지 주요 측면을 개작할 것으로 기대할 수 있다: *언어*(지시문, 설명, 예시의 언어, 연습문제와 본문의 언어, 그리고 학습자가 표출할 것이라고 기대되는 언어); *과정*(연습문제, 활동과 과업, 그리고 관련된 학습 스타일에 대한 지시문에 명백히 서술된 수업운영이나 상호작용의 방식); *내용*(주제, 상황, 문화적 내용); 또는 *수준*(학습자에게 요구되는 언어적 그리고 인지적 수준)(표 6.4 참조). 표가 보여주듯이, 이러한 기대는 교사의 실제 교수활동에 관한 연구를 통해서도 확인이 된다.

표 6.4 개작의 초점

초점	연구	특정 예
언어	Ravelonanahary(2007) Richards와 Mahoney(2006) Zacharias(2005)	본문 단순화 연습문제 지시문 예시
과정	Tsobanoglou(2008) Richards와 Mahoney(1996)	활동 절차 피드백 절차
내용	Gray(2000) Zacharias(2005)	문화적 내용
수준	Yan(2007) Ravelonanahary(2007)	차별화(연습문제) 단순화/복잡화(본문/활동)

4.3 어떻게?

4.3.1 선정과 생략

엄밀히 말하자면 선정은 아무런 변경 없이 사용하는 것을 의미하기 때문에 개작의 한 형태는 아니다. 그렇지만 선정은 평가적 결정의 결과이다. 선정은 선택된 교재가 가치가 있거나, 중요하거나, 유용하거나, 재미있거나 또는 이 모든 것이라고 여겨진다는 사실을 반영한다. 또한 선정은 무언가를 생략하는 것을 수반하고 있고, 따라서 이는 3장에서 논의한 바와 같이 개작의 한 형태이다.

교과목 계획 시 교과서가 기초 자원으로 사용될 때, 선정은 교과서의 어떤 단원 또는 레슨을 사용할지를 결정하는 것을 포함할 것이다; 수업계획서 차원에서 선정은 본문, 활동, 연습문제 또는 이 중의 일부와 관련된다. Yan(2007)의 연구에서 중국의 연수교사들은 정확성에 초점을 둔 자료, 문법설명과 어휘학습 연습문제 그리고 문장번역 몇 가지를 생략하기로 결정했다. Sampson(2009)의 연구에서 경험이 더 많은 교사들은 경험이 부족한 교사보다 계획 단계에서 연습문제를 더 많이 생략했다; 그들은 또한 특정 연습문제/활동을 숙제로 내주기로 결정했다. 반면에 경험이 부족한 교사들은 시간에 쫓겨서 연습문제를 생략하거나 축소해야만 했다(표 6.2에서 Richards, 1998b의 결과 참조).

교과서의 문화적 내용에 대한 12명의 원어민 교사의 반응을 살펴본 Gray(2000)의 연구는 이미 앞서 언급했었다. 이 연구의 일부로 교사들에게 *Cambridge English Course*, Book 1(Swan & Walter, 1994: 52)의 특정 본문에 대한 그들의 반응을 물어보았다. 이 본문은 한 소녀가 지난 밤에 자신이 한 일을 묘사하는 일기의 발췌본과 그 날 밤에 있었던 일과는 전혀 다른 이야기를 아버지에게 얘기하는 대화를 포함하고 있다. (이 교재는 후에 조금 변경되었다.) 교사 대부분은 이 내용이 자신들의 학급에 부적질하다고 느꼈으며 따라서 사용하지 않을 것이라고 말했다('당황스럽다'; '영국사회의 (다행스럽게도) 아주 작은 부분만을 대표한다'; '영국 청소년이 잘 속이고/술에 취하는 등의 모습을 보여주는 듯하다(사실 많은 청소년이 그렇다). 그러나 이렇게 책에 그러한 내용을 담는 것은 그러한 행동을 용납하는 것이다'; 양육—특히 소녀들—에 매우 자유분방한 태도는 소녀들이 혼자서는 외출할 수 없는 많은 문화에서는 생각할 수도 없는 것이다'). 교재를 사용하겠다고 한 세 명 중, '두 명은 "가벼운 주제"이고 "재미있다"고—의심의 여지없이 저자의 의도—생각했다. 그리고 세 번째 교사는 학생 스스로의 경험을 바탕으로 고정관념에 대한 논의를 촉진시킬 수도 있다고 생각했다.' Gray는 교사들이 부적절한 문화적 자료라고 느끼는 내용과 직면했을 때, 이들 중 절반 정도는 즉각적으로 이러한 자료를 쓰지 않기로 거부('삭제')할 것이라는 점을 지적한다. '문제는 왜이다. 개작하는 것보다 삭제하는 것이 더 쉬운가? 아니면 언어를 가르치는 교사들은 문화적 내용은 단지 늘 따라오는 것이고 언어적 목표에는 항상 이차적인 것이라고 생각하는가?'(p. 278). 이 교사 집단의 경우에 Gray는 다음과 같이 추측한다.

> 교사들은 그들의 교사교육(Dip TEFLA) 경험과 근무하는 환경의 영향을 받아 스스로를 교육자라기보다는 기술자— 본질적으로 언어능력만을 발전시키도록 훈련된 전문가— 로 여겼을 가능성이 있다. Pennycook(1994)은 ELT의 상업화가 교사들이 스스로를 이렇게 바라보도록 만드는 효과를 가져왔고, 이는 언어교수활동이 가치중립적이라는 개념을 영속화시키도록 한다는 점을 지적한다.

물론 삭제하는 것에는 대안이 있다. 교사 D가 설명한 하나의 방법은(아래 4.3.3 참조) 대체이다; 또 다른 방법은 다른 두 교사가 보여주듯이 교재를 비판적으로 다루는 것이다. 교사 C는 다음과 같이 회상한다. '저는 그 활동 후에 학생들에게 고정관념이 사람들/문화에 대한 진정한 반영인지를 질문했습니다.' 그리고 교사 E도 비슷하게 회상했다. '학생들에게 이건 고정관념이라고 말하고/웃어넘겼습니다—학생들에게 왜 그런지/그들의 의견은 어떤지 말해보라고 했습니다'(p. 278).

4.3.2 추가로서의 개작

3장에서 우리는 추가로서의 개작이라고 불리는 수많은 서로 다른 형식을 구별한 것을 살펴보았다. 이 중 하나는, 예를 들어, 교과서의 지문이나 주제를 '활용'(또는 '확장')하는 것이다. 바로 위에서 인용한 교사들의 후속 활동들이 그 예라고 할 수 있다. 이러한 활동은 교사로 하여금 교재로부터 거리를 두도록 하는 것뿐만 아니라 학생들에게 자신의 의견을 표현하도록 하는 기회를 제공한다(따라서 개인화의 원칙을 보여준다). 확장은 지역적 감성에 호소할 수 있도록 사용될 수도 있다. Zacharias(2005)는 인도네시아에서 관찰한 교과서에 기반을 둔 수업에 대해 설명하면서, 한 교사가 책에 제시되어 있는 영어권 국가의 데이트 문화에 대해 토론하는 것 대신에 이를 인도네시아의 데이트 문화와 비교했음을 보여준다. 또 다른 교사는 용서를 구하는 내용과 관련된 수업의 예비 말하기 활동을 확장시켰다: '책의 활동을 그대로 따르기 전에, 교사는 인도네시아 사람들은 언제 그리고 어떻게 용서를 구하고 용서하는가에 대해서 학생들에게 질문을 했다'(pp. 32-3). 이러한 예가 보여주듯이, 교과서는 둘 중 한 쪽 방향으로(전 단계 활동 또는 활동 후 단계를 추가함으로써) 또는 두 방향 모두로 발전될 수 있다. Richards와 Mahoney(1996)의 연구에서 각 교사들은 또 다른 다양한 방식으로 교재를 즉각적으로 개작했다: 그들은 지시문을 더 명확하게 하거나, 추가 예시를 제공하거나, 교과서의 문법설명을 확장하거나, 개인적 이야기를 하고 농담을 했다; 또한 Richards(1998b)의 연구에서 경험이 풍부한 교사들도 이와 비슷한 유연함을 보여주었다(표 6.2 참조).

4.3.3 바꾸기로서의 개작

3장에서 바꾸기로서의 개작은 절차와 원칙과 관련하여 논의되었다. 우리는 이미 바꾸기의 몇 가지 예를 살펴보았다. Sampson(2009)의 연구에서 경력교사들은 교재의 *순서*를 *바꾸었고*, Gray(2000)의 연구에서 교사 D는 '술에 관한 교재의 내용을 다루지 않았지만 교재가 가르치고자 한 언어의 기능은 그대로 두었는데'(p. 277), 이는 *대체*의 예를 보여준다: '[저는] 술집의 상황을 교내식당으로 바꾸었어요―술을 언급하지 않지만 가르치고자 한 언어 내용과 비슷한 언어를 포함한 녹음 자료를 찾았습니다'(ibid.). Zacharias(2005)는 학생들이 글로벌 교재의 문화적 내용과 교재의 '다소 어려운' 언어에 대해 느끼는 어려움 때문에 개작하게 되는 대체와 *단순화*에 대해 언급한다: '교사들은 교재에 사용된 예나 본문을 변경하거나 또는 완전히 바꾸어야 할 필요가 종종 있었다'(p. 31). 그는 덧붙여서 '교사들이 학생들에게 적합하도록 교재를 변경하는 경우를 많이 보았다'(ibid.)라고 했지만, 아쉽게도 예는 제시하지 않았다. Ravelonanahary(2007)는 마다가스카르의 교사들이 교과서를 개작하는 수많은 방법을 열거했다. 이러한 방법들은 다음을 포함하고 있는 듯 보인다: *지역화*(교재를 마다가스카르의 현실에 맞도록 개작―어떻게 그렇게 했는지는 설명하지 않음), *단순화*(좀 더 단순한 어휘를 사용하거나 그림을 넣음으로써 본문을 더 이해하기 쉽도록 함; 본문을 축소/요약함; 그리고 필요하면 개념을 마다가스카르 언어나 불어로 설명); 그리고 *복잡화*(활동을 좀 더 어렵게 함). 바꾸는 것은 한 본문 유형에서 다른 유형으로 정보를 전이하는 것처럼(*전환*conversion) 좀 더 급진적일 수 있다. Yan(2007)의 연구에서 몇몇 중국 연수생들은 '본문을 학생들이 공연을 할 수 있는 극본으로 개작했고, 몇몇은 이를 표로 변경했으며, 또 다른 몇몇은 대화를 역할놀이로 바꾸었다.'

Medgyes(1994)는 11개 국가의 325명의 교사들을 대상으로 설문연구를 진행했는데, 이 연구를 통해 비원어민 교사들은 교과서를 사용하지만 원어민 교사들은 다양한 교재를 사용한다는 것을 보여주었다. 헝가리에서 진행된 후속 관찰연구에서는(Arva & Medgyes, 2000) 상기 제시된 연구결과가 어느 정도는 맞다고 할 수 있지만, 수업의 초점(예, 문법 중심 수업 대 회화 수업)이 중요한 요소일 수도 있음을 보여준다. 연구에서 비원어민 교사들은 실제로 교과서를 사용했지만 하나의 수업에서 네 권의 책을 사용했으며, 원어민 교사들은 회화 수업에서 '신문에서 오린 내용, 포스터, 연습문제지의 형태로 자신만의 교재를 개발했다. 학생들도 발표할 프로젝트를 위해 자료를 준비해야 했다'(p. 365). 문법 수업을 했던 한 명의 원어민 교사는 교과서를 사용했다.

Richards와 Mahoney(1996)는 일곱 명의 홍콩의 중등학교 교사들(모두 대학 졸업자이며 평균 4.5년의 교수 경력이 있음)을 대상으로 관찰에 기반을 둔 연구를 진행했다. 각 교사마다 1회 약 40분의 수업을 녹화한 것을 바탕으로 한 연구의 결과는 표로 제시되었고 다음과 같이 요약되었다:

> ... 교사 어느 누구도 교과서만을 가지고 가르치지 않았으며, 그 어떤 교사도 수업 전체를 교과서의 내용으로만 채우지 않았다. 각 교사마다 수업의 일정 부분에는 추가 교재를 사용했으며, 수업 전 그리고 수업 중에 다양한 결정을 내렸는데, 이는 당연히 수업의 내용에 영향을 주었다. 이러한 결정에는 수업 초반에 사용할 활동을 개발하는 것, 이전 학습과 연계하는 것, 한 단원에서 사용하거나 생략할 부분을 선택하는 것, 학생들의 질문을 바탕으로 수업을 이어가는 것, 사용할 수 있는 전략을 알려주는 것 ... 과업을 완성하는 것, 학생들의 문법과 발음의 실수를 바탕으로 후속 드릴을 하는 것, 그리고 어휘연습을 제공하는 것 등이 포함된다. (Richards & Mahoney, 1996: 53)

또한 다음과 같이 덧붙여서 설명한다:

> 교과서를 사용함에 있어 교사마다 개인적이고 상호적인 결정을 내리거나 또는 수업의 어떤 부분에는 교과서를 아예 사용하지 않거나 하는 것에 대한 구체적인 예들이 있다. 이 모든 경우마다 교과서를 장악하고 있는 것은 교사인 듯했다. (Richards & Mahoney, 1996: 60)

관찰 및 326명의 교사 설문연구를 바탕으로 하여, 이 연구자들은 다음의 결론을 내린다:

대다수의 교사들은 교과서의 요구사항을 그대로 따르지는 않는 듯 보인다. 교사가 교과서의 순서나 교수법을 따르지 않기로 결정하거나 또는 책에서 제공된 모든 과업, 활동, 그리고 연습문제를 사용하지 않기로 결정하는 것을 보여주는 강력한 증거들이 있다. 대부분의 교사들은 교과서의 부분을 생략하거나 또는 교과서에 있는 것을 변경하거나 보충하는 것에 대해 스스로 결정을 내렸다. 또한 많은 교사들은 자신이 사용하는 교과서를 보충하기 위해 자신만의 교재를 만든다는 것도 분명하다. 많은 교사들은 자신의 교수 필요성에 따라 여러 교과서들을 사용하면서, 다른 교과서와 함께 자신의 교과서를 사용하기도 했다. 또한 그들은, 예를 들어, 특정 주제에 초점을 두거나 실제 자료를 사용할 때는 교과서를 전혀 사용하지 않기도 했다. 교사용 책을 사용하는 것과 관련하여 연구에서는 교사들이 이를 지침서나 수업계획서로 사용하지 않고 주로 답안을 확인하면서 시간을 절약하기 위해서 사용하는 것으로 드러났다. (Richards & Mahoney, 1996: 59-60)

5. 보충

교사가 교과서를 보충하는 이유는 3장에서 논의했다. 이 장에서는 교사가 어떻게 보충하는지를 주로 다룰 것이다. 개작과 마찬가지로 이에 대한 정보는 개별 연구와 대형 설문연구에서 찾을 것이며, 각 연구의 신뢰도는 다양하다.

보충 교재는 다양한 자료에서 나온다. 인도네시아 교사들은 교육부 인증을 받고 교육부에서 만들어진 세 권의 교과서 시리즈 중 한 권을 사용하도록 되어 있다. 그럼에도 불구하고 각 학교를 대표하는 106명의 교사들을 설문한 Jazadi(2003)의 연구에서 74%의 교사들은 민간출판사에서 나온 교과서를 '가끔' 사용한다고 했으며, 11%는 '대부분 또는 모든 수업 시간에' 사용한다고 했다. 이와 함께 '자신이 만든 교재'를 가끔 사용하는 교사는 63%, 대부분 또는 모든 수업 시간에 사용하는 교사는 13%였다. '가끔' 사용하는 다른 자료로는 실물 교재(56%), 잡지에서 가져온 자료(41%), 안내책자brochures나 팸플릿(37%), 신문(35%), 지정된 것 외에 교과서에 따라오는 오디오 테이프

(32%), 그리고 다른 나라의 교과서(25%) 등이 포함되었다. 모든 다른 자료에 대해서는 20% 또는 그 미만의 응답자가 단지 가끔 사용한다고 했다. Chandran(2003)의 연구에서 말레이시아 교사들은 국정교과서보다는 상업적 교과서를 더 선호했는데, '그렇게 "어렵고 힘든" 일을 할 필요를 느끼지 못했기 때문에' 자신의 교재를 개발한 적이 '거의 없거나' 또는 '아예 없다고'(p. 164) 했다.

교사가 무엇을 사용하는가는 어느 정도는 사용 가능한 것이 무엇이 있는지에 달려있지만, 때로는 무엇이 적절한가에 대한 교사의 느낌에 좌우될 때도 있다. 싱가포르의 중등 직업학교에서 근무하는 23명의 교사들을 설문한 Lee 와 Bathmaker(2007)의 연구에서 가장 흔한 두 가지 보충의 형태는 교사 스스로 개발한 교재와 예전의 시험 문제지(두 명의 교사는 주교재로 사용했고 나머지 교사는 보충 교재로 사용)였다. 일본의 중등학교 교사들을 대상으로 한 Hayashi(2010)의 연구는 다양한 데이터를 사용했는데, 이러한 데이터 중에 연속된 여섯 개의 수업에 대한 수업계획서가 포함되었고, 이 수업 모두는 관찰되었다. 이 중 두 개의 수업만 교과서에 기반을 두었다(이때 교과서는 주로 테이프를 듣고 따라 하면서 발음을 연습하고 번역을 하는 데 사용되었다). 나머지 네 개의 수업에서 학생들은 각자 문법 연습문제지를 완성했고, 그 후 교사는 정답/번역에 대해 질문을 했고 필요하면 설명을 해주었다. 우리는 이 연구를 Acklam(1994)의 연구에서 영국의 사립어학원에서 청소년을 가르치는 한 교사가 교과서를 사용하는 접근법과 비교해 볼 수 있겠다. Acklam의 짧은 연구보고서에는 교과서에 나온 인물 묘사하기에 관한 두 페이지의 단원과 이 자료를 바탕으로 한 세 번의 수업에 대한 교사의 수업노트가 나와 있다. 교과서는 여섯 개의 연습문제 그리고 읽기와 쓰기 요소를 포함하고 있었다. 첫 번째 수업에 대해 교사가 수업 계획을 하면서 내린 결정에 대한 분석은 표 6.5에 나타나 있다.

표 6.5 교사의 수업 계획 결정에 대한 요약

수업	선정	생략	바꾸기	보충
첫 번째 수업	연습문제 2	연습문제 1	연습문제 3	• 수업 예비 활동 • 추가적인 시각 자료 • 듣기 • 시 읽기 • 시 쓰기

교사는 두 번째와 세 번째 수업에서 책에 나온 연습문제 4를 선택했고, 연습문제 5와 6은 개작했다. 또한 읽기와 쓰기 부분은 자신이 만든 활동으로 대체했고, 듣기와 말하기 활동은 보충했다. 이 교사가 계획한 수업은 많은 영어교육 문헌에서 지지하고 있는 유형의 접근법을 잘 보여준다. 즉, 교사는 원교재에 있는 두 개의 연습문제는 그대로 사용하고 네 개는 개작하면서, 교재가 제시한 언어적 목표(즉, 인물 묘사하기에 대한 초점)를 잘 유지했으며, 이와 함께 예비 활동과 추가적인 언어능력 연습문제를 사용하며 원교재를 보충했다.

Yan(2007)의 연구에 참여한 연수생들도 '배경 정보 ... 그룹 활동과 독해 질문'뿐만 아니라 수업 예비 활동과 언어능력 연습문제를 추가했다. Ravelonanahary(2007)는 교사들이 주제와 관계있는 의사소통 중심 활동(역할놀이, 정보차information gap 활동)을 소개했고, 가능한 경우에는 게임, 노래와 발음 활동을 포함시켰음에 주목한다. 최근 모든 5개 대륙의 144국가에서 어린 아이들을 가르치는 4700명의 교사들을 대상으로 한 설문연구(Garton, Copland & Burns, 2011)는 교사들이 선생님을 따라서 반복하기, 큰 소리로 읽기, 빈칸 채우기 및 외우기와 같은 '전통적' 활동에 덧붙여서 게임(69.9%)이나 노래(66.9%)를 자주 사용한다는 것을 보여준다. 또한 이 연구에는 '아이들이 노래에 맞춰 연극을 하는 것'을 포함하여 '연극과 드라마 활동'; 전신 반응법의 사용; 그리고 그림을 그리고 색을 칠하는 활동 등도 언급되어 있다. '또 다른 재미있지만 예측하기 쉽지 않은 활동으로는 ... 아이들이 설문조사와 인터뷰를 하거나, 발표를 하거나(5분짜리 "보고 말하기" 활동에서부터 연구 프로젝트 보고하기까지), 예술과 공예 작품 만들기, 춤추기, 교실 밖 활동(놀이터에서 소풍하기부터 관광여행하기까지), 그리고 내용언어 통합학습법 등이 포함된다'(p. 12). 연구자들은 서로 다른 국가에서 근무하는 다섯 명의 교사들의 수업도 관찰했다. 이 중 세 명의 교사들이 사용한 보충의 예는 다음의 인용문에 설명되어 있다:

> ... 콜롬비아의 교사는 ... 재미있는 의사소통 중심 활동을 소개함으로써 문법적 요소를 가르치는 데 더 생동감을 주고자 노력했다. 특히 이 교사는 아이들의 관심을 끌고 그들의 주의를 집중시키기 위해 음악과 노래, 시각 자료와 어휘 퍼즐을 사용했다. 연극의 요소도 자주 소개되었다. 예를 들어, 아랍에미리트에서는 학생에게 관광객 역할을 하도록 하기 위해 야구모자와 선글라스를 쓰게 하고 카메라를 주었다. 이탈리아에서는 교사가 생일을 맞은 학생이 쓸 수 있도록 '생일' 모자를 준비했고, 나머지 아이들은 미리 잘 연습한 대화를 반복하면서 상상의 선물을 주었다. (Garton et al., 2011: 15)

어떻게 교사가 교과서에 바탕을 둔 수업에서 보충이라는 요소를 포함할 수 있는지를 보여주는 예는 Graves(2000: 188)가 설명하는 브라질의 언어교육기관 교사인 Simone Machado Camillo에서 찾을 수 있다. Simone은 보충 활동을 다음과 같이 분류한다:

- 예비 활동(보통 이전에 다루었던 주제를 바탕으로; 따라서 미리 보기라기보다는 검토로 생각할 수 있다)
- 발표 활동(새로운 주제를 바탕으로 - 예습의 성격을 띰; 책은 덮고 한다)
- 연습 활동(발표 이후; '교과서 활동' 이전 또는 이후; 실제적인 상황에서 의미 있는 연습을 위해)
- 통합 활동(연습 이후; 강화 또는 검토; 보통은 게임)

그녀의 경험에 따르면 어린 학생들은 이러한 활동을 즐기는 듯했다. 하지만 청소년들은 책에 기반하지 않거나 일반적이지 않은 수업활동에 대해서는 약간의 저항을 보이기도 했다. Graves(2000: 191)는 Simone의 유연성을 다음과 같이 강조한다:

> 학습의 수단으로서 학생의 참여를 중요하게 생각한 Simone의 신념이 그녀로 하여금 수업 중 상호작용의 기회를 더 만들기 위해 교재를 개작하도록 했다. 그녀는 학생들의 삶에 더 유의미하도록 수업의 활동을 개인화했다. 각 활동은 학생들이 주어진 서술문이나 응답의 의미에 대해서 생각해보도록 도전의식을 북돋았다. 또한 활동은 학생들이 서로 소통할 수 있도록 구성되었다. 몇몇 경우에 Simone은 책의 활동 전체를 건너뛰었다. 활동에 참여하기 위해서 학생들에게 무엇이 필요한지를 그녀가 이해한 것 — 즉, 편하게 느끼고, 왜 이런 방식으로 활동을 해야 하는지를 이해하는 것 — 이 수업 성공의 주요 요인이었다.

개작의 좀 더 흔한 두 가지 특징에 덧붙여서(더 많은 상호작용을 제공하기 위해 수업운영을 변경하는 것과 유의미성을 증가시키기 위해 개인화하는 것), Graves는 Simone이 감정적 요소에 대해 관심을 가졌던 것을 강조한다('활동에 참여하기 위해서 학생들에게 무엇이 필요한지를 그녀가 이해한 것 — 즉, 학생들이 편하게 느끼고, 왜 이런 방식으로 활동을 해야 하는지를 이해하는 것').

Tsobanoglou(2008)의 연구에서 그리스 교사들 모두는 문법과 어휘를 위한 보충 연습 활동을 제공했다고 했다. 언어능력 활동에 대한 보충은 덜 획일적이었는데, 말하기와 쓰기가 듣기와 읽기보다 더 많이 보충되었다. 스무 명의 교사 중 12명은(60%) 실제 자료를 사용했다고 했고, 여섯 명은 다른 교과서, 문법책 그리고 언어능력 관련 보충 교재를 사용했다고 했다. 학교 이사장들은 인터뷰에서 그들이 영어잡지를 구독하고 있으며, 이는 고급반에서는 독해연습을 위해서 그리고 토론의 자료로서 사용된다고 했다; 초급반에서는 프로섹트를 하기 위한 자원으로 사용될 수도 있다. 한 교사는 인터뷰에서 학생들이 완성한 프로젝트는 다른 학생들을 위한 예시로서 사용하거나 또는 특별한 주제에 대해 논의할 때 자료로 사용한다고 했다. '이러한 자료는 포스터를 사용하는 것보다 더 나은데, 왜냐하면 학생들의 눈에는 자신들과 나이가 비슷한 또래가 만들었다는 점, 그리고 서로 영어수준이 거의 비슷하다는 점 때문에 더 이해하기 쉽게 보이기 때문이다'(p. 45). 또 다른 보충의 예로 언급된 것들로는 학생들을 컴퓨터실로 데려가서 인기 있는 게임('The Sims')을 하도록 하고, 학생들에게 단순현재형과 현재진행형을 사용하여 영웅들의 행동을 서로에게 묘사하도록 하는 것; 그리고 동화 '골디락스와 곰 세 마리'를 바탕으로 시제를 바꿔 쓰는 것 등이 있다.

　　Simone처럼, Tsobanoglou의 연구에 참여한 교사들도 언어능력 수준과 나이가 서로 다른 학생들을 위한 보충 교재의 적절성에 대해 되돌아보았다. 예를 들어, 몇몇 교사들은 시험을 준비하는 학생들은 추가 연습문제가 필요하다고 주장했으며, 다른 교사들은 고급반 학생들이 교과서 이외의 것들을 해야 할 필요를 더 잘 이해할 것이라고 믿었다. 또 다른 관점은 초급반 학습자들과 어린 학습자들이 실물 교재에 더 잘 반응할 것이라는 것이다(이때 실물 교재가 일반적으로 보충 교재를 의미한다고 생각할 필요는 없다). 가장 경험이 많은 네 명의 교사들은(15년 이상의 교수 경력) 수업을 시작할 때 종종 책을 사용하지 않는다고 말했다. 이는 수업관찰을 통해서 증명되었다.

　　이 장에서 제기된 많은 질문들은(왜? 무엇을? 어떻게?) Johansson(2006)의 소규모 인터뷰 연구에서 탐구되었는데, 이 연구는 스웨덴 고등학교의 세 명의 교사와 여섯 명의 학생들을 대상으로 진행되었다. Alice라는 가명의 한 교사는 Johansson이 '대안' 교재라고 부르는 것, 즉 교과서 외의 교재-이 경우에는 실제 자료와 Alice가 직접 개발한 교재-만을 사용했다. Alice는 자신의 목표가 '다양성을 제공하고, 학생들에게 열정과 호기심을 불러일으키는 것'이라고 했다. 왜냐하면 어떤 수업도 서로 같지 않고, 학생들은 이를 교사 평가지에 항상 쓰면서 감사하게 여기기 때문이다. ... 비록 학급이 다양하게 구성되었더라도 ... 학생 집단에 어울리도록 교재를 조정하는 것은, ... 최신의 것이고, 학생들의 삶에 유의미하며, 학생들이 어떤 [직업] 프로그램을 선택했는지에 따라 교재에 색을 입히는 것은 ... 가능하다'(Johansson, 2006: 14). 또 다른 두 남성 교사 Conrad와 Conny는 교과서와 대안 교재를 통합하여 사용했다. Conrad는 인터넷에서 가져온 자료를 많이 사용했는데 이와 함께 토론의 기반으로 영화를 사용했으며, 노래가사와 신문기사도 사용했다. Conny는 인터넷 자료는 덜 사용했는데, 이는 학생들이 다른 자료에 대해서 알기를 희망했기 때문이라고 했다; 그는 소설이나 동명의 영화 그리고 신문기사를 더 많이 사용했다. 세 명의 교사는 교재의 선택과 학생들의 수준 사이의 관계에 대해서도 언급했다. Alice는 초급자는 체계가 필요한데 교과서가 이를 제공한다고 생각했다. 고급수준에서는:

> 학생들이 학습할 동기가 있고 대안 교재가 재미있고 흥미롭다는 확신이 있다면, 이러한 교재는 잘 활용됩니다. 하지만 실력이 없고 게으른 학생들은 교과서에서 찾을 수 있는 체계에 의존하기 때문에 동기를 부여하기가 더 어려워요. 또한 이러한 학생들은 대안 교재의 유의미성과 이러한 교재도 교과서와 같이 수업의 교재라는 것을 이해하는 데 어려움을 겪습니다. (Johansson, 2006: 13)

Conrad 역시 실력이 없는 학생들은 대안 교재를 가지고 학습하는 것을 너무 어렵다고 생각할 것이라고 느꼈다. 그는 지시사항을 단순화하는 것은 가능하지만, 학생들 스스로 해야 하는 프로젝트는 '그들이 자율성보다는 체계가 있는 것을 더 선호하기 때문에'(Johansson, 2006: 16) 실력이 없는 학생들이 하기에는 어려울 것이라고 했다. Fredriksson과 Olsson(2006)의 연구에서 경험이 많은 스웨덴 교사들 역시 그들이 교과서를 사용하는 정도는 학생들에 따라 다양하다고 말한다. 즉, 창의성이 뛰어난 반에서는 책을 덜 사용할 수도 있지만, 영어실력이 낮은 학생들과의 수업에서는 책이 체계와 안정감을 좀 더 줄 것이라고 그들은 생각했다.

학생들이 영어권 국가에서 살고 학습한다면 다른 요소들이 부각된다. Shawer 외 2인(2008)의 연구에서 인터뷰한 영국 맨체스터에서 공부하는 청소년들은 교사들이 실제 자료를 쓰는 것을 훨씬 더 좋아하는 듯했다. 학생들이 한 이야기와 수업관찰을 통해 본 그들의 행동(과 관심)을 봤을 때, 이 환경에서는 실제 자료를 사용해서 보충하는 것이 학생들의 동기 부여에 긍정적 영향을 미치고, 그 반대, 즉 교과서에 의존하고 실제 자료를 사용하지 않는 것은 그들의 동기에 부정적 영향을 미친다는 것을 알 수 있었다. 또한 학생들의 자기보고와 관찰자의 느낌을 통해서 학생들의 학습이 향상되었다는 것을 알 수 있었다.

6. 요약과 결론

홍콩 교사들을 대상으로 한 Richards와 Mahoney(1996)의 연구-대규모 설문과 소규모 관찰을 기반으로 한 연구-의 결론은 '교사들은 교재를 분석적으로 바라보며, 교과서로부터 적절한 자율성을 유지하고 있다는 것'(p. 60)이다. 이는 이 장에서 살펴 본 연구들에 대한 균형 있는 요약이 될 것이다. 그러나 이는 일반화이며, 모든 일반화가 그렇듯이 많은 것을 보여주는 만큼 많은 것을 감추기도 한다. 예를 들어, 개별 교사가 다양한 개작 테크닉을 사용하는가에 대해서 우리에게 통찰력을 제공한 연구는 거의 없었다. 또한 우리는 교사가 어떻게 개작하는 것을 배우는지에 대해서도 잘 모른다-이는 단순히 타고난 감각이나 개인의 경험의 문제인가, 교사들은 동료 교사와의 대화와 같은 비공식적 방법을 통해서 배우는가, 아니면 교육의 결과인가? Shawer 외 2인(2008)의 연구에서는 교사의 교과서에 대한 접근법과 그들의 경험, 전문적 교육, 또는 그들이 가르치는 학생들의 수준 간의 명백한 상관관계는 없는 듯 보인다. 물론 교사들은 학생들만큼이나 서로 다르다. 또한 비록 많은 경우에 교육기관 및 다른 압력들이 교사들이 하는 것을 지배하지만, 사실 교사들은 개

별적인 방식으로 교재를 사용한다. 중국 연수생들에 대한 Yan(2007)의 연구가 이를 잘 보여준다:

> ... 비록 연수생들 모두가 몇몇 연습문제를 삭제했지만, 삭제한 부분은 서로 달랐다. 대부분은 연습문제를 추가했는데, 역시 서로 다른 초점을 부각시켰다. 또한 다수의 연수생들이 수업의 초반에 예비 활동을 추가했는데, 역시 그들의 초점은 다양했다. 어떤 연수생은 어휘에, 어떤 연수생은 주제에 초점을 두었다. 몇몇 연수생들은 본문을 어느 정도 변경했는데, 그 형식은 표나 드라마 또는 역할놀이로 다양했다.

개작과 보충에 대해 더 많은 예를 논하고 싶지만 지면의 문제 및 주제를 균형 있게 다루어야 하기 때문에 더 이상은 논의하지 않는다(Tsui, 2003; Zheng & Davison, 2008; Shawer et al., 2008 연구에 나와 있는 교사들에 대한 자세한 설명 참조). 교사 개인특성의 영향력은 다섯 명의 쓰기 교사—이 중 네 명의 교사는 같은 교재를 사용—의 교수 스타일에 대한 Katz(1996)의 분석에 잘 드러나 있다.

이제 교재와 교사에 대한 학습자의 반응으로 넘어갈 것이다.

7장

학습자 관점

> 교과서는 내가 이해하지 못하는 언어로 나를 겁먹게 만드는 화나서 짖는 개입니다.
>
> (McGrath, 2006: 176에 인용된 학습자)
>
> 우리 영어선생님은 끔찍해요. 선생님은 항상 우리에게 책을 읽어주시거든요.
>
> (Hu, 2010: 61)

1. 서론

학습자들이 교재 평가에 참여해야 한다는 제안은(3장) 5장에서 보고된 교과서 평가 연구에서, 또는 Johansson(2006)이 연구한 이들과 같은 교사들에 의해서 관심을 받아왔다. 하지만, Tomlinson(2010b)은 출판사를 대신해서 12개 국가에서 진행한 설문연구에서 '교과서 선정에 자신의 의견을 낸 학생은 한 명도 보고되지 않았다'(p. 5, 강조 추가)는 것을 지적한다.

    교사가 교재를 개작하거나 보충함으로써 학생들을 고려해야 한다는 좀 덜 논쟁적인 요구에 관해서 이야기해 보자면, 학습자들이 특히 보충을 좋게 생각한다는 몇 가지 확실한 증거들이 있다. 그러나 이러한 증거의 대부분은 학생들의 반응에 대한 교사의 보고서 형태로 이차적이다. 예를 들어, Yan (2007)의 연구에 참여한 연수생들은 교과서의 개작과 보충에 대한 학습자들의 반응에 대해 다음과 같이 언급했다:

> 정말 효과가 있어요! 학생들이 주제를 가지고 토론했을 때, 대부분은 자신이 연구한 것에 대해서 무언가 얘기할 수 있었어요. 자신의 생각을 발표했을 때에도, 모든 그룹이 자원해서 발표를 했습니다.

> ... 제 학생들은 흥미를 느끼고 재미를 많이 느끼고 있어요. 그들은 이러한 방식으로 '참여하면서' 많은 것을 배우고 있다고 느낍니다.

> 학생들이 이러한 활동을 좋아하는 것 같아요. 학생 모두가 다 참여했죠. 서로 의견을 교환하는 것을 좋아합니다.

> 배경 정보를 제공하는 것은 학생들에게 본문을 이해하도록 돕고 흥미를 가지도록 합니다. 학생들이 제공된 연습문제를 수업에서 연습하는 것에 큰 흥미를 보였어요. (Yan, 2007: 4-5)

이러한 보고서는 학생들의 반응에 대한 연수생들의 인식을 반영한다; 우리는 학생들이 실제로 교재와 활동에 대해서 어떻게 생각하는지 또는 그들의 반응이 얼마나 다양한지에 대해서 정확하게 알 수는 없다.

개별 학생들의 이야기를 담은 인용문에 대해서도 비슷한 주장을 할 수도 있다. Block(1991)은 교사가 만든 교재의 개인적인 느낌을 학생들이 매우 좋게 평가한다고 주장한다: '선생님이 교과서 이외에 개인적으로 무언가를 준비했다는 것을 깨달을 때, 학생들은 "오, 정말 열심히 하셨네요"와 같은 말을 합니다'(p. 214). Ramirez Salas(2004: 6)도 비슷한 이야기를 한다: '학생들로부터 "선생님은 정말 창의적이세요" 또는 "이렇게 아름다운 교재를 만드신 것을 보니 정말 하시는 일을 좋아하시는 것 같아요"와 같은 말들을 ... 들었습니다.'

물론 이런 말들이 흐뭇한 것은 사실이지만, 교사는 학생들의 감사를 누리기만 하는 유혹을 뿌리칠 필요가 있고, 학습자들이 일반적으로 교재에 대해 어떻게 느끼는지, 그리고 특히 교재가 흥미롭고/재미있고, 유용한지를―교재와 활동의 선정 및 수정에 도움이 될 만한 피드백을―찾으려고 노력해야만 한다. 이는 사실 교사가 만든 교재뿐만 아니라 교사가 사용하는 모든 교재에 해당된다.

　　2절은 교재에 대한 학습자의 관점을 탐구한 소수의 연구들을 살펴볼 것이다. 3절은 학습자들이 교재 개발에 참여하는 것이나 다른 학습자들이 만든 교재를 사용하는 것에 대한 그들의 반응에 대해 보고할 것이다.

2. 교과서와 실제 자료에 대한 학습자 반응

2.1 학습자와 교과서

Torres의 박사학위 연구에서 필리핀 학습자들은 교과서가 수업에서 그리고 수업 밖에서 도움이 되는 '지침' 또는 그들이 '더 잘, 더 빨리, 더 명확하게, 더 쉽게, 더 많이' 배우도록 돕는 '틀'이라고 여겼다(Hutchinson & Torres, 1994: 318).

　　반면, 5장에서 살펴본 세 개의 회고적 평가 연구에서 학습자들은 비교적 덜 열성적이었다. 글로벌 교과서에 대한 Litz(2005)의 연구에서 한국 대학생들은 교과서 수준의 적절성, 그들이 필요로 하는 언어능력에 초점을 두는 정도, 그리고 유의미성에 대해서 그저 중간 정도로 만족하고 있었다(1-10척도에서 평균 6점). Çakit(2006)과 Al-Yousef(2007)의 연구에서 교육부가 만든 교과서에 대해서는 더 부정적인 반응이 있었는데, Çakit의 연구에서 터키 학습자들은 교재가 흥미를 끌 요소가 부족하고 외관이 매력이 없다고 했으며, Al-Yousef 연구의 사우디 남학생들은 보충 교재와 발음을 다루는 방식에 대해 비판적이었다.

　　위의 세 연구의 결과에서 정형화된 패턴은 찾을 수 없었는데 이는 놀랍지 않다. 연구자들은 서로 다른 설문을 사용했고, 그들의 연구목적도 학습자들이 교재에서 무엇을 원하는지를 찾으려고 한 것이라기보다는 교재를 평가하려는 것이었기 때문이다. 하지만 우리는 연구의 결과를 통해서 Al-Yousef 연구의 취학연령의 사우디 학습자들은 영어의 음운론적 특징이 소개되고 체계적으로 연습할 수 있기를 기대했으며, Çakit 연구의 터키 학생들에게는 흥미와 시각적 매력이 중요함을 추측할 수 있다. 하지만, 이러한 것들은 그저 사용된 연구도구의 부산물일 수 있다; 또한 연구에 참여한 학습자들이 언급한 이러한 요소들이 교재의 다른 측면과 비교하여 그들에게 얼마나 중요한지를 우리는 알 방법이 없다.

우리가 이러한 연구로부터 추측할 수 있는 것은 학습자들도 평가를 할 수 있다는 것이다. 학습자들은 평가척도에서 항상 같은 점수를 선택하지 않는다. 그들은 차별화한다. 평가할 기회가 주어진다면 그들은 때로는 교사를 놀라게 할 수 있는 판단을 내릴 수 있다. 예를 들어, 학습자들은 다음의 인용문이 보여주듯이 가짜이거나 관계가 없는 것을 바로 찾아낼 수 있다:

> Schon wieder so ein dummes Übungsgespräch [또 다른 멍청한 연습용 대화] (어린 독일 학습자가 초중등 교과서에 나온 관광객-경찰의 대화에 대해 언급하며, Jolly & Bolitho, 2011: 111에서 인용)

학습자들은 또한 그들의 학습 경험에 대해서도 정성적 판단qualitative judgements을 내릴 수 있다.

> 다른 교과목들을 수강하며 영국에 네 번 가봤습니다: 이탈리아에서도 수업을 들었는데 학구적인 수업이었어요 - 그러니까 제 말은 - 쓰기, 말하기, 듣기 연습문제를 포함한 시간표가 있었고, 개인의(학생 개인의 또는 교사 개인의) 상상력을 위해 남겨진 것은 아무것도 없었습니다. 반면 제가 막 끝낸 수업은 [모든 기본적인 언어능력을 다루었는데] 모든 것들이 학생과 교사가 협력할 수 있도록 진행되었어요. (Caterina, 2003)

영국에서 막 여름 과정을 마친 이 이탈리아 청소년은 언어학습이 꼭 무미건조하고 인지적이며 '학문적'인 연습일 필요는 없다는 것을 이해하고 있었다. 이 학생이 이전에 경험했던 것 외에 상상력을 자극하는 탐구나 다른 종류의 학생-교사 관계를 위한 범주도 있을 수 있는 것이다. 이 학생은 또한 특정 상황에서는 교과서를 사용하지 않았을 때 학생들의 필요가 더 잘 반영될 수 있다는 것도 깨달았다:

> 이 영어수업은 저에게 새로운 경험이었어요. ... 교과서를 사용하지 않기로 한 선택은 정말 옳은 결정이었습니다. 책이 있다면 보통 책을 따르게 되고 종종 학생의 진짜 필요가 무엇인지 잊게 됩니다. ... 책이 없다면 학생들이 흥미롭게 생각할 어떤 주제라도 다룰 수 있습니다. 필요하다면 다른 책을 찾아보면서요. (ibid.)

학생들 삶과의 유의미성이 교사와 학습자 모두에게 주요 관심사이다. Yakhontova(2001)는 EAP 교재인 *Academic Writing for Graduate Students* (Swales & Feak, 1994)에 대한 우크라이나의 석, 박사과정 학생들의 관점을 연구했다. 이 학생들은 교재가 민족중심적이지 않은 것에 대해서는 호감을 표현했지만, 슬라브족에 대한 유일한 언급이 '러시아어에 대한 한 문장'이었다는 것에 약간 놀랐으며, '이러한 허점에 조금 실망했다'(p. 7)고 했다.

마다가스카르의 교과서에 대한 학생들의 태도를 살펴본 Ravelonanahary (2007)의 설문연구에서는 문화적 유의미성의 부족은 소수의 응답자들이 언급한 비판 중 하나였다. 이 학생들은 또한 '교과서의 활동이 어려웠다고 했다. 그들은 본문은 종종 길고 어려웠으며, 자신들의 사회문화적 환경과 관련되지 않았고, 문법연습은 기말고사를 치를 수 있도록 그들을 준비시키지 않았다'(p. 172)고 했다.

Duarte와 Escobar(2008)가 지적했듯이, 학습자들이 교과서를 부정적으로 느낀다면 그들의 학습동기에 영향을 미칠 가능성이 높다. 이 연구자들은 콜롬비아의 한 대학에서 필수집중영어 수업을 듣고 있던 자신의 학생들이 그들이 사용하고 있는 교과서에서 지역과의 연관성을 발견한다면 학습동기가 더 고취될 것이라고 요약했다. 이를 염두에 두고, 그들은 글로벌 교과서에서 발췌한 것을 개작했다. 연구자들에 따르면 학생들은 개작한 교과서에 대해서 자유롭고 즉석에서 이루어지는 의사소통 기회의 제공, 언어사용에 있어 창의성, 실제 상황을 통한 교재의 지역화 그리고 친근하고 재미있는 주제에 대해 긍정적인 반응을 보였다. 다음의 번역된 학생들의 평은 지역적인 면을 다룬 것에 대해 그들이 감사하고 있음을 보여준다:

교과서는 우리 문화에 맞도록 개작된, 꼭 필요한 표현을 사용하도록 했습니다.

지역적 교재가 언어학습에 동기를 부여합니다. 언어의 모든 부분－문법, 말하기, 듣기 등－에서 언어를 더 잘 이해하도록 돕습니다. (Duarte & Escobar, 2008: 71)

2.2 교과서와 교사

홍콩에서 진행한 McGrath(2006)의 연구에서 그는 교사와 학생들에게 직유나 비유를 사용하여 다음의 문장을 완성하도록 했다: '교과서는 ... 이다.' 학습자들이 제시한 가장 부정적 이미지 중 하나는 본 장의 첫 부분에 인용되어 있다('교과서는 내가 이해하지 못하는 언어로 나를 겁먹게 만드는 화나서 짖는 개입니다'). 실제로 표 7.1에서 볼 수 있듯이 이미지는 매우 긍정적인 것에서부터 매우 부정적인 것까지 다양했다. 긍정적인 이미지를 통해서 확실히 알 수 있는 것은 학습자들은 교과서를 존중하고 있으며(권위의 이미지 참조) 교과서의 내용과 교과서가 제공하는 혜택을 가치 있게 여긴다는 것이다. 어떤 경우에 책은 의인화되기도 한다(예, '우리 엄마', '내 친구'; 하지만 '악마', '전문킬러'와 같은 부정적인 의인화도 있음에 주목하라).

표 7.1 영어교과서에 대한 학습자 이미지의 주제별 분류

주제						
권위	하나님의 사자	성서	어른	타임머신	슈퍼맨	위인
자원	세상을 향한 창	문명	지혜의 바다	열쇠	선생님	어리석은 교사
	버스	자동차				
	사전	신문	도서관	영어 때가	백과사전	참고 도서
	금광	보물	지식의 분수	(닭고기 구물이 드는 병	사물함	슈퍼마켓
	물 한 잔	우유	음식			
	파일 바구니	미인	내가 좋아하는 것			
지원	도구	돈	직업	시험의 열쇠	나의 미래를 위한 눈	사다리
	다리(bridge)	디딤돌	벽돌	벽	강철봉	베개
	나의 부모님	우리 엄마	내 인생의 파트너	내 친구	도와주는 사람	교사
도움	안내	나침반	지도	이정표		
제약	벽 [감옥]	장애물	나의 교복			
	물 한 잔	짜증나게 하는 부모님	못생기고 멍청한 여자친구			
	돌	바위	남 [한 조각]	무거운 큰 덩어리	산	
지루함	잠 오는 약	잠매	유독성의, 이산화탄소와 같은			
흠모 없음	쓰레기통	화장지	배지	무(nothing)		
불안과 두려움의 원인	결점 넘어지게 하는 돌	악몽	사자와 호랑이	치통	엄마	전문 킬러

McGrath, I. 2006. 'Teachers' and learners' images for coursebooks: implications for teacher development', *ELT Journal* 60,2: 171–80.

부정적인 이미지는 교과서가 뭔가 지루하거나(또는 더 나쁘게는 '유독성의'), 쓸모가 없거나, 짐 또는 두려움을 일으키는 것이라는 느낌을 담아낸다.

Kesen(2010)은 키프로스의 한 대학 예비영어수업에 등록한 150명의 터키 성인학습자들로부터 비유를 도출해내는 비슷한 연구를 진행했다. 총 57개의 서로 다른 비유가 만들어졌는데, 가장 자주 언급된 비유는 *외국*(18), *퍼즐*(12) 그리고 *안내*(12)였다. 비유는 부분적으로 학습자의 설명을 바탕으로 하여 15개의 카테고리로 범주화되었다. 표 7.2는 Kesen 보고서에 제시된 두 개의 표에 나타난 데이터를 합친 것인데, 빈도는 *f*로 표시되어 있고, 부정적인 함축을 담은 주제는 사용된 비유를 보여주기 위해서 자세히 설명되어있다.

비록 McGrath의 연구를 잠깐 언급하기는 하지만, Kesen은 다소 놀랍게도 두 연구의 연구방법이나 결과를 비교하지 않는다. McGrath는 단순히 카테고리의 예를 제공하는 반면 Kesen의 연구는 수량화된 결과를 제시했다는 점이나 범주화와 같은 문제는 차치하고서라도, 분명한 것은 두 연구 모두 교과서에 대한 부정적 감정의 증거를 상당 수 찾았다는 것이다. 이는 Kesen의 연구에서 총 비유의 61%를 차지하고 있으며, McGrath가 제시하는 예의 44.5%를 차지한다.

Kesen 연구의 참여자들은 '대륙'과 '산'과 같은 비유는 습득해야 하는 정보의 양을 말하며, '홍수'나 '허리케인'은 그들의 압도당한 느낌 - '그들은 길을 잃었고 곧 실패했다는 것을 알게 되었다'(p. 114) - 을 표현하는 것이라고 했다. 어려움이라는 제목하의 비유 역시 매우 잘 이해가 된다(별에 도달하는 어려움, 초밥을 먹는 어려움, 아이를 키우는 어려움); '퍼즐'은 교과서는 '혼란스럽고' '다루기 어렵다는' 일반적인 느낌을(12회 나타남) 담아냈다. 두려움의 비유에 대한 설명은 없었으나 아마도 필요하지 않을 듯하다. McGrath는 연구의 샘플에 있는 몇몇 이미지는 혼합된 감정을 나타내기 때문에 분류할 수 없었다고 언급한다(예, '교과서는 저의 배고픔을 가라앉히는 흰 빵과 같아요 ... 하지만 맛은 없죠' 그리고 '교과서는 달콤한 꿀이 있지만 수많은 고통스러운 침이 있는 벌집입니다'); 다른 것들은(예, '우물의 입구', '아이의 나무 막대기', '어설픈 광대') 설명이 없이는 이해하기 어려웠는데, 설명은 제공되지 않았다.

표 7.2 교과서에 대한 학습자 비유

긍정적인 함축의 주제	f	%	부정적인 함축의 주제		f	%
기쁨	12	8	두려움	치과	4	6.6
				높은 건물	1	
				호랑이	1	
				어두운 방	3	
				사다리	1	
지도와 깨우침	22	14.6	어려움	아기	1	10
				퍼즐	12	
				초밥	1	
				별	1	
다양성	14	9.3	미스터리	행성	3	16
				외국	18	
				비밀 정원	1	
				우주	2	
여행	10	6.6	큰 사이즈	대륙	3	3.3
				산	2	
취향	6	4	재앙	홍수	2	2
				허리케인	1	
소중함	3	2				
매력	3	2				
성찰	3	2				
힘	10	6.6				
성장	8	5.3				
총	**93**				**57**	

(Based on Kesen, 2010)

Kesen은 부정적인 이미지를 교과서 선정 시 학생들의 태도를 고려해야 하는 중요한 이유로 보았다. McGrath의 결론은 여기서 더 나아간다. 자신의 연구에서 교사와 학습자 이미지를 비교했을 때, 교사 이미지는 하나의 부정적 범주(제약)를 제외하고는 대부분 긍정적이었다는 것을 지적하며, 학습자의 부정적 태도는 부적절한 교과서의 선정이나 또는 교사가 책을 사용하는 방식 때문일 것이라고 추측했다.

교재와 교수법 간의 이러한 차이는 교사에 대한 중국 학습자들의 반응을 묘사해놓은 Hu(2010)의 연구에서 확실하게 드러난다: "'우리 영어선생님은 정말 좋아요. 선생님은 학습을 흥미롭게 만들어요. 우리는 영어수업이 너무 좋아요" 그리고 "우리 영어선생님은 끔찍해요. *선생님은 항상 우리에게 책을 읽어주시거든요.* 우리는 선생님이 싫어요'"(p. 61, 강조 추가). 학생들은 그들의 선생님이 단순히 내용을 전달하는 사람 이상이기를 기대한다; 학생들은 교사가 마치 교과서 저자가 그렇듯이 교재에 숨결을 불어넣기를 기대한다. Hu는 다음과 같이 덧붙인다: '학생들의 이야기를 듣고 나서, 자신의 교수에 만족하지 못한 몇몇 영어교사들은 교수능력을 향상시키고자 노력했지만, 어떻게 해야 하는지를 몰랐다 …' 그리고 '다른 몇몇 교사들은 학생들에게 오해를 받고 부당한 대우를 받았다고 생각하며 호의적이지 않은 학생들의 반응을 전혀 받아들일 수 없었다'(ibid.). 우리는 두 유형의 교사 모두 추가 교사교육을 통해서 분명히 혜택을 받을 수 있을 것이라고 결론지을 수 있을 것이다.

하지만 맨체스터의 한 대학에서 청소년 대상의 국제 수업을 가르치던 10명의 영국 교사에 대한 Shawer 외 2인(2008)의 연구에서 볼 수 있듯이, 교사교육이 꼭 교사의 교과서 사용에 영향을 미치는 것은 아니다. 교사 당 15-22회의 수업관찰, 교사와의 개인 인터뷰 그리고 학생들과의 그룹 인터뷰를 바탕으로, 연구자들은 교사들을 세 집단으로 나누었다. *교과과정 전달자*curriculum transmitter(2명)는 교과서를 그대로 따른 반면, *교과과정 개발자*curriculum developer(5명)와 *교과과정 제작자*curriculum maker(3명)는 교과서를 다양한 수준에서 개작하거나 보충했다. 학습자들은 두 명의 교과과정 전달자인 'Terry'와

'Mary'의 수업을 부정적으로 평가했다. Terry의 학생 중 한 명은 다음과 같이 말했다. 'Terry 선생님은 교과서의 모든 것을 가르쳐서는 안 됩니다. 왜냐하면 어떤 부분은 필요하지 않거든요. 그는 관계있는 것만을 가르쳐야 해요. 예를 들어, 지난번에 스포츠에 대해서 수업을 했는데, 우리는 스포츠 선수의 이름을 들어 본 적도 없어요[들어 봤나요?]. 우리는 관심이 없었어요.' 또 다른 학생은 이미 피드백을 주었다고 했다. '선생님께 다음과 같이 편지를 썼습니다, "교재 외의 것에서 뉴스, 주제나 자료를 추가한다면, 만약 선생님이 바꾸신다면, 우리는 더 흥미롭게 느낄 거예요."' Mary의 학생 중 한 명은 다음과 같이 얘기했다. '선생님이 신문에 나온 간단한 이야기를 소개해 주면 좋겠어요', 그리고 또 다른 학생은 이렇게 얘기했다. '선생님이 처음 가르치시는 것 같아요. 왜냐하면 저는 이 수업에서 무언가를 배우고 있다고 생각하지 않거든요. 똑같은 책이라서 흥미가 없어요.' 연구에 참여한 10명의 교사 중 Mary는 가장 자격을 갖춘 교사였다(RSA 수료증과 TESOL 석사학위 소지자).

2.3 학습자와 실제 자료

실제 자료를 사용하기를 원한다고 강하게 표현했음에도 불구하고, Shawer 외 2인(2008)의 연구에 참여한 몇몇 학생들은 교과서와 실제 자료를 함께 사용하는 것을 선호하는 듯했다(예, '섞는 것이 더 좋아요'-p. 18; '교과서는 우리가 학습해야 하는 지식을 위해서는 필수적이지만, 예를 들어, 신문이나 뉴스는 우리 주변환경에서 쓰이는 영어를 알도록 해줍니다'-p. 19).

Johansson(2006)의 연구에서 스웨덴 고등학교에 근무하는 세 명의 교사 중 두 명, Conrad와 Conny는 교과서와 다른 (대안) 교재를 함께 사용했다; 세 번째 교사 Alice는 대안 교재만을 사용했다. 세 교사 모두 학생들로 하여금 교과서를 평가하고 교재에 제안을 하도록 권했다고 했으며, 학생들은 실제로 수업이 이러한 방식으로 진행되었음을 확인해 주었다. 그러나 Conrad는 다음과 같이 지적한다. '몇몇 학생들은 무엇을 할지를 결정하고 싶다고 말하지만 실제로는 자신들이 무엇을 하기를 원하는지 모르기 때문에 결정하지 않았고, 결국 그들을 위해 결정을 내리는 것은 제 몫이었어요'(p. 17).

세 교사가 학생들을 참여시키는 방식은 서로 조금 달랐다. Conrad는 매 학기 초에 학생들이 무엇을 원하는지 질문했다. Alice는 각 수업의 첫 시간에 설문을 시행했고, 여기에서 학생들의 이전 학습 경험, 그들이 어떻게 학습하고 싶은지 그리고 어떤 주제가 그들에게 흥미로운지의 정보를 찾아냈다.

그녀는 또한 서면 평가를 완성하라고도 했다. 그녀는 다음과 같이 덧붙인다: '모든 수업이 적어도 구두로 평가된다고 할 수 있어요; 요즘 학생들은 뭔가 맘에 들지 않는다면 얘기를 할 거예요. 그리고 교실에서도 분위기를 감지할 수 있죠'(pp. 14-5). 그러나 Alice는 이러한 평가가 교사에 대한 비난으로 보일 수도 있기 때문에, 학생들은 수업에 비판적인 것에 대해 조심할 수도 있다는 것을 인정했다: '자연과학 프로그램의 학생들은 성적에 조바심을 내고 교사에게 잘못 보일까봐 두려워하기 때문에 수업에 비판적인 것에 가장 어려움을 느낍니다. ... 그럴 땐 익명의 서면 평가로 학생들의 의향을 살펴야 합니다'(p. 15).

연구자가 인터뷰 한 여섯 명의 학생들은(각 수업에서 두 명씩) 일반적으로 교사가 대안 교재를 사용하는 것에 대해 매우 긍정적이었지만, 이러한 긍정적인 반응이 그들이 교과서보다 대안 교재를 더 선호한다는 것을 의미하는 것은 아니었다. Johansson은 학생들의 수준이 한 요인이 될 수 있다고 추측한다. 스웨덴의 성적체제는 MVG(특별 우등 합격), VG(우등 합격), G(합격) 그리고 IVG(불합격)으로 이루어져 있다. 인터뷰한 학생 중에서 교사들이 가장 실력이 낮다고 평가한 학생들은 자신의 친구들보다 교과서에 대해서 더 긍정적인 견해를 보였는데, 그렇다고 이러한 경우가 항상 있는 것은 아니었다. Conrad의 수업에서 G학생인 Rosa는 교과서를 선호했다. Conny반의 G학생인 Niklas는 교과서를 지루하다고 여기며 대안 교재를 사용하는 것을 선호했지만, 그럼에도 '교과서를 통해서 더 많이 학습한다고 믿고 있었다'(p. 21). Conny반의 VG학생인 Natalie는 다음과 같이 언급했다: '교과서를 따르는 것은 좋습니다. 하지만 최신의 새로운 것을 가지고 수업을 하는 것이 항상 재미

있어요 ... 교과서에는 지루한 본문이 종종 있는데, 그래도 교과서에 나오는 어휘와 문법은 여전히 좋습니다'(ibid.).

사용되는 교재의 유형이나 학생 수준과의 적절성과 함께 안정감에 대한 학생의 필요나 교사가 교재를 사용하는 방법과 같은 다른 요인들도 관계가 있는 듯하다. Alice반의 MVG학생인 Adam은 다음과 같이 말한다: 'Alice와 같이 독창적인 교사가 아니라면 교과서가 아마도 더 나을 것이라고 생각합니다'(p. 20).

베트남 교사인 Nguyen(2005: 5)이 다음에 제시하는 이야기는 보충 교재의 사용에 대한 학생들의 반응이 교재가 특별히 지역적 흥미를 위해 선택된 상황에서조차도 언제나 예측 가능한 것은 아니라는 것을 보여준다:

> ... 제 학생들이 최근에 베트남에서 종교의 자유가 부족하다는 미국의 소리 Voice of America 방송을 들었어요. 저는 베트남 사람들은 언제나 종교적 자유를 누리고 있기 때문에 이러한 전제를 지지하지는 않았습니다. 그럼에도 이 놀라운 뉴스는 영어 문법구조에 대해 좋은 수업을 하도록 했을 뿐만 아니라 재미있는 문화적 토론의 주제를 제공했습니다. 방송 이후에 저는 학생들이 자신의 의견을 표현하기를 원했는데, 한 학생이 매우 화가 나서 일어서서는 뉴스는 사실이 아니며 이러한 수업활동을 경찰에 신고하겠다고 위협했어요. 결국 그 학생은 진정을 했고, 이 활동의 의도가 다른 나라의 관점을 살펴보는 것을 통해서 문화적 의식의 고취를 일깨우고 비판적 사고를 장려하며 영어실력을 발전시키려는 것임을 이해했습니다.

Nguyen은 다음과 같이 덧붙여 이야기 한다:

> 학생이 그렇게 반응할 거라고는 생각하지 못했습니다. 다른 학생들은 그 방송에 대해서 흥미를 가지고 있는 듯했고, 자신의 의견을 나누기를 원했거든요. 하지만 이는 여전히 불쾌한 경험이었습니다. 제 의도는 학생들의 마음에 자극을 주고, 그들이 말을 하도록 하려는 것이었지 고통을 주려는 것은 아니었습니다. 하지만 저는 그 방송이 단지 베트남에 관한 것이었다는 이유

로 모든 학생들에게 토의하기에 재미있는 주제일 것이라고 당연하게 생각하는 실수를 했습니다.

그는 또한 교재가 실제 자료라는 사실만으로 학생들의 흥미를 끌기에 충분하다고 생각했을 수도 있다.

영화의 사용에 대한 이러한 증언은 일본 대학생의 수업일지에서 찾을 수 있다:

영화는 정말 유용하고 재미있고 쉽게 배울 수 있는 도구라고 생각합니다. … 실제로 영화에 나오는 영어는 자연스러운 말하기 영어이기 때문에 저는 영화로부터 몇몇 표현이나 단어를 배웠습니다. 영화를 학습의 교재로 좋아하는 사람은 저만은 아닐 거라고 생각해요. 그렇다면 여분의 시간이 있다면 왜 그런 교재를 더 많이 사용하지 않나요? (Gilmore, 2010: 119, Gilmore, 2007: 41을 인용[9]))

Gilmore는 이는 '많은 교사가 본능적으로 믿는 것-학습자들은 영화와 같은 실제 자료에 동기 부여가 잘 된다는 것-을 뒷받침한다'(p. 117)고 말한다. 그의 보고서는 어떻게 영화 담화film discourse가 학습을 위해서 활용될 수 있는지에 대한 매우 자세한 기술적 지침을 포함하고 있다.

일본에서의 또 다른 연구에서, Nishigaki(nd)는 듣기 활동의 수준(그리고 유형)과 그 효과 및 즐거움의 관계를 연구했다. 사십 명의 대학교 1학년생들은(20명은 영어전공자, 20명은 비영어전공자) 상업적 듣기 교재(Listen First 그리고 Listen for It)와 영화 'The Secret of my Success'를 가지고 수업을 받았다. 영화가 두 집단 모두에게 더 선호되었는데, 동기 수준은 영어전공자들 사이에서 더 높았다. Nishigaki는 영화가 비영어전공 학생들에게는 언어적으로 너무 어려웠고 그들을 '압도했다'고 결론 내렸다(p. 76; http://mitizane.ll.chiba-jp/ metadb/up/AN10494742/KJ00004297069.pdf 참조).

---

9) citing Gilmore, 2007: 41

Peacock(1997b)의 연구가 보여주듯이, 교재와 동기의 관계는 매우 복잡하다. Peacock은 초급반 영어수업에 등록한 한국 대학생들과 7주간의 연구를 진행했다. 연구기간 동안 20회가 넘는 수업을 하면서 학생들은 교과서를 보충하기 위해서 실제 자료(시, 방송시간표, 짧은 기사, 영어잡지의 조언 칼럼, 미국 팝송, 잡지광고)나 또는 '만들어진' 교재를 교대로 사용했다. 학생들의 응답은 다양한 도구(수업관찰, 수업행동에 대한 양적 측정, 자기보고 설문 그리고 둘씩 하는 인터뷰)를 사용하여 측정되었다. 8단원에서 실제 자료에 대한 학생들의 동기는 상승하는 듯 보였지만, 전체적으로는 흥미와 가치의 상관관계는 약했다. Peacock은 흥미는 동기의 다른 측면들과 분리될 필요가 있다고 결론지었다.

우리가 예상할 수 있듯이, Nishigaki의 연구에 참여한 학생들처럼 초급 단계 학생들의 주요 이슈 중 하나는 교재의 난이도 수준이었던 듯하다. 표 7.3은 Peacock 연구의 인터뷰에서 학생들이 언급한 것을 선별하여 보여준다. 주목할만한 것은 난이도는 두 유형의 교재와 관련해서 언급되었으며, 한 경우에는 그들의 동기에 영향을 미친 듯하다는 것이다('덜 흥미롭다 … 주제가 너무 어렵다'). Peacock의 보고서는 같은 유형의 교재에 대한 학생들의 말을 직접적으로 비교하도록 하지는 않는다. 그러나 만들어진 교재 또한 학생들의 마음을 끌었다는 것은 분명하다.

표 7.3 만들어진 교재 그리고 실제 자료에 대한 초급자들의 평

만들어진 교재	실제 자료
언어가 너무 쉽다	매우 가치가 있지만 … 어휘가 매우 어렵다
다르지 않고 … 그렇게 좋지 않다	재미있다 … 다르기 때문에
매우 효과적이며 … 재미있다	더 어렵지만 유용하다 … 좋다
정확한 표현에 대해서 생각하도록 하고 … 매우 흥미롭다	진짜다 … 나에게 의미가 있다

재미있지만 ... 나에게는 조금 어렵다	덜 재미있다 ... 주제는 우리에게 너무 어렵다
(나에게는) 너무 과하다	너무 어렵다

(Based on Peacock, 1997b: 151-2)

열 개의 서로 다른 학교에서 311명의 16세 폴란드 학생들을 대상으로 한 Krajka(2001)의 설문연구도 교과서와 실제 자료−이 경우에는 웹에 기반을 둔 자료−에 대한 학생들의 태도를 조사했다. 학생들은 다섯 권의 영국에서 만들어진 교과서를 사용했는데, 이 책들은 모두 1996-2000 사이에 출판된 것들이다. 응답자의 거의 3분의 1은 교과서의 본문과 녹음이 지루하다고 생각했으며, 비슷한 수의 학생들이 책이 조금 구식이라고 생각했다. Krajka는 인터넷은 더 재미있는 실제 자료에 접근하도록 함으로써 교과서에 유용한 보충 교재를 제공한다고 주장한다. 인터넷을 얼마나 자주 사용할 것이냐는 질문에, 대부분의 학생들은 조심스러운 대답을 했는데, 77%는 '때때로'라고 답했다.

2.4 교재의 유형, 활동 선호도, 주제

교사들이 학교 내 교재를 개발할 경우, 학습자들이 좋아할 교재의 종류와 그들이 선호할 활동의 유형에 대한 정보는 요구분석 과정의 중요한 측면이다.

자율학습 문법 연습문제에 대한 청소년들의 태도를 살펴본 Fortune (1992)의 연구에서는 좀 더 전통적인 (연역적) 연습문제가 선호되고 있음을 확인할 수 있었다. 학습자들은 친숙한 것에 더 안정감을 느끼는 것이다. 수업에서 학생들의 참여를 증가시킬 수 있도록 베트남 교사를 도와주려고 했던 Dat(2003)의 시도는 학생들로부터 엇갈린 반응을 얻었다. 예를 들어, '26%는 교사가 늘 그래왔던 것처럼 세세하게 가르쳐주고, 그들의 실수를 고쳐주고, 모두 따라할 수 있도록 큰 소리로 읽는 것과 같이 발음을 훈련시켜 주기를 원했다'(p. 187). St. Louis, Trias와 Pereira(2010)가 그들이 개발한 학교 내 교재에 대해 베네수엘라 예비 대학생들에게 물었을 때, 대부분의 학생들은 문법에 기반을 둔 연습문제가 더 많기를 희망했으며, 그들의 모국어로 문법을 더 설명해 주기를 원했다. 이와 함께 더 많은 구두연습 및 자신을 표현할 수 있도록 하는 쓰기 활동의 기회에 대한 요구도 있었다.

Spratt(1999)은 홍콩의 한 대학에서 필수영어과목을 듣는 997명의 대학생들의 수업활동 선호도를 조사했다. 그 결과 연구에 참여한 대학생들은 짝활동이나 개별 활동보다는 그룹 활동, 역할놀이보다는 토론, 그리고 쓰기 활동(예, 빈칸 채우기)보다는 구두연습 활동(예, 발음, 문법연습)을 더 선호하고 있음을 알 수 있었다. Spratt은 상기 연구가 우리가 흔히 비슷한 활동이라고 생각하는 이러한 활동의 유형을 구별했다는 점에서, 그리고 학습자 선호도에 대한 교사의 믿음과 학습자의 실제 선호도가 비교적 잘 일치하지 않았다는 점(50%)에서 가치가 있다고 주장했다. 그러면서도 그녀는 이러한 종류의 결과는 상황과 학생에 달려있다는 점을 조심스럽게 지적했다.

학생들의 희망과 흥미에 대한 정보는 교과서를 사용하는 교사에게도 도움이 될 수 있다. 예를 들어, Graves(2000)는 다음과 같이 이야기한다: '브라질의 제 학생들은 … 기능적 언어를 더 연습하고 문법은 덜 강조하기를 원한다고 말했고, 역할놀이가 언어의 기능을 연습하기에 가장 이상적인 방법이라고 느낀다고 했어요.' 이러한 피드백은 그녀가 교과서의 어떤 연습문제에 더 시간을 쏟을지, 어떤 것은 생략하고, 또 어떤 것은 숙제로 내줄지에 대해 결정하는 데 도움이 되었다. Flack(1999)은 16세 이상의 50명의 폴란드 학생들을 대상으로 학기 시작과 끝에 말하기 활동의 형태로 설문조사를 한 연구에 대해 보고한다. 첫 번째 설문은 학생들이 사용하게 될 교과서의 주제에 대한 그들의 흥미도를 설정하기 위해서 만들어졌다. 두 번째 설문은 이러한 주제와 관계된 본문을 학생들이 얼마나 흥미롭게 생각했는지를 질문했다. 학생들은 대다수의 주제가 본문보다 더 재미있다고 생각했는데, 가장 점수가 낮은 주제는 '영국 중심의' 본문이었다. Flack은 전반적으로 이 접근법이 학생들에게 가장 재미있는 주제와 가장 재미없는 본문을 알도록 해주기 때문에 유용하다고 생각했다.

그는 다음과 같이 결론을 내린다: 주제 및 이와 관련된 본문이 재미없다고 느껴질 때는 둘 다 대체해야 하며, 본문이 재미있지만 주제가 지루하다면 본문은 그대로 두되 좀 더 집중적으로 활용해야 하며, 주제가 재미있으나 본문이 그렇지 않다면 본문을 대체해야 한다. 당연히 다른 결론도 도출해낼 수 있다—예를 들어, 잠재적으로 흥미로운 본문에서 시작하는 것이 좋을 것이고, 비교적 지루한 본문은, 만약 언어적 내용이나 담고 있는 내용이 중요하다고 생각되면, 재미있는 방식으로 활용될 수 있을 것이다.

어떤 주제와 활동 유형이 특정 학급의 흥미를 끌 가능성이 있는가에 대해 알기를 원하는 교사에게는 몇 가지 질문으로 충분할 것이다. 여덟 명의 터키 아이들과 진행한 아래 제시된 인터뷰를 통해서, 이 학급을 담당하는 교사는 꽤나 많은 잠재적으로 유용한 정보를 얻게 된다. 다섯 살에서 여섯 살의 아이들은 2년에서 4년 동안 영어를 배워왔으며, 몇몇은 이중 언어 사용자들이다.

교사: 왜 영어를 학습하는 것을 좋아하나요?

Artun: 왜냐하면 저는 시카고에 가고, 시카고에서 많은 사람들이 영어를 말해요. 저는 공룡박물관에 갔고 공룡 사람이 저에게 영어로 말해요.

Arda: 저는 Fox Kids나 BBC Prime을 봐요. 모든 영화를 영어로 볼 수 있어요. Jordan(Arda의 친구)은 영어를 말하지 못해요. 때때로 그 애 집에서 놀아요. 우리는 배트맨놀이, 해적놀이를 하며 놀아요. 다 영어로요.

Aykun: 이 학교에 오는 것이 좋아요. 수업이 좋고 그림들이 좋아요. 영어로 퍼즐하는 것이 좋아요. 영어수업에 많은 좋은 것들이 있어요.

교사: 영어수업에서 어떤 활동을 하고 싶나요?

Haruka: 이야기 나누기 활동circle time을 좋아해요. 이야기를 듣고 그림들을 보는 것을 좋아해요. 특히 친구들과 인형놀이를 하는 것이 좋아요.

Melisa:	학교 연극을 좋아해요. 친구들과 쇼를 하고, 가면 만드는 것을 좋아해요. 여자애들은 착하고 남자애들은 나빠요. 그렇지만 Artun과 Aykun은 남자애들이지만 때로는 착해요.
Artun:	저는 노래 부르는 것을 좋아하고 노래에 맞춰 춤추는 것을 좋아해요. 저는 노래를 아주 아주 잘해요.
교사:	영어에서 가장 좋아하는 단어는 무엇인가요?
Bora:	저는 'bottom'이 좋아요. 'bottom' 입을 많이 움직여요. 'bottom'이라고 말하면 친구들이 웃어요. 친구들은 'bottom'이 나쁜 단어라고 말하지만, 저는 'bottom'이 나쁘다고 생각하지 않아요!
Yasemin:	제가 가장 좋아하는 단어는 'lovely'예요. 왜냐하면 단어가 lovely하니까요. 저는 또 horse와 sweetheart를 좋아해요. 엄마가 저를 sweetheart로 부르고, 저는 제 말을 sweetheart로 불러요. 저를 'sweetheart'로 불러주실래요?
Melodi:	제가 가장 좋아하는 단어는 'horse'예요. 왜냐하면 저는 말타기를 좋아하거든요. 저는 모든 말을 좋아해요.
교사:	영어에서 좋아하지 않는 단어가 있나요?
Evren:	'thief'를 좋아하지 않아요. 왜냐하면 thief는 나쁜 사람이니까요. 아빠가 도둑을 감옥에 가둔다고 했어요. 학교에서 열심히 하지 않거나 엄마 말을 듣지 않으면 도둑이 될 수 있어요.

(*Humanising English Teaching*, 2001: 1-2)

아이들 중 아무도 남자애들에 대한 Melisa의 얘기에 반응하지 않았고, Yasemin의 요청에 대한 교사의 반응은 녹음되지 않았다. 하지만 학교에서 열심히 공부해야 한다는 Evren의 단호한 경고는 적어도 그 수업에서만큼은 아이들이 열심히 공부하도록 했다.

물론 학습자들이 스스로 흥미가 있다고 한 것은 특정 교재에 대한 그들의 반응과 일치하지 않을 수도 있다. 교재가 '사소하고', '학습자를 과소평가하고' '그들에게 동기를 부여하지 않는다'(p. 79)는 점에서 (초급 단계의) 교과서에 나온 자료를 비판했던 Saraceni(2003)는 영국 대학생들로부터 그들이 생각하기에 논쟁거리가 될 수 있는 주제들을 이끌어 냈다. 이러한 주제들에는 사형선고, 낙태, 유전공학, 정치, 인종차별, TV가 있었다. 그러나 그녀가 수업에서 다양한 토론 주제를 실제로 해봤을 때, 가장 자극적인 주제는 가족, 관계, 감정 그리고 내적 자아와 관련된 것들이었다. 이에 대해 그녀는 다음과 같이 말한다: '이런 주제들은 보편적으로 매력적이지만 동시에 문화적으로 차이가 나고 매우 주관적이다. 따라서 수업에서 서로 다른 반응들을 일으켰다'(ibid.). 그녀는 또한 몇몇 학생들은 안전한 주제를 선호한다는 것도 인정했다.

3. 학습자가 만든 교재를 사용하는 것에 대한 학습자 반응

앞 장에서 제시했듯이 학습자 중심의 교육을 한다는 것은 자연스럽게 학습자가 만든 교재라는 개념—즉, 교수의 목적으로 학습자가 만든 교재의 사용—으로 이어진다. 이러한 교재와 이와 관련된 활동의 범위는 교사가 교수의 책임을 학습자와 나눌 준비가 되어있는 정도에 따라 스펙트럼 상에 넓게 분포되어 있다. 예를 들어, 스펙트럼의 위험이 적은 한 쪽 끝에는 교사가 학생들의 쓰기나 말하기 과업에서 드러난 실수의 예를 제시하고 이러한 것들을 고치라고 할 수 있다; 스펙트럼의 또 다른 끝으로 가면 학습자들은 다른 학습자들을 가르치기 위한 교재를 만드는 과업을 할 수도 있다.

이러한 활동에 대해 설명할 때 흔히 이야기되는 주제는(리뷰를 위해 McGrath, 2002 참조) 이러한 교재가 학습자들에게 매우 인기가 있다는 것인데, 반면—이 장의 처음에 언급했듯이—학습자의 관점에서 이러한 경험을 평가하려는 체계적인 시도는 논의에서 제외되는 경향이 있다.

Kanchana(1991)는 태국의 한 대학에서 27명의 학생들에게 자신의 동급생들을 가르칠 교재를 만들도록 한 프로젝트를 사용한 경험에 대해서 보고한다. Kanchana는 교재를 만들면서 다져진 협동심의 가치와 과업디자인 단계에서 '진짜의 실제 언어'(p. 38)를 사용한 것(학생들은 영어를 사용하도록 장려되었지만 태국어 사용도 허용되었다)을 긍정적으로 평가했다. 학생들의 피드백 역시 이러한 활동의 가치에 대해 인식하고 있음을 보여 준다. 피드백 중 몇 가지는 감정적인 측면에 초점을 두고 있다(예, '편안한', '재미있는', '즐거운'); 다른 학생들은 언어적 가치를 언급했다('지식', '어휘', '듣기')(p. 39). 이전에 영어에 흥미가 없었던 학생들의 마음이 바뀌었는지는 확실하지 않지만, 적어도 한 학생은 '영어는 어렵다고만 생각했었는데 지금은 잘 할 수 있을 것 같아요'라고 말했다. 또 다른 학생은 '그룹 발표는 계속되어야 합니다'(ibid.)라고 확고하게 말했다.

학습자가 만든 교재를 교수목적을 위해 사용하는 것은 학생들이 비교적 성숙하고(예, 십대 후반과 성인) 언어실력이 상당히 높을 때에만 실현가능할 것이라고 생각할 수도 있다. 따라서 싱가포르에서 시간제 현직교사교육 수업을 듣고 있었던 초등학교 교사들의 긍정적인 평가는 흥미로운 사실을 보여줄 뿐만 아니라 고무적이다. 한 교사는 다음과 같이 이야기 한다. '저는 ... 학생들에게 이 실험의 목적과 어떻게 그들이 미래의 학습자들에게 학습자가 만든 교재의 "디자이너 겸 공동저자"가 될 수 있는지를 이야기했습니다. 모두 흥분된 마음으로 미소를 지었고 활짝 웃었습니다'(Rayhan M. Rashad, 2011). 또 다른 교사도 이야기 한다. '학생들은 교과서나 선생님이 만든 교재 대신에 자신이 만든 교재가 사용되는 것을 보고 아주 기뻐했습니다 ... 많은 학생들이 참여했고, 제가 받은 피드백 중 가장 좋은 피드백을 받았어요'(Dhilshaadh Balajee, 2011). 학생들의 높은 동기 부여도 자주 언급되었다. 한 반에서는 짝끼리 시를 쓰기도 했다. '어떤 짝들은 동기 부여가 되어 두 번째 시를 쓰기도 했습니다. ... 한 학생은 집에서 따로 시를 써서 그 다음 날 저에게 보여주기도 했죠. 저는 그 즉시 그 시를 게시판에 붙이고 모든 학생들이 서로 나누고 배울 수 있도록 했어요.' 다른 효과도 관찰되었다. '학생들이 자신이 쓴 것을 큰 소리로 읽었을 때, 그들이 경험하고 있는 성취감이 얼마나 큰지를 그들의 미소와 웃음소리로 확실히 알 수 있었어요. 다른 학생들에게 친구들의 작품에서 그들이 발견한 세 가지 가장 좋은 점(감상)을 말하도록 했습니다. 긍정적인 말들로 인해 시를 쓴 학생들은 자부심으로 가득차 있었습니다'(Anusuya Ramasamy, 2011).

어떤 교사들은 좀 더 공식적인 평가를 시행했다. 한 수업에서는 교사가 학생들에게 자신만의 본문을 바탕으로 연습문제지를 만드는 것을 어떻게 생각하는지 물었다. '대부분의 학생들은 자신이 만든 연습문제지가 독특하고 "하나밖에 없는 것이고", 온전히 자신들의 것이기 때문에 주인 의식을 경험했다고 했다.' 몇몇은 교사처럼 느꼈고 이러한 경험을 재미있다고 생각했다. 학생들은 파트너가 자신이 만든 질문에 답을 할 수 있는지 그렇지 않은지를 알아내는 것에 '들떠있었다.'

몇몇 반에서 학생들은 시간을 더 주는 것, 짝 활동보다는 그룹 활동을 하는 것, 컴퓨터실을 사용하는 것과 같이 활동이 더 향상될 수 있는 방법을 제안하기도 했다. 또한 파트너가 자신이 만든 연습문제지의 질문 대부분에 답할 수 있다는 것을 알게 된 학생들은 '이는 자신들이 준 힌트 때문이라고 결론짓고' 그들이 '힌트를 주지 않고' 이와 비슷한 활동을 할 수 있는지를 물었다.

상기 제시된 싱가포르에서 진행한 연구들에서(논의를 더 보고 싶다면 McGrath(출판 예정) 참조) 교사들은 학습자가 만든 서로 다른 유형의 교재를 가지고 실험을 했다. 영어교육 학계에서 관심을 받은 한 가지 유형은 학생들이 자신의 발표를 전사한 후 이를 스스로 수정하도록 하는 것이다(Lynch, 2001, 2007 참조). 이러한 유형의 좀 더 정교한 형태로서, Stillwell, Curabba, Alexander, Kidd, Kim, Stone과 Wyle(2010)은 일본의 한 대학에서 1학년 영어 프로그램에 등록한 20명의 학생들과 함께 일련의 활동을 했다. 이 활동에서 학생들은 먼저 포스터 발표를 하고 이를 녹음했으며, 이후 짝과 함께 자신과 짝의 발표를 전사했다. 그 다음으로 학생들은 자신의 발표 전사본과 짝의 전사본을 수정했으며, 이를 교사가 다시 고쳤고 다시 두 번째 구두발표를 했다. 과업 후 설문에 대한 학생들의 응답을 양적으로 요약한 것은 표 7.4에 제시되어 있다(1 = 전혀 도움이 되지 않음, 5 = 매우 유용함).

표 7.4 활동 각 단계의 유용성에 대한 학생들의 평가(퍼센티지)

	1	2	3	4	5
내가 말한 것을 전사하기	—	—	4	52	44
파트너가 말한 것을 전사하기	—	8	48	28	16
나의 실수를 고치기	—	—	4	12	84
파트너의 실수를 고치기	—	4	32	32	32
선생님이 수정해 주기	—	—	—	8	92
말하기 활동을 다시 하기	—	—	12	24	64

Stillwell, C., Curabba, B., Alexander, K., Kidd, A., Kim, E., Stone, P. and Wyle, C. 2010. 'Students transcribing tasks: noticing fluency, accuracy, and complexity'. *ELT Journal* 64.4: 445–55.

저자들에 따르면 많은 경우에 두 번째 발표는 처음 발표와 매우 달랐는데, 몇몇 학생들은 수정한 것을 잘 활용했다. 이러한 경우에 교사 수정이 학생들의 자가 수정보다는 더 많이 재사용되는 경향이 있었지만, 재사용의 정확성은 55%로 거의 비슷했다. 위의 표에도 반영되었듯이 교사 수정에 대한 선호도는 교사가 영어 원어민이었다는 사실이 설명해 준다. 학생들이 짝의 발표 전사문을 작업한 단계에 대해 비교적 낮게 평가한 것이나 마지막 항목의 평가 범위에 대해서 저자들은 다른 언급은 하지 않았다.

　위에서 설명한 학습자들의 반응은 대체로 긍정적이었을 수도 있지만, 짝과 함께하는 활동에 대해서 학생들이 낮게 평가했다는 점은 주의를 기울일 필요가 있다. 학습자들은 동료 평가를 통해서 학습하는 기회에 대해서 늘 긍정적으로 반응하는 것은 아닌 듯하다. Sengupta(1998)는 홍콩의 중등학교에서 15-16세 여학생들로 이루어진 학급을 위해 수업활동을 개발했는데, 이 활동은 교사의 설명을 듣고 나서 학생들이 먼저 자신의 작문을 평가하고, 짝에게 피드백을 주고, 마지막으로 자신의 작문을 다시 쓰는 것이었다. 분석을 위해 12명(여섯 팀)의 학생들의 작문이 선택되었고, 여섯 명의 여학생들이 활동에 대해 인터뷰하기로 동의했다. 이 분석을 통해 발견한 것은 글쓰기 수정 작업의 어떤 부분도 동료 피드백을 바탕으로 한 것은 없는 듯했다는 것이다. 이는 후속 인터뷰에서도 드러났다. 학생들은 무엇보다 정확성에 사로잡혀 있었고, 정확성이 국가시험의 평가에 주요 기준이 된다는 것을 잘 알고 있었으며, 그들의 선생님(원어민)이 이러한 정확성에 대한 판단을 내릴 수 있는 유일한 사람이라고 생각하고 있었다.

> 학생 1: 저는 쓸모없다고 생각해요 ... 저는 선생님으로부터 어떻게 제 작문을 더 잘 만들 수 있는지 알고 싶어요. ... 더 많이 ... 좋은 HKCE 점수를 받도록. ...
>
> 학생 2: 그게 선생님의 일이죠 ... 업무. (Sengupta, 1998: 23)

학생들은 또한 반 친구가 자신의 작문을 읽는 것에 대해 당황해 했고, 이러한 평가연습을 두서없이 했다.

> 학생: 저는 제 반 친구가 제 작문을 읽는 것을 좋아하지 않아요. 제 작문에 실수가 많거든요. 저는 ... 좋아하지 않아요 ... 친구들이 웃을 거예요. ... 그래서 저는 빨리 읽고 종이에 무언가를 써요.
>
> 연구자: '무언가'는 무슨 뜻인가요?
>
> 학생: 무언가요. 그러니까 피드백이나 뭐 그런 거요. 종이를 채워요ㅡ아ㅡ그냥 채우는 거죠. (pp. 22-3)

Sengupta는 다음과 같이 결론을 내렸다:

학교 교과과정에 있어 교사와 학습자의 전통적 역할이 너무나 뿌리 깊게 박혀있어서, 유일하게 가능한 지식에 대한 해석은 지식은 교사에서 학생으로 전달되고 학급 공동체에 의해서는 만들어질 수 없다는 것인 듯하다. 교사의 역할에 대한 이러한 인식이 다루어지지 않는다면, 동료 평가는 중요하게 여겨지지 않을 것이며, 중등 ESL 학생들에 의한 협력적이고 자율적 학습은 실현되지 않을 듯하다. (p. 25)

여기에 학습자교육('훈련')과 교사교육에 대한 함의가 있다. 하지만 우리는 여전히 홍콩 학습자들의 반응이 교육 조건의 결과인 것인지 아니면 학습자가 만든 교재에 대한 이전의 경험이 그러한 변화를 가져온 것인지에 대해 답을 찾지 못했다.

4. 요약과 결론

이 장에서 설명한 연구들이 보여주듯이, 학습자들은 교재, 활동, 교수활동과 흥미에 대해 피드백을 제공할 수 있으며, 이러한 피드백은 교재 개발에 정보를 제공하고 교사의 의사결정 과정에 도움이 된다. 이러한 정보의 대부분은 해당 교사에게 가장 직접적인 연관이 있겠지만, 이와 함께 비슷한 특성을 가진 학습자들을 가르치는 다른 교사에게도 가치가 있을 것이다. 그러나 현재는 학습자들의 관점은 영어교육 문헌에 잘 드러나 있지 않은 듯하다. 이는 교사가 학습자 피드백을 체계적으로 얻으려고 시도하지 않거나 또는 그들이 발견한 것을 보고하지 않음을 나타낸다. 이러한 요점과 지금까지 논의한 것에서 드러난 논점이 제언하는 바는 다음 장에서 고려할 것이다.

8장

상황의 영향과 개별 요소

> 교사들은 ... 전통적으로 지식을 학생들에게 전파하는 역할을 하는 것으로 기대되고, 대부분의 수업은 교사가 앞에 서서 진행을 하며 수업을 장악하는 형태이다. 가장 두드러진 교수 스타일은 설명하는 것이다. 교과서가 의사소통 중심이라고 하더라도, 교사들은 대화나 다른 본문을 크게 읽고 학생들에게 따라서 읽으라고 한 후, 대화나 본문을 번역할 것이다.
>
> (Hayes, 2008: 60)
>
> 제가 보수를 받지 않고 일주일[의 많은 시간]을 근무한다면, 저는 헌신적인 것일까요 아니면 바보인 걸까요?
>
> (Crookes & Arakaki, 1999: 4에서 인용된 교사)

1. 서론

5장에서 7장까지 우리가 살펴본 것은 교사가 어떻게 교재와 상호작용을 하고 학습자의 의견을 반영할지에 대한 기대와 실제로 무슨 일이 일어나는지의 사이에 간극이 있는 듯하다는 것이다. 현재까지의 문헌—물론 현실을 부분적으로만 나타낼 수 있는—을 바탕으로 판단하자면, 경험이 풍부한 교사들은 교재 사용 시 즉흥적으로 사용하지만, 교사의 *계획된* 개작은 보통 특정 연습문제나 활동을 생략하거나 그 절차를 변경하는 것으로 제한되어 있고, 보충은 예비 활동을 첨가하거나 복사한 또는 다운로드 받은 연습문제를 사용하는 것에 국한되어 있다는 것이다; 또한 교재 선정은 주로 직관적인 과정인 듯하고, 학습자들이 잠재적으로 공헌할 수 있는 바는 거의 활용되고 있지 않다.

Bell과 Gower(2011)가 제시한, 그리고 2장에서 인용한 이러한 상황에 대한 이유 중 몇 가지는 '교사의 준비 시간의 부족, 교육부나 교육기관의 과도한 권력, 시험의 요구, 또는 전문적 교육의 부족'(p. 138)이다. 좀 더 일반적인 차원에서 Sampson(2009)은 학교 내에서 준비한 교재를 사용하고 있는 한 대학의 언어센터에 대해 보고하면서 교육기관과 개인의 제약을 구별한다. 교재 준비를 위한 시간 부족 외에도, 교육기관 제약은 표준화에 대한 압력도 포함된다. 많이 회자되는 개인적 제약으로는 교재를 평가하고 개작하는 것에 대한 경험의 부족, 원교재를 개발하는 데 있어 자신감의 부족이 있다. 또한 Sampson이 말하는 '스스로를 제한하는'self-limiting 경향, 즉 '교과서는 경험과 지식을 가진 누군가에 의해서 집필되었기에 교수법과 내용에 있어 권위를 가지고 있다는 ... 생각'(p. 202)도 있다. 세 명의 중국 중등교사의 교수활동에 영향을 미치는 요인에 대한 논의에서, Zheng과 Davison(2008)은 공립학교 상황에 더 잘 적용될 수 있는 세 가지 '복잡한 영향력'을 강조한다. 이는 다음과 같다:

- *외부 영향력*: 목표 교과과정, 목표 교수법, 그리고 국가의 평가체제
- *내부 영향력*: 교사의 학습과 교수 경험, 교사의 교수와 학습에 대한 개념, 전문적 교육, 교사의 삶의 이야기, 그리고 그들의 메타인지적 사고 과정
- *상황적 영향력*: 학교 관계자와 학부모의 기대, 학생들의 적성과 태도, 학교 문화, 자원, 그리고 동료와의 상호작용 (Based on Zheng & Davison, 2008: 172-3).

이 장에서 우리는 이러한 영향력과 요인, 그리고 그 결과를 좀 더 자세하게 살펴볼 것이다. 2절은 왜 교사들은 기대되는 방식으로 교재를 사용하지 않는 가를 고려할 것이다. 3절에서는 왜 교재 선정과 교재 평가는 체계적이지 않은 가를, 그리고 4절에서는 왜 교사는 교재 개발과 평가에 학습자를 참여시키지 않는가를 살펴볼 것이다.

2. 왜 교사들은 기대되는 방식으로 교과서를 사용하지 않는가?

어떤 상황에서는, 그리고 특히 논의 중인 교과서가 공식적인 교육부가 만든 책이거나 또는 대형 교육기관의 내부 교과서라면, 교사는 표준화를 위해 교과 서를 충실히 따르도록 기대될 것이다. 반대로 자신의 책이 모든 상황에 적합 하지는 않을 것이라는 것을 알게 된 글로벌 교과서 저자는 일반적으로 교사들 에게 교재를 개작하라고 권한다. 6장에서 살펴본 설문연구의 결과를 바탕으로 본다면, 교사들은 이러한 기대를 항상 따르는 것은 아닌 듯하다. 그들은 책을 따르도록 기대될 때는 책에서 벗어나서 가르치기도 하고, 개작하도록 기대될 때는 책을 충실히 따를 수도 있다.

　　글로벌 교재를 열심히 따르는 경향은 경험이 없는 교사의, 특히 언어능 력이 제한되어 있거나 교사교육을 거의 받지 않았거나 한 번도 받은 적이 없 는 교사의 특징인 듯하다. 다음의 한 태국 선생님의 얘기에서 볼 수 있듯이 말이다. '처음 학교에서 직장생활을 시작했을 때, 저의 교과 부장선생님이 수 업에 들어가기 전에 책을 주셨어요. 저는 교과과정이 어떤지 몰랐고 별로 신 경 쓰지도 않았습니다. 그냥 책을 따라서 그대로 가르쳤고, 책이 교과과정이 라고 생각했어요.'('Arunee', Hayes, 2008: 63에서 인용). 경험이 쌓이면서, 교 사들은 어떤 활동이 수업에서 잘 될 것이고 그렇지 않을지에 대한 직감과, 이 전과는 다르게 할 수 있는 자신감을 개발하게 된다. 전문적 교육 그리고 아이 디어를 기꺼이 나누고자 하는 경험이 풍부한 동료 교사와 함께 작업하는 기회도 변화를 가져온다(Tsui, 2003). 따라서 우리는 대부분의 경우에 시간이 지나면 교사가 점점 더 독립적인 교육적 결정—즉 교재를 사용하는 방식을 개작하는 결정—을 내리게 될 것이라고 기대할 수 있다.

저자로서 자신의 관점에 대해 이야기하며 Maley(1995)는 교사가 교재를 개작해야 한다는 것에 동의하면서도, 그가 말하는 '거부'sabotage에 대해서는 걱정의 목소리를 낸다:

> ... 나의 교재를 사용하는 누구든지 교재를 다르게 해석할 것이다. 그리고 같은 교사라도 두 번의 서로 다른 교수 상황에서 똑같이 사용하지는 않을 것이다. ... 이는 나를 많이 걱정시키는 것은 아니다. 교사들은 자신의 학생들을 나보다 훨씬 더 잘 안다. 학생들을 한 번도 만나보지 않은 나는 절대 알 수 없다. 교사들은 수업에서 특정 순간에 무엇이 가장 적절한지를 잘 안다. ... 하지만 내가 피하고 싶은 것은 교사가 잘 이해하지 못한다는 이유로 또는 교사가 교재에 동의하지 않는다는 이유로 내 교재가 완전히 저항적으로 거부되는 것이다. 후자의 경우에 교사들이 그들에게 억지로 떠맡겨진 교재를 뒤엎으려고 한다는 것은 잘 알려져 있다. (p. 224)

그가 말하는 거부의 예는 Hayes(2008: 60)가 제시하는 태국 학교의 교사들의 경우에 잘 드러나 있다. '교과서가 의사소통 중심이라고 하더라도, 교사들은 대화나 다른 본문을 크게 읽고 학생들에게 따라서 읽으라고 한 후, 대화나 본문을 태국어로 번역할 것이다.' Maley는 이러한 매우 급진적인 개작의 형태에 대한 이유로 두 가지를 제시한다. 즉, 교사들이 무엇을 해야 하는지 이해하지 못했거나(교사교육의 부족) 또는 그들이 의사소통 방식에 동의하지 않는 것이다(즉, 의사소통 중심 접근법에 이론적으로 반대하거나 또는 자신의 학생들의 필요에 적합하지 않다는 이유로). 중등 직업학교에서 학생들을 가르치는 싱가포르 선생님에 대한 연구에서, Lee와 Bathmaker(2007)는 교사들이 학습전략과 고차적 해석능력higher order interpretive skills을 가르치도록 개발된 활동을 생략했는데, 이는 그들이 이러한 활동이 '언어능력 수준이 낮다'(p. 365)고 판단되는 학생들에게 도움이 된다고 믿지 않았기 때문이라고 지적한다.

표 8.1은 교사들의 실제 교수활동이 어떻게 그리고 왜 그들에게 기대되는 것과 다른지에 대한 분석을 제시한다.

표 8.1 왜 교사들은 기대에 부응하지 않는가

교사의 역할에 대한 기대	기대에 부응하지 않는 교사의 행동	교사 행동에 대한 이유
교사는 교과서를 따를 것이다.	교사는 교과서를 거의 사용하지 않고, 만약 사용한다 할지라도 개작한다(생략하거나 바꾸는 방식으로).	교과서와 학습자 필요 사이의 부조화 교수법에 반대
교사는 부적합한 것을 생략하면서 분석적으로 교재를 사용할 것이다.	교사는 모든 것을 다 한다.	교재에 대한 믿음 자신감 부족(경험 부족) 교육 부족 시간 부족 동기 부족 조직 내의 자유 부족
교사는 창의적으로 교재를 개작할 것이다.	교사는 항목들을 생략하지만, 원 교재에 더 이상의 변경은 하지 않는다.	자신감 부족 교육 부족 시간 부족 동기 부족 조직 내의 자유 부족
교사는 학습자들의 필요를 충족하기 위해 교과서를 보충할 것이다.	교사는 때때로 복사한 연습문제를 사용할 수도 있지만, 다른 추가 교재는 사용하지 않는다.	실행 상 제약 자신감 부족 교육 부족 시간 부족 동기 부족 조직 내의 자유 부족

세 번째 열에서(이유) 우리는 다수의 되풀이해서 나타나는 주제들을 볼 수 있다. 이들은 깔끔하게 보이도록 하기 위해서 같은 순서로 제시되어 있는데, 이

러한 주제들의 중요성은 교사의 역할, 상황 그리고 교사의 전문적/개인적 특성에 따라 달라질 것이다. 각각의 주제를 좀 더 자세하게 살펴보자.

2.1 실행 상 제약

많은 교사들이 자신이 컨트롤할 수 없는 요인들 때문에 힘들어 한다. 이러한 요인들에는 기초적인 자원이 부족한 것도 포함된다. 학습자의 수에 알맞게 교과서가 충분치 않은 상황도 있고(Chavez, 2006; Ravelonanahary, 2007), 녹음기가 없거나 또는 전기공급이 원활하지 않아서 교과서 패키지의 중요한 부분인 녹음 자료를 사용할 수 없는 경우도 있다. 녹음기가 있다고 하더라도 많은 교사가 함께 사용해야 할 수도 있다. 한 콜롬비아 교사는 다음과 같이 이야기한다. '저희 학교에는 학교 전체에 녹음기가 하나 밖에 없어요. 때로는 사용하기 2주 전에 미리 녹음기를 예약해야 해요. 음악 교사, 프랑스어 교사, 그리고 체육 교사도 동시에 녹음기를 사용하고 싶어하니까요.'(Gonzáles, 2000, Gonzáles Moncada, 2006: 8에서 재인용). 사우디아라비아에서 새로운 교과목이 소개되었을 때의 상황에 대해 보고하면서, Al-Yousef(2007)는 시각 자료나 오디오 테이프와 같은 구성요소가 몇몇 학교에 공급되는 것이 지연되거나 또는 교사용 지도서가 충분히 없는 경우도 있다고 언급한다. 개발도상국에서 보충 자원은 거의 드물거나 없을 수도 있다(St. George, 2001, Farooqui, 2008에서 재인용). 최근 인터넷 자료에 대한 접근성이 많이 증가했지만, 여전히 세계 곳곳에는 복사기조차 부족해서 헌신적인 교사들이 복사점을 이용해서 스스로 복사본 값을 지불해야만 하는 교육기관도 존재한다(Yan, 2007).

　　학생과 교사가 쉽게 움직일 수 없게 하는 교실 내의 가구도 특정한 교실 활동, 예를 들어, 그룹 활동이나 짝 활동을 방해하기도 한다. Farooqui(2008: 203)는 방글라데시의 교실을 다음과 같이 묘사한다:

　　학생들은 칠판을 향해 놓여있는 책상을 앞에 두고 마룻바닥에 볼트로 고정되어 정렬되어 있는 긴 나무 벤치에 줄지어 앉는다. 교사가 여기 저기 움직이고 다니며 학생들이 무엇을 하고 있는지 볼 수 있는 공간은 거의 없다. 학급이 매우 크기 때문에 … 교사가 학생들을 짝 활동에 참여시키면, 교사 근처에 앉은 학생들은 그렇게 하지만, 나머지는 하지 않는다. 학생들은 서로 이야기를 하고, 이는 소음을 일으킨다.

Farooqui의 연구에서 수업관찰을 했을 때 학생들의 평균 수는 70-80명이었으며, 교사 부족은 때로 학급을 합쳐야 하는 것을 의미했다. 이렇게 많은 학생들을 데리고 수업을 하게 되면서, 교사들은 전통적인 강의방식으로 전환하는 것 외에는 다른 것을 할 수 없다고 느꼈다. 그러나 이 역시 뒤에 앉은 학생들은 강의를 들을 수 없었고 교사가 칠판에 쓴 것을 볼 수 없었을 수도 있었기 때문에 효과적이지 않았다.

2.2 부조화

앞서 논의한 이러한 제약 때문에, 교사들이 저자가 의도한 방식대로 교과서를 사용하지 못할 수도 있다. 하지만 교사들이 교재가 학생들에게 적절하지 않다고 느낀다면, 그들은 책을 사용하지 않기로 선택하거나 또는 교재를 거의 이용하지 않을 수도 있다. 말레이시아 반도에서 진행한 58명의 영어교사의 교재 사용에 관한 연구는(Fauziah Hassan & Nita Fauzee Selamat, 2002) 교사들이 교과서보다는 연습문제집을 더 많이 사용함을 보여준다. 이에 대해 교사들이 제시한 이유는 다음을 포함한다:

> … 교과서는 너무 딱딱해요, 그리고 몇몇 구절은 너무 어렵습니다.

> 교재가 적절하지 않다고 느끼기 때문에 교과서를 거의 사용하지 않습니다. … 학습자들의 사고능력을 향상시키지 않아요.

> 교재가 너무 구식이고 … 연관성도 너무 없으며, 실제적이지 않아서 사용할 수 없어요.

... 교수요목과 맞지 않습니다.

상기 인용문에서 언급된 문제들, 그리고 이와 관련된 교과서와 국가시험 사이의 부조화와 같은 문제들은 다른 연구에서도 등장한다(Wang, 2005; Lee & Bathmaker, 2007; Zheng & Davison, 2008; Tomlinson, 2010b 참조). 어떤 경우에는 경제적 또는 정치적 요소가 역할을 하기도 한다. Ravelonanahary (2007)에 의하면, 마다가스카르에서 사용하는 교과서는 다른 상황에 맞도록 만들어졌고(예를 들면, *Go for English* 시리즈는 원래 서아프리카를 위해 만들어졌다), 따라서 교과과정이나 학습자의 요구에 맞지 않았다. 한편 부조화라는 문제는 아마도 시스템의 한, 두 가지 요소는 바뀌었지만 다른 요소들은 바뀌지 않았을 때 가장 흔하게 나타날 것이다. 상기 언급한 말레이시아 교과서는 교과서 외의 것들(교수요목, 그리고 교사들이 교재로부터 무엇을 원하는지에 대한 관점)이 변화했음에도 바뀌지 않은 듯하다. 다양한 상황에서 근무하는 26명의 방글라데시 교사들을 대상으로 한 Farooqui(2008)의 연구에서, 교사들은 새로운 교과서의 내용에 대해서 찬성했다. 하지만 몇몇 교사들은 교재에 문학적 요소가 부족하다고 느꼈으며, 이와 함께 시골 지역에 있는—많은 나라에서도 그렇겠지만 보통 도시 지역의 학생들보다 낮은 언어능력을 가지고 있는—학생들에게 적합한지에 대해 의구심도 내비쳤다. 또한 많은 교사들은 교재에 포함된 모든 활동을 교사용 지침서에 기술된 것처럼 가르칠 수 있을지에 대해서도 회의적이었다. Farooqui(2008: 206)는 다음과 같이 결론 내린다: '이 연구는 정책 차원의 교과과정과 교육적 현실 사이의 부조화를 보여준다.'

앙카라에 있는 현직교사교육 프로그램에서 진행한 교사들의 경험에 대한 Arikan(2004)의 연구에서, 아홉 명의 교사들은 이와 비슷하지만 좀 더 강력한 목소리를 냈다. 이 연구는 교사들의 관심사를 고려하지 못한 교사교육자에 대한 교사들의 깊은 불만족을 보여준다. 인터뷰에서 한 교사는 다음과 같이 이야기한다:

또 이런 식이죠. 항상 이런 사고방식이 존재해요. 우리는 항상 다른 은하계
에서 온 영어교수방법론을 배워요. 우리는 뭐죠? 우리 수업에서 잘 진행되
는 교수법은? 터키에서는요? 앙카라에서는요? (Arikan, 2004: 46)

－그리고, 아마도 이 교사는 앙카라나 이스탄불의 도시 지역과는 멀리 떨어진
아나톨리아의 마을에서 잘 진행되는 교수법에 대해서도 말을 했을 것이다.

부조화의 가장 명백한 유형 중 하나는 교과서와 시험 간의 부조화일 것이
다. 대만의 중학교 상황에 대해 언급하면서, 한 교사는 다음과 같이 지적한
다: '새 교과서가 기초능력시험에 부합하지 않는다는 것은 모순이에요. 최근
교과서는 의사소통, 대화를 강조하지만, 시험의 초점은 여전히 읽기와 쓰기입
니다'(교사 2, Wang, 2005: 77에서 인용). Farooqui(2008)의 연구도 교과서의
듣기와 말하기 활동이 기말시험에 나오지 않기 때문에 등한시된다는 것을 발
견했다.

Smotrova(2009)는 하나의 교수요목/접근법에서 다른 방식으로 전환하는
동안에 겪는 우크라이나 교사들의 어려움에 대해서 설명한다:

새로운 교수요목이 [2004년부터] 단계적으로 도입되기 때문에, 교사들은 여
러 연령층의 학생들에게 다른 교수요목을 사용해서 가르쳐야 했다. 예전의
교수요목은 학생들이 언어정보를 수동적으로 듣는 문법-번역식 원칙에 바탕
을 두고 있었고, 새로운 교수요목은 학생들이 적극적이고 창의적 학습자로
서 참여하는 의사소통 중심의 원칙을 기반으로 했다. 대부분의 초중등 교사
가 문법번역식으로 교육을 받았고 해외로 여행을 해 본 경험이 없기 때문에
새로운 교수요목을 도입하는 것은 어려운 것으로 드러났다. 그 결과 EFL
교수 상황에서는 여전히 반복과 암기가 가장 많이 사용되고 있다. 이와 함
께 몇몇 교사들은 문법-번역식 방식을 의사소통 중심 요소와 통합할 수 있
었다고 보고하며, 이를 통해 대부분의 교사들의 강점에 더 잘 부합하는 교
수법을 만들 수 있었다고 했다. (Tarnopolsky, 1996)

누군가는 문법번역식 방식과 의사소통 중심 접근법을 통합할 수 있었던 교사들이 영어교육 문헌에서 지지하는 바처럼 교재를 개작하고 있는 것을 의미하는 것이라고 해석할 수도 있겠다. 하지만 새로운 교수요목을 만든 사람들과 교재 저자들은 이와는 다른 견해를 가질 수도 있을 것이다. 인용문의 중간 부분을 바탕으로 판단해 보자면, 다른 방식으로 교수하는 것에 대한 교육의 부족과 함께 새로운 접근법에 대한 확신의 부족 때문에 교사들이 항상 가르쳤던 방식대로 가르치는 결과를 낳은 듯한데, 이는 흔히 생각할 수 있는 상황이다.

아시아에서 의사소통 중심 접근법을 사용하는 것에 대한 어려움에 관해서 많은 연구보고서가 있어 왔다(중국 상황에 관해서는 Burnaby & Sun, 1989, 그리고 한국 상황에 관해서는 Li, 1998 참조). Ning Liu(2009)는 최근한 논문에서 다음과 같이 Hinkel(1999: 15-16)을 인용한다:

> ... 서양의 교사들은 보통 교과서를 그들이 선택적으로 활용하는 자원으로서 사용하며 학생들을 활발한 토론에 참여시키고자 한다; 반면 중국 학생들은 보통 교과서를 교사 및 권위자로서 여기고 교사가 책을 자세히 설명하기를 기대한다. 학생들은 교과서의 지식을 무비판적으로 받아들이면서 주의 깊게 수업을 들으며 학습한다.

따라서 무엇을 어떻게 배울지에 대한 학습자들의 기대는 교재와 교수법에 있어 새로운 것을 소개하는 데 장애물이 될 수 있다. 방글라데시에 대해서 Chowdhury(2003)는 다음과 같이 말한다: '가정의 문화와 EFL 수업/교재의 문화는 종종 서로 조화를 이루지 못하고, 수업에서 제시된 가치관과 교수방법은 생경하기 때문에 인정을 받지 못합니다.' 이 요점은 더 널리 적용 가능하다. 새로운 요소의 가치를 충분히 확신하고 있지 못하거나 이것을 어떻게 도입할지에 대해 자신이 없는 교사들은 더 쉬운 길을 가기로 결심하고 학습자들에게 그들이 원하는 것을 제공할지도 모른다.

2.3 조직 내의 자유의 부족

교재의 사용과 관련하여 교사의 자유는 외부적으로 한 가지 이상의 영향력에 의해서 제약을 받는다. 교육체제가 상당히 중앙집권화된 공교육 기관에서는 교육부에 의해 결정된 정책은 공식 교과서에 반영되고, 국가시험은 주요 요소일 것이다. 어떤 환경에서는 학부모가 영향을 미칠 수도 있다. 책을 돈을 내고 샀다면, 사용되어야만 한다.

교육기관 자체도 압력을 행사한다. 상당수의 학생들이 수강하는 필수영어 교과를 운영하는 대학의 언어센터는 내부의 교재를 만들 수 있고, 명백한 이유로 모든 강사가 비슷한 방식으로 이 교재를 사용하도록 할 것이다 (Sampson, 2009). 민간교육기관에서도 일련의 학교들은 내부 교과서를 만들고 심지어는 특정 교수법이 사용되도록 지정할 수도 있다.

Hayes(2009)는 한 태국 교사를 통해서 동료 압박의 영향력을 보여준다. 이 교사는 첫 근무지가 자신이 학생으로 학습을 했던 학교였다:

> ... 제가 처음 이 곳에 왔을 때, 저의 선생님, 제 옛날 선생님이 영어를 가르치는 법을 저에게 보여주셨는데, 선생님들이 옛날 방식으로 가르친다는 것을 깨달았어요. 그러니까 그들[학생들]에게 어떻게 발음하는지, 어떻게 읽는지를 보여주고, 그 후 학생들에게 스스로 해보라고 하는 방식, 교사 중심적 방식이죠.
>
> 그러니까 읽고 태국어로 번역하는 방식이요?
>
> 네, 그리고 연습문제지를 많이 사용하셨어요 - 학생들에게 풀어보라고 하고, 그 후 정답을 말해주셨죠. (Hayes, 2009: 91)

이 교사가 다른 방식으로, 즉 좀 더 학생중심의 방식으로 교수하려고 했을 때, 학생들이 아니라 동료 교사들로부터 반대에 부딪쳤다. 그들은 특히 수업에서 나오는 소음에 불만을 가졌다:

첫 해에 학교를 그만두고 싶었어요. 어머니에게 여기서 가르치고 싶지 않다고, 교사가 되고 싶지 않다고 얘기했어요. 왜냐하면 제가 하고 싶은 것은 아무것도 할 수 없었거든요. 제가 가르칠 때마다 [선배 교사들이 말했어요] '또 Sudarat 수업이군.'

수업이 시끄러워서요?

네, [선생님들은] 제가 교실 앞에 서있을 때도 제 학생들을 혼냈어요. 화장실에 가서 울었죠. 많이 울었어요. (ibid.)

이 이야기는 행복한 결말로 끝난다. 'Suradat'(교사의 진짜 이름은 아님)은 마음을 굽히지 않고 결국 교사교육자가 되었다. Sudarat이 특별한 경우가 아니다. Johansson의 인터뷰에 응한 스웨덴 교사 한 명도 교과서보다는 대안 교재를 선호했는데, 이전 학교에서 동료들에게 '직접적으로 그리고 뒤에서'(p. 15) 비난을 받았던 경험이 있다고 했다. 이 교사가 새로운 학교에서 가르치는 것을 관찰하고 학생들에게 얼마나 인기가 많은지를 알고 있는 Johansson은 다음과 같이 추측한다. '다른 교사들이 이 교사가 학생들에게 인기가 있다는 것을 받아들이기 어려웠을 수도 있었다는 게 하나의 설명이 될 수도 있다'(ibid.).

순응해야 하는 압박감은 실용적인 측면도 있다. 홍콩의 중등학교에 대해서 설명하면서, Law(1995: 113)는 다음과 같이 이야기한다. '... 저학년 담당 교사들은 통일성과 포괄범위를 보장하기 위해서 교과서를 더 엄격히 따라야 했다. 테스트와 시험도 주로 교과서에서 가르친 내용에 바탕을 두었다.'

일본의 사립어학교에서 중등 저학년을 가르치는 교사인 'Mrs. Tanaka'에 대한 연구에서, Hayashi(2010)는 학교라는, 그리고 같은 과목을 가르치는 교사라는 '소집단 문화' 내에서 그녀가 칭한 '수평적' 그리고 '수직적' 제약을 밝혀냈다. 다음 인용문의 첫 번째에 수평적 제약이, 그리고 마지막 인용문에 수직적 제약이 기술되어 있다:

'한 가지 제약은 Mrs. Tanaka로 하여금 의식적으로 순응하도록 했고, 같은 학년을 가르치는 선생님들과 "보조를 맞추도록" 했다.' (p. 130) ... '그녀는 수업계획서의 어느 부분도 변경하거나 또는 수업에 새로운 활동을 추가할 수 없었다.' (p. 320) '그녀는 변경할 수 없는 스케줄을 따라야만 했다.' (p. 130)

'또 다른 압박감은 [고학년] 반을 가르치는 교사들로부터 왔다. ... 그녀가 근무하는 학교는 종합기관이었기 때문에, 저학년 반을 담당하는 교사들이 주요 책임자로 간주되었고, 학생들의 기초학력에 대해 거의 모든 책임을 지는 것으로 여겨졌다.' (p. 130)

이 학교가 좋은 학문적 평판을 가지고 있었고 학부모도 자신의 아이들이 결국은 대학에 입학할 수 있을 것이라는 기대가 있었기 때문에, 교사가 느끼는 수직적 압박감은 상당했다. '학교는 대학입학시험에서 더 높은 성공률을 기록하는 것을 목표로 하며, 영어과목을 시험의 중요한 과목 중 하나로 강조했다. Mrs. Tanaka는 이러한 학교의 목표를 이해하고 따라야 했다'(p. 321).

시험 성공에 대한 중요성과 사방에서 오는 교사에 대한 압박감은 말레이시아 교사의 언급에서도 드러난다:

시험 성적이 내려가면, 아시다시피 교장선생님에게 불려가고, 교장선생님은 '좋아요, 자, 다른 과목들을 보세요, 왜 영어가 가장 점수가 낮나요?'라고 말할 거예요. ... 따라서 선생님들은 성적에 집중하는 경향이 있습니다. ... 그들을 비난하지 않아요.

학생들의 눈으로 보면, 네, 물론 학생들이 말하겠죠. 아무개 선생님이 나에게 영어를 가르쳤던 분이시다 ... 하지만 학생들이 C 또는 B를 받게 되면, 제가 좋은 선생님이 아니라고 말할 거예요 ... 결국은 학생들도 자신이 받은 점수를 바탕으로 평가를 하는 거죠. (Fauziah Hassan & Nita Fauzee Selamat, 2002: 7)

이 연구에 참여한 교사들의 지배적인 견해에 동의하지 않았던 한 교사 역시 어떤 시점에서는 순응해야 했음을 인정했다: '저는 시험지향적인 사람은 아닙니다. 저는 학습자들이 배우고 있는 것을 이해할 수 있도록 ... 도우려고 하는 ... 학습자들을 교육하는 데 더 관심이 있습니다', 그렇지만 '아마도 2학기에는 시험지향적이 되는 게 더 실용적이기 때문에 그렇게 될 거예요.'(pp. 7-8).

앞서 언급한 종류의 압박감은 많은 교사들에게 익숙할 것이다. 아래의 인용문에서 또 다른 일본 교사는 수평적 동료 제약, 시험지향적 그리고 도구적으로 동기 부여가 된(시험중심의) 학생들이 교사에게 미치는 영향력을 인정한다. 특히 그의 마지막 문장에서 우리는 이러한 상황이 가져올 수 있는 진짜 좌절감을 느낄 수 있다:

> 저는 제 학생들이 영어를 효과적으로 배우도록 돕기 위해서 좀 더 의식적으로 교재를 선정하고 개작하고 보충하고 싶습니다. 문제는 제가 다른 교사들이 하는 것처럼 같은 내용을 가르쳐야 한다는 겁니다. 한 학년에 100명이 넘는 학생들이 있고 소수의 교사들이 같은 교과서를 가지고 그들을 가르칩니다. 교과서와는 다른 것을 하고 싶다면, 제가 뭘 하고 싶은지를 동료들에게 알려야 합니다. 제가 수업에서 하는 것을 그들이 사용하기로 한다면, 그건 좋습니다. 하지만, 만약 그렇지 않다면, 저는 이 교재를 시험에서 사용할 수 없어요. 왜냐하면 그건 다른 선생님의 수업을 듣는 학생들에게는 불공평하게 되니까요. 모든 학생들은 중간고사와 기말고사에 같은 시험을 보도록 되어있습니다. 학생들은 시험에 나오지 않는 것을 공부하고 싶어 하지 않아요. 이런 다양한 제약 때문에 제가 하기로 기대되는 것들을 그냥 물 흐르듯 따르는 것이 쉽지요. 하지만 영어를 6년 이상 공부하고도 영어로 아무것도 할 수 없는 학생들을 계속해서 만들어내고 싶지는 않습니다. (Matsumara, 2010)

학생들의 시험 집착에 대한 언급이 암시하듯이, 책을 따라야만 하는 학생들로부터 오는 압박 역시 제약으로 인식될 수 있지만, 압박은 학부모로부터 올 수도 있다. Tsobanoglou(2008)는 그리스의 사립학교에 대해 보고하면서 다음과

같이 말한다: '학부모들은 … 자신의 아이들이 책의 모든 과업을 끝냈을 때, 모든 지문을 읽을 때, 그리고 모든 연습문제를 풀 때만 영어를 배울 수 있다고 믿는다'(p. 41).

대학입학과 관련되어 있을 때 교육기관, 학생 그리고 학부모 압박은 결합될 수 있다. Crookes(2009)가 지적하듯이 '"영어능력 시험점수"가 … 고등교육으로의 주요 입학지표로 사용되는 나라에서 … 영어교사는 시험을 목표로 가르쳐야 하는 엄청난 압박감에 시달린다'(p. 201). 그는 교사가 느끼는 이러한 '잘 해내야 하는' 압박감은 학생들이 취업을 위해 영어의 의사소통 능력을 필요로 할 때도 비슷하게 느껴질 수 있다고 덧붙인다.

2.4 시간의 부족

시간은 여러 가지 이유로 교사들에게는 문제이다. 예를 들어, 교사들은 영어 과목에 할당된 시간이 충분치 않다고 느낄 수도 있다(앞서 언급된 Hayashi (2010)의 연구에서 'Mrs. Tanaka'는 자신이 근무하는 학교가 평범한 공립학교보다 일주일에 영어시간이 더 많았음에도 불구하고 여전히, '시간이 별로 없어요. 일주일에 다섯 시간 이상 영어수업을 하고 싶습니다. 그리고도 더 많이 하고 싶어요'라고 말한다). 그 결과 교사들은 교수요목이나 책을 따라 가르치는 것 이상은 할 수 없다고 느낄 수도 있다. 시험이 연관되어있는 경우라면 특히 그럴 것이다.

이러한 시험지배적 교수활동은, 학생들이 언제나 치를 수 있는 국제적으로 인정된 시험을 준비하고 있고 이를 준비하기 위해 책을 사용하고 있다면, '책을 떼 주는 것'이 주요 목표가 되고 따라서 특정 활동은 건너뛰거나 또는 겉핥기 식으로 다루어질 수도 있다는 것을 의미할 수 있다.

Hsiao(2010)는 대만의 교사와 학생이 TOEIC을 준비하는 상황을 다음과 같이 묘사한다:

시간의 압박은 … 대만의 시험 준비 프로그램에서는 교사에게 흔한 문제이다. 대부분의 학습자들이 가능한 짧은 시간 내에 그들의 목표를 성취하고 싶어 하기 때문이다. 따라서 프로그램은 가능한 강도 높게 계획된다: 예를 들어, 350페이지의 교재는 24시간 수업 내에 완전히 다루어져야 한다. 당연히 수업량이 평균을 훨씬 더 웃돈다. 하지만 대부분의 학생들은 빠르게 학습하는 것이 특히 시험 중심 과정에서는 최고라고 생각하고 있는 듯하다.

다수의 수업관찰을 통해서 Hsiao는 이러한 '빠른 학습'speedy learning이 어떻게 이루어지는지를 보여준다:

> … 교과목 코디네이터는 학습과 교수의 속도를 더 높이도록 압박을 받고, 그 결과 수업 중 드릴이나 연습문제를 생략하는 것이 불가피하게 된다. 내가 수업관찰을 했을 때, 복사된 연습문제들이 숙제로 나눠졌고, 나머지는 하나도 다루지 않았다; 그럼에도 숙제로 내준 부분은 다음 시간에 거의 검토되지 않았다.

교수활동이 시험에 의해 지배되지 않을 때에도 교수와 관련되지 않은 다른 과업들이 방해할 수 있다. 예를 들어, Farooqui(2008)에 따르면 방글라데시의 수업은 보통 30-40분 정도인데, 출석을 확인하고 전날 숙제를 거두는 것이 수업 시간의 10-15분을 차지할 수 있다고 한다. 따라서 교사들이 바람직하다고 여기지만 필수적이지는 않다고 생각하는 활동들을 왜 하지 않는지 이해하는 것은 쉽다. Farooqui가 인터뷰한 한 교사는 다음과 같이 말했다:

> ELTIP[The English Language Teaching Improvement Project]는 수업의 첫 3분 동안 대부분 말하기 활동인 예비 활동을 하도록 가르치지만, 실제로는 먼저 출석을 불러야 하고 숙제를 거둬야 합니다. 오늘 보셨듯이 수업에서 1학기 기말고사 성적표를 나눠줘야 했어요. 이걸 하고 나니 학생들을 가르칠 시간이 15분밖에 남지 않았습니다. 다른 일을 하지 않아도 됐었더라면, 예비 활동을 했었어야 합니다. (Farooqui, 2008: 202)

교사가 개작에 대해 생각해 보고, 보충 교재를 찾거나, 또는 자신만의 교재를 만드는데 필요한 시간 역시 문제가 될 수 있다. 교사들이 과중한 행정업무가 있거나 또는 생활을 위해 또 다른 직업을 가져야 한다면 특히 그렇다. 학생들의 과외활동까지 책임져야 하는 홍콩의 101명의 중등교사를 대상으로 한 Law(1995)의 연구에서 77.3%의 교사들은 다른 것을 할 시간과 자원이 없기 때문에 교과서에 의존한다고 했다. Chavez(2006)의 연구에서 니카라과의 공립학교 교사들은 낮은 봉급 때문에 하루에 두서너 차례의 교대 근무를 해야 했다(헝가리의 교사에 대해서는 Arva & Medgyes, 2000 참조). 비슷한 압박감은 교사가 훨씬 더 특혜를 받는다고 여겨지는 곳에도 찾아볼 수 있다. Crookes와 Arakaki(1999)는 미국의 집중 ESL 프로그램에서 근무하는 20명의 ESL 교사와 함께 3개월 동안 연구를 진행했는데, 이 교사들 다수는 ESL 석사학위 소지자였다. 하지만 교사 모두 장기적 고용보장 없이 10주로 계약되어 있었다. 그 결과 많은 교사들이 두서너 개의 직업을 가지고 있었고 일주일에 평균 50시간을 일했다. 정식 교사교육을 받지 않은 소수의 교사들은 '사전, 교과서(변경하지 않고), 연습문제집과 교사용 안내서와 같은 틀에 박힌 자원'(p. 3)에 의지하는 경향이 있었다. 다수의 교사교육을 받은 교사들 사이에서는 '효과가 있다고 증명된 교수 레퍼토리를 사용하는 것과 신중한 실용적 태도를 가지고 있는 것이 일반적이었다'(p. 4). 이러한 실용성에 대한 설명은 예측 가능했다. 즉, (1) 우선순위를 둘 필요성('전 제 사생활도 중요해요. 제 일이 제 생활보다 더 커지는 것을 원치 않아요'); (2) 살아남기 위해서('병원은 피하려고 해요'); 그리고 (3) 근무환경에 대한 분노, 즉, 꼭 필요한 것 이상을 일하게 된다면 이용당하는 상황에 자신을 내치는 꼴이 될 것이라는 감정('제가 보수를 받지 않고 일주일[의 많은 시간]을 근무한다면, 저는 헌신적인 것일까요 아니면 바보인 걸까요?')(ibid.).

2.5 교육의 부족

시간이 있을 경우에도, 교사들은 자신만의 교재를 만드는 일을 잘 할 수 있다고 느끼지 않을 수도 있다.

> 교재를 집필할 시간이 충분히 있다고 하더라도, 제가 좋은 의사소통 중심
> 교재를 만들 수 있을 거라고 생각하지 않습니다. 우선 어떻게 해야 하는지
> 를 배운 적이 없어요. 둘째, 주변에 실제 자료가 거의 없습니다. 이는 제가
> 모든 것을 다 만들어야 한다는 걸 의미합니다. 그건 제가 할 수 있는 일이
> 아니에요. (Li, 1998: 689에서 인용된 교사)

이 교사는 한국의 교사들이 의사소통 중심 교수법(CLT)을 사용하도록 장려되
었으나 동료나 행정부로부터 어떠한 도움도 받지 못했고, 도움을 줄 만한 교
과과정이나 교재도 아직 출판되지 않았었던 시기(1990년대 중반)에 대해 이야
기하고 있다. 교과과정 변화의 시기에는 교사들에게 실제적인 지원이 필요하
며, 적절한 교수 교재 그리고 특히 교사용 책이 교사들이 해야 하는 일에 대
해 구체적으로 알도록 하는 데 큰 도움이 된다는 것은 잘 알려져 있다
(Hutchinson & Torres, 1994). 하지만, 기대되는 방식으로 교사가 교재를 사
용할 수 있도록 하거나 추천된 방식이 제대로 되지 않을 때 조정하여 사용할
수 있도록 하기 위해서는, 교사는 교사용 책(교재를 유연하게 사용할 수 있는
제안을 담고 있어야 함)에 접근할 수 있어야 하며, 학생들에게 익숙하지 않은
방식을 도입하는 것에 대해 자신감을 느낄 수 있도록 필요한 교육을 받거나
배경 지식을 가지고 있어야 한다. Erdoğan(nd)은 학습자 훈련의 원칙을 바탕
으로 쓰인 교과서의 학습일지 부분에 대한 두 명의 터키 중등학교 교사의 반
응에 대해 보고했는데, 두 교사 모두 학생들이 스스로의 학습일지에 대해 말
하는 것을 꺼릴 것 같기 때문에 이 부분을 생략할 것이라고 했다는 점에 주목
한다. Erdoğan이 책을 향상시킬 수 있는 방법을 제안해 달라고 하자 연구에
참여한 교사들은 학습일지 부분을 생략하는 것을 제안하지는 않았고, 대신에
교사용 책에 '다음을 포함하여 더 많은 지침을 넣어달라고 요구했다.

- 학습자 훈련 이론에 대한 더 나은 설명
- 일어날 수 있는 실제 문제의 예
- 이러한 문제에 대한 가능한 해결책
- 학습자 훈련에 관해 더 찾아서 읽어 볼 수 있는 참고 문헌' (p. 2)

Erdoğan이 지적하듯이 '단순히 교수 교재를 통해서 학습자 훈련을 증진시키고자 하는 것은, 교사가 예기치 않은 문제점들을 해결할 수 있도록 심리적으로 준비시키기에는 충분하지 않다'(ibid.).

4개국의 교사들을 대상으로 동료 연구자와 함께 온라인 연구를 진행한 Graves(2003)는 교과서 활동이 지루하거나 또는 너무 어려워서 성공하지 못하는 것이 아니라, 학습자들이 제대로 준비가 되지 않았기 때문에 성공하지 못하는 것이라고 결론 내렸다:

> 학습자들을 준비시킨다는 것은 두 가지를 의미한다. 먼저, 활동의 내용과 목적에 학습자들을 안내하는 것을 의미한다. 즉, 학습자들이 그 활동이 무엇에 관한 것인지 그리고 *왜* 그 활동을 해야 하는지를 알도록 하는 것이다. 두 번째로, 학생들이 그 활동의 단계, 어떻게 해야 하는지를 이해하도록 하는 것을 의미한다. 하지만 단순히 학습자들에게 활동의 *무엇*을, *어떻게* 그리고 *왜*를 말해주는 것이 그들을 준비시키는 것은 아니다. 학생들이 이해했는지를 말로 또는 행동으로 보여줄 수 있어야 한다. (Graves, 2003: 231, 원문 강조)

이는 좋은 충고이지만, 가장 좋은 충고는 다음에 있다: '학습자를 준비시킨다는 것은 교사인 당신 스스로를 준비시키는 것을 의미한다'(ibid)—이와 함께 Graves는 교사가 명확한 설명을 준비하고 문제를 예측할 수 있도록 하기 위해서 스스로에게 물어 볼 수 있는 질문 몇 가지들을 제안한다.

교사교육의 중요성은 사우디아라비아에서 새로운 의사소통 중심의 국정 교과서를 효과적으로 도입하는 것을 방해하는 요소에 대한 Al-Yousef의 논의에서 분명하게 강조되어 있다: '교사들은 CLT 교수기술에 대한 교육을 받지 못했고 ... [또는] 새로운 교과과정의 전반적인 목적에 대해서도 듣지 못했다; 따라서 대부분의 교사들은 말하기보다는 번역, 쓰기와 읽기를 강조하는 전통적인 교수방식을 따랐다'(p. 55). '언어능력과 교수법 두 가지 모두를 다루는 교육이 절실히 필요하다'(ibid.)라고 그는 결론 내렸다.

어떤 상황에서는 교사들에게 교육이 부족하다는 것은 대안이 부족하다는 것을 의미한다: 교사들은 그저 책을 따르는 것이다. Ravelonanahary(2007)는 마다가스카르에서 설문을 한 소수의 교사들의 응답을 다음과 같이 요약한다: '이 책이 학교에 있는 유일한 책이기 때문에 다른 선택권은 없습니다. 그리고 우리는 이 책이 완벽하다고 생각해요. 책을 효과적으로 사용하는 교육을 받지 않았기 때문에 우리는 책의 내용과 방법을 그대로 따릅니다. ... 교과서에 제시되어 있는 다양한 활동, 연습문제 또는 상황에서 교재를 선택하는 것이 어렵다고 느껴집니다'(p. 171).

2.6 자신감 부족

상황적 제약이 심한 곳에서는, 언어능력 개발이나 교수법과 교재에 대한 교육에 초점을 두는 것만으로는, 비록 이러한 것들이 중요하다고 할지라도, 충분하지 않을 수도 있다. Akbulut(2007)은 터키의 보아지치 대학에서 4년제 TEFL 학사학위를 마친 13명의 초보교사들에게 미치는 교사교육의 영향력을 조사했다. 이 대학의 TEFL 프로그램은 '연속 학기 동안 두 개의 교재 개발 교과목'(p. 6)을 제공했다. 교육의 결과, '85%의 참여자들은(11/13) 교재 평가와 준비에 자신감을 느낀다고 말했지만', 학교에 근무할 때는 '55%(7/13)가 일반적으로 학교에서 지정한 교과서나 교재를 따른다고 했다'(p. 9). 이러한 이유 중 하나는 시험을 준비시켜야 하는 요건 때문인 듯했다. 하지만 상황은 이것보다 훨씬 더 복잡했다: '몇몇 교사들은 교과서 이외의 것을 다루기에는 자신감이 충분치 않기 때문에 ... 자신의 교수활동은 거의 언제나 교과서에 기본을 두고 있다고 주장했다'(ibid.). '교사들은 모국어로 설명을 하고 책에 제공된 어휘구조를 번역하는 것을 통해서 수업과 교재를 학생들이 이해할 수 있도록 하는 데 대부분의 시간을 보낸다고 했다'(ibid.). 연구자가 제시한 초보교사들 스스로의 결론이 흥미롭다: 초보교사들은 '엄격한 교과과정 또는 적절한 시설의 부족 때문에'(ibid.) 학사과정에서 학습한 것을 적용할 수 없을 것 같다고 했다. 외부인들은 이러한 분석에 의문을 제기할 수도 있겠다: 교과과정/시험과 시설은 의심의 여지없이 교사의 자유를 제한할 수 있는 요소이지만, 여기에서 초보교사들이 언급한 자신감 부족은 분명 영향력을 미치는 요소인 것이다. 그렇다면 우리는 교재 개발과 디자인에 있어 교사교육−사실 모든 교사교육 프로그램−의 목표 중 하나가 교사들이 맞닥뜨리게 될 제약들과 이러한 문제를 다룰 수 있도록 준비시키는 것은 아니어야 한다고 생각할 수도 있겠다.

비록 경험이 쌓이게 되면 자신감이 증가할 수도 있지만(101명의 홍콩 중등학교 교사들에 대한 Law(1995)의 연구에서 63%의 교사들은 만약 경험이 더 많아진다면 교과서에 덜 의존하게 될 것이라고 믿었다), 다른 요인들도 자신감에 영향을 줄 수 있다. 이 중 하나는 교사 스스로 느끼는 자신의 언어능력이고, 또 다른 하나는 교사의 교사교육이다. Law의 연구에서 교사의 거의 40%는 그들이 자신의 교재를 디자인할 수 있는 전문성이나 지식이 없다고 인정했다. 응답자의 약 4분의 1이 교사 전문 자격을 갖추고 있지 않았다. 나머지 교사들이 받은 교사교육이 교재 개작과 교재 개발 요소를 포함하고 있었다면, 충분치 않았던 것이 명백하다.

2.7 동기 부족

이는 교수활동을 단순히 돈을 벌기 위한 방법으로 여기고, 교사로서의 책임감은 책을 가르치는 것만으로 여기게 된 그런 교사들에게 해당된다. 이들은 지난 시간에 끝낸 곳에서 다시 시작하면 되기 때문에 수업을 준비할 필요가 없다. 물론 Crookes와 Arakaki(1999)가 발견한 것처럼 현실은 더 복잡하다. 교사의 동기는 전문성 개발(교육)에 대한 기회의 부족뿐만 아니라 조직 내 자유의 부족, 시간의 부족과 실행 상 제약과 같은 압박감에 의해서 영향을 받을 수도 있다. Chavez(2006: 33)가 언급하듯이 '자원이 부족하고 상황적 조건이 적합하지 않으며, 일은 어렵고 봉급도 너무 적다면, 동기 부여가 되기는 분명 매우 힘들 것이다.' Chavez가 설명한 니카라과 상황에서 사용되었던 책은 20년 전에 출판된 것이었으며, 상황에 적절하지도 않았다; 학습자를 위해서 책이 충분하지도 않았으며; 교사용 책 역시 충분하지 않았다. 이러한 상황에서 우리는 교사에게 동정심을 느낄 수도 있지만(그리고 이러한 문제에 책임을 지고 있는 기관을 비난할 수 있지만), 만약 교사의 동기 부족이 학습자가 배울 수 있는 기회를 박탈당하는 것을 의미한다면, 고통을 받는 것은 학습자라는 것을 기억해야 한다.

2.8 교재에 대한 신뢰

교사가 교과서를 개작하거나 보충하지 않는 또 다른 이유는 그럴 이유를 찾지 못했다는 것이다. Ramírez Salas(2004: 3)의 말처럼 결국 '교사들이 필요한 모든 것은 이에 대해 정말 잘 알고 있는 사람들에 의해서 개발된 교과서 안에 이미 존재하고 있다.' 교과서는 사실 신실하게 따라야 하는 '성서'인 것이다. 이러한 태도는 이미 언급된 하나 이상의 요소가 적용되는 상황—예를 들어, 교사가 교육을 받지 않았거나 경험이 없는 상황—에서 발견될 가능성이 가장 크다. 교사의 자유가 거의 없을 때에도 이런 태도가 강화될 수 있다.

3. 왜 교사들은 교과서 선정과 평가에 대해 체계적인 접근법을 사용하지 않는가?

1장과 3장에서 보았듯이, 많은 것들이 교재 선정에 달려 있다. 적절한 교재가 선정된다면 교사와 학습자 모두 더 도움을 받는다고 느끼게 되고, 개작과 보충은 덜 필요하게 된다. 하지만 교재 선정과 관련된 결정이 내려질 때, 가장 영향을 받게 되는 사람들(교사와 학생)은 참여하지 않게 된다. 결정은 교육부, 행정관 또는 교과부장에 의해서 내려진다(5장). 불행히도, 교사가 공동으로 또는 개인적으로 선택할 수 있는 자유가 있을 때조차도, 교사들은 체계적인 방식으로 교재 선정과 평가에 접근하지 않는 듯하다(5장). 영어교육 문헌에서 가장 강력하게 추천하는 것 중 하나는 체크리스트를 사용하는 것이다(3장). 체크리스트는 고려중인 교재를 자세하게 살펴보도록 장려하며, 교재 패키지 및 교재 패키지에 대한 교사-평가자의 판단을 쉽게 비교할 수 있도록 해 준다. 그러나 체크리스트를 만드는 데 있어, 체크리스트가 교사에게 무엇을 요구하는지 그리고 어떻게 쓰이는지와 관련해서 신중하게 고려해야 할 필요가 있다(5장).

교사들이 이러한 학계의 조언을 따르지 않는 이유 중 몇 가지, 즉 시간의 부족, 교육의 부족 그리고 자신감의 부족 등은 5장에서 언급했으며, 개작 및 보충과 관련해서 상기 논의한 것들과 같거나 비슷하다.

비록 시간의 부족은 교사들에 의해서 자주 언급되는 요인이기는 하지만, 다른 두 가지 부족—즉, 교육의 부족(그리고 이와 관련하여 영어교육 문헌에 대해 인식하지 못하고 있는 것)과 자신감의 부족—보다는 덜 중요하다고 할 수 있다(Law, 1995; Wang, 2005; Sampson, 2009 참조). Peacock(1997a)은 교사들이 '체크리스트의 존재를 알지 못하거나' 또는 '체크리스트를 얻을 수 없거나, 이를 사용하는 노력을 하고 싶지 않거나 또는 그 길이와 복잡함에 흥미를 잃었을 수도 있다'(p. 1)고 추측한다. 이 모든 이유는 교재 평가에 있어 교사교육의 필요성을 말해 준다.

교재 평가가 교사교육(예비 또는 현직교사교육)의 일부가 아니라면, 그리고 교사들이 학회에 참여하지 않거나 교재 평가라는 주제에 대한 논의가 실린 교사용 교육잡지나 영어교육 학술지를 구독하지 않는다면, 이처럼 학계에 있는 조언들을 교사들이 모른다고 해도 놀랍지 않다(비록 교재 평가라는 주제에 대한 논문들은 이제 인터넷을 통해서 쉽게 찾아볼 수 있지만). 그 결과 교사들이 교재 선정에 대한 결정을 내려야 하는 위치에 있을 때, 그들은 단순히 개인적인 또는 집단적인 본능에 의지하게 된다. 게다가 자신이 가르치는 학습자들의 필요에 대해서 잘 이해하고 있다고 느끼는 경력교사들은 그들이 옳은 선택을 할 수 있다고 꽤 자신감을 느낄 수도 있다. 이들은 또한 좀 더 새롭고 체계적인 방식으로 교과서를 선정해야 한다는 제안에 대해, 이는 너무 많은 시간을 요하는 작업이라는 이유로-불필요하다고 느끼고 있음을 암시하면서-거부할 수도 있다(Fredriksson & Olsson, 2006 참조). 이러한 자신감의 벽과 맞닥뜨리게 되면, 초임의 경험이 거의 없는 교사는 의견을 내려고도 하지 않을 것이다. 비교적 경험이 많이 없는 일본 교사가 고백하듯이 말이다. '저와 제 동료 교사들이 교과서를 선택했을 때, 저는 그들의 선택에 "예"라고만 말했어요. 제가 가장 어렸고, 그들은 경험이 더 많았고 학생들의 필요를 더 잘 알았거든요'(Matsumara, 2010). 이러한 상황에서는 영어교육 문헌에서 추천한 절차에 대해 조금 알고 있는 교사조차도 이러한 지식은 자기 자신만 알고 있는 것이 나을 것이라고 생각할 것이다.

교재 평가와 관련된 많은 문헌들은 예측 평가에 중점을 두지만, 신중히 평가를 해야 한다는 주장은 사용 중 그리고 회고적 평가로까지 그 범위가 넓혀졌다(3장). 많은 교사들은 교수활동 및 수업을 계획할 때, 무엇을 사용하고/생략할지를 결정하기 위해서 교과서와 다른 교재를 평가하게 될 것이다. 하지만 경험이 부족한 교사는 경험이 많은 동료 교사보다는 수업 중간에 교재를 개작하는 것에 대해 불편하게 느낄 수 있으며(Sampson, 2009), 또한 체계화된 사용 중 평가에 대해 보여주는 자료도 거의 없다. Ellis(1998)는 매일 교과서를 사용하면서 교사들은 교과서에 대해서 그들이 알아야 하는 모든 것을 알고 있다고 생각하거나, 또는 사용 중 그리고 회고적 평가의 업무가 그저 너무 벅차다고 생각할 수도 있다고 추측한다. McGrath(2002)는 사용 중 그리고 사용 후 평가가 일어나지 않는 이유는 이를 위한 시간이 할당되지 않았었기 때문이라고 말한다. 교사들 스스로는 이러한 두 종류의 평가를 하기는 하지만,

영어교육 문헌에서 제안한 것보다는 훨씬 더 느낌에 치우치고 형식에 얽매이지 않는 방식으로 한다고 얘기한다(Law, 1995 참조).

4. 왜 교사들은 교재 평가와 개발에 학습자를 참여시키지 않는가?

우리는 최근 학습자 중심 수업으로의 전환에 대해 많이 듣고 있으며, 실제로 5장과 7장에 논의된 몇몇 평가 연구들은 학습자의 관점에 대해 이야기한다. 그러나 학습자의 관점이 교과서 선정 과정에 하나의 요인으로 여겨진다는 증거도 없고, 학습자들이 교재 개발에 참여하는 것을 보여주는 연구도 거의 없다.

　　이에 대한 설명은 상기 제시된 것들과 비슷할 것이다. 예를 들어, 교사의 교육 부족은 학습자가 만드는 교재와 관련하여 그들이 줄 수 있는 도움에 대해 아직 교사가 잘 알고 있지 못하다는 것을 설명한다고 할 수 있다. 교재를 끝까지 끝내야 한다는 압박감(조직 내의 자유의 부족) 역시 학습자의 목소리에 귀 기울이지 못하게 한다. 중국의 한 고등학교 교사는, 학생들에게 수업에 교재를 가져오라고 장려할 것인지에 대해 질문을 받자, 다음과 같이 말했다: '학생들에게 무언가 재미있는 것을 찾고 수업에 가져오라고 할 겁니다. 그리고 학생들이 관심이 있다면 수업 후에 참고할 수 있도록 그러한 것들을 게시판에 붙일 거예요.' 그는 덧붙여서 말했다: '저의 교육환경에서 교과서는 매우 중요합니다. 학생들이 아니라 교사에게요. 교사들은 경쟁이라는 압박감이 있습니다. … 우리 모두는 먼저 교과서를 따르고자 합니다. 왜냐하면 시험의 내용이 교과서에서 나오고, 이러한 시험은 우리가 스스로 결정할 수 있는 것이 아니고 학교나 우리 팀의 코디네이터가 하거든요.'

5. 요약과 결론

5장에서 7장까지의 내용을 2장에서 4장까지의 내용과 비교한다면 '실제'(실제 무슨 일이 일어나는가)와 '이론'(교과서 저자나, 영어교육 문헌에서 그리고 교사교육 과정에서 추천되는) 사이의 간극이 드러나게 된다. 이 장의 초점은 이를 설명하는 데 있었다. 우리가 살펴보았듯이, 다양한 상황적 제약(Zheng & Davison의 용어에 의하면 '상황적'이고 '외부적인' 제약)이 교사의 자율성에 대한 기회를 제한하고, 시간, 경험 부족 그리고 이와 관련된 자신감 부족과 같은 개별 요소 역시 이러한 기회를 제한하는 데 역할을 한다. 이러한 간극에 대한 하나의 간단한 설명은 없기 때문에, 이는 하나의 해결책으로 메워질 수는 없다. 3부에서 우리는 어떻게 교사 및 교사와 직간접적으로 교류하는 이들이 이러한 어려움에 대응할 수 있을지를 고려할 것이다.

제3부

제 언

9장

교사, 관리자, 교육부, 출판사 및
교과서 저자, 그리고 연구에 대한 제언

... 비록 교사들은 교과서가 학습자의 언어학습과 언어사용에 있어 더 큰 목표를 지향하도록 하는 유용한 교육 자료를 포함하고 있다는 것을 알지만, 실제로는 교과서를 시험형식의 연습문제지처럼 사용한다.

(Lee & Bathmaker, 2007: 368)

학술지와 국제/지역 교사 협회의 노력에도 불구하고 ELT는 여전히 매우 고립주의적이다. 전 세계의 따로 격리된 교육집단에는 자신들을 위해서 쓸데없이 시간을 낭비하느라 바쁜 열성가들이 있다. ELT 교사교육과 교육활동에 내재되어 있는 다양성이 전문성 개발을 방해하는 혼돈에 불과한 그런 지점이 있다. *이제 막 시작 단계인 교과서 개발과 평가를 둘러싼 상황보다 이를 더 명확하게 보여주는 것은 없다.*

(Sheldon, 1987b: 5, 강조 추가)

1. 서론

2장에서 제시하는 명백한 제언 중 하나는 교재 평가와 디자인에 있어 교사교육의 필요성은 이론적 근거에 바탕을 둘 뿐만 아니라 실제적인 필요에 근거하고 있다는 것이다. 이는 일부에게는 잘 알려져 있지만, 모두에게 그런 것은 아니다. 교재 평가와 디자인은 예비교사교육 교과과정의 핵심 요소가 아니며, 석사 프로그램에서는 선택과목이거나 더 큰 교과목 단위module의 작은 일부를 차지할 뿐이다.

좀 더 일반적으로 얘기하자면, 우리는 5장에서 8장까지에서 (많은) 교사들이 실제로 수행하는 것과 교사교육 공동체가 기대하는 것 사이에 차이가 있다는 것을 확인할 수 있었는데, 이러한 차이는 2장에서 4장까지에서 표현된 다양한 견해들에도 반영되어 있다. 이러한 차이를 지적하는 것은 교사들이 자신에게 주어진 책임을 다하지 못하고 있으며, 그들의 교수활동은 이론과 비교해서 부족하다는 것을 암시하는 듯하다. 하지만 다른 면에서 보자면 이는 교사들이 경험하고 있는 현실을 제대로 고려하고 있지 못하다는 점에서 이론이 부족하다는 뜻일 수도 있다. 8장에서 언급된 연구들은 교사들이 이 책의 1부에서 제시한 비판적이고 창의적인 교수활동을 하는 것을 방해하는 환경 속에서 부적합하고 부적절한 도구(책)를 가지고 교육하도록 요구되고 있다는 것을 매우 명확하게 보여준다.

본 단원의 2절에서 우리는 교사 스스로가 이러한 상황을 향상시키기 위해서 무엇을 할 수 있는지를 고려할 것이다. 그 후 교사들이 사용하는 출판된 교재와 이러한 교재를 교사들이 어떻게 사용하는지에 영향을 미치는 이들에 대한 제언을 논의할 것이다. 3절은 교육기관의 관리자들-교과부장과 같은-, 4절은 교육부에, 그리고 5절은 출판사와 교과서 저자에 대한 제언을 논의할 것이다. 6절은 향후 연구에 대한 제안을 할 것이다. 교사교육은 10장의 주제이다.

2. 교사들에 대한 제언

2.1 서론

Tomlinson(2011c)이 지적하듯이, '학회나 워크숍에 참여하는 많은 교사들은 전형적이지 않게 지식이 많고, 열정적이며, 통찰력이 있는데'(p. 296, 강조 추가), 이는 교사들을 위한 잡지나 학술지를 구독하거나 교수에 관한 책을 읽는 교사들에게도 똑같이 적용된다. 여기에는 기회라는 측면이 있기는 하지만(어떤 교사들은 학회에 참여할 기회와 학술지를 살 돈이 있으며 도서관에 접근 가능하지만, 다른 교사들은 그렇지 않다), 동기―Tomlinson은 열정이라고 말하는―역시 주요 요소이다. 이 책의 본 장을 읽을 필요가 있는 교사들은 사실 자발적으로는 읽지 않을 그런 교사들이다. 따라서 이 장은 자기주도적인 소수의 교사들이 자신의 교사 공동체 안에서 변화의 주역으로서 활동하기를 바라는 마음으로 소수의 그들을 대상으로 한다.

2.2 학습자 중심의 교수를 위하여

교사들이 교과서를 개작하고 보충하고자 하는 가장 큰 이유 중 하나는 7장에서 학생들이 이야기한 바로 그 이유 때문이다. 많은 학생들은 교과서가 가치가 있다고 생각하면서도 선생님이 단순히 교과서를 떼 주는 것은 원하지 않는다. 그들은 선생님이 책에 숨결을 불어넣기를 바라며, 흥미롭고 유의미한 보충 교재를 통해서 다양성을 맛볼 수 있도록 해주기를 원한다. 이는 교재 선정과 교재 사용은 학습자의 흥미와 선호도를 고려해야 하며, 이상적으로는 학습자의 흥미나 선호도에 대한 가정이나 예측에 바탕을 두기보다는 좀 더 직접적으로 고려해야 한다는 것을 의미한다.

어떤 교사들은 학생들로부터 정보를 찾거나 피드백을 받는 것에 수업 시간을 보내는 것을 꺼릴 수도 있다. Davis, Garside와 Rinvolucri(1998)의 연구는 교과서에 대한 학습자들의 태도를 보여주는 것뿐만 아니라 이와 함께 보충

언어연습 활동에 대한 훌륭한 아이디어를 제공한다. 여기에는 다양한 방식으로 학습자들로 하여금 미리 살펴보고, 분석하고, 평가하고, 피드백을 주고, 교과서를 가지고 가르치는 것을—그리고 심지어 교과서의 저자가 어떠한지 상상해보도록 하고 '그들'(또는 그들을 상징하는 빈 의자)을 인터뷰 하도록—장려하는 활동들이 있다. 이러한 교재를 사용하는 교사는 학생들의 신념과 태도에 대해서, 그리고 특히 종종 평가절하되곤 하는 학생들의 평가 능력에 대해서 많은 것을 배울 수 있다. 이러한 종류의 활동은 비원어민 교사를 위한 예비교사교육에 있어 언어능력 향상을 위한 프로그램에서 특히 더 매력적일 것이다. 학습자들 또한 교과서를 바탕으로 하는 수업의 일부를 대체하거나 보충할 수 있는 교재를 찾거나 만드는 활동을 즐길 수 있고, 이로부터 혜택을 받을 수 있을 것이다. 7장에서 인용된 학습자들의 반응을 보면 이는 적어도 시도할만한 가치가 있음을 보여준다.

2.3 협동의 가치

무엇이든 혼자 하는 일은 어렵겠지만, 교재를 혼자 개발하는 교사들은 외롭다고 느낄 수 있다. 다른 교사들과 함께 작업하면서, 교사들은 흔한 문제점들에 대해서 알게 되고, 이러한 문제점들을 극복할 수 있는 방법을 나누며, 함께 협력하여 교재를 만들고, 그 후 파일럿을 하고 평가해 볼 수 있다. 개별 교사에게는 시간이 많이 소비되고, 힘들며, 거의 불가능해 보이는 과업도 함께 작업을 할 때는 해볼 만하고, 흥미롭고, 만족스러워진다. 또한 교사가 이러한 과정을 더 진지하게 여길수록, 그 결과는 더 좋아진다. Yan(2007)이 지적하듯이 '공동의 팀 노력은 교사들이 자신의 경험과 전문성을 나누고, 다양한 기술, 재능과 관점을 나누도록 하는 기회를 제공할 수 있다'; 또한 '서로 지지하는 팀 문화가 확립되면, 교육기관의 이해와 지원이 생길 가능성이 더 있다'(ibid.). 이 마지막 요점은 중요하다: 개인이었다면 불가능했을 교육기관 내에서의 변화들을 팀으로서는 협상해낼 수 있을 것이다.

　　교육기관의 격려와 지원이 제공되지 않는다면(예, 회의를 위해 따로 떼어 놓은 시간, 회의 장소, 자원), 교사들은 스스로 교사발전 모임을 만들 필요를 느낄 수도 있다(아이디어를 얻고 싶다면 Head & Taylor, 1997 참조). 교육기관이 직원개발 프로그램을 갖추고 있을 때에도 교사발전 모임은 좋은 생각이다. 직원개발 프로그램은, 특히 큰 기관에서는, 교사의 교과에 관련된 필요나 관심에 항상 즉각적으로 대응하지 않을 수도 있다. Johansson(2006)이 연구한 세 곳의 교수 상황 중 한 곳에서, 네 명의 영어교사들은 그들이 '아이디어 세미나'라고 부르는 모임을 위해서 규칙적으로 만났는데, 여기에서 그들은 '새로운 아이디어를 토론하고 서로 교재를 보여주고 교환했다'(p. 15).

2.4 전문성

상기 제시한 모든 것은 교사는 전문성이 있다는 개념에 바탕을 두고 있다. 이는 교사가 함께 일하는 이들(우선 학습자들)에 대한 책임감을 가지고 있을 뿐만 아니라 자신의 전문성을 개발하고자 하는 자기주도적 결심 또한 있음을 내포한다. 만약 교사의 전문성 개발에 대한 지원이 학교에서 주어지지 않는다면, 다른 사람의 경험에 접근하고(예를 들어, 책을 읽거나 학회에 참여하거나 동료와 이야기하는 것을 통해서), 학생들과 동료 교사들로부터 피드백을 받으며 실험을 하거나 자기평가를 함으로써 필요한 전문성을 습득하고자 노력해야 하는 것은 교사의 몫이 된다. 전문성이 있는 교사는 자율성을 발휘할 수 있어야 한다(McGrath, 2000). 이는 물론 격려하고 지지하는 환경에서 더 잘 이루어질 것이다.

3. 교육기관 관리자들에 대한 제언

여기서 '관리자들'이란 교육기관 내에서 교사의 자유에 영향을 미치는 결정을 내리는 책임이 있는 사람들을 말한다. 대부분의 교육기관에서 이는 교과부장 또는 교과주임의 역할을 하는 사람일 수도 있지만, 수석교사나 행정관일 수도 있다. 관리자의 역할은 상급 직원들에게 주어질 수도 있다.

3.1 교재 선정, 평가 그리고 자원 개발

5장에서 설명된 상황은 교재(특히 교과서) 선정과 관련하여 뚜렷한 함의를 가지고 있다. 어떤 상황에서 교사들은 권리를 박탈당했다고 느끼고, 그 결과 분노하고 좌절할 것이다. 교사들은 책을 가지고 가르치도록 기대되지만 그러한 책을 선정하는 데 아무런 발언권이 없다. 몇몇 교육기관에서 채택한 투표 체제는 단점이 있을 수도 있지만, 적어도 교사들에게 영향을 미칠 결정에 그들이 참여할 수 있는 권리를 인정하는 것이다.

교재 선정에 목소리를 내기를 원하는 것뿐만 아니라, 교사들은 그러한 선정 과정을 좀 더 체계적으로 만드는 원칙/기준을 필요로 한다. 3장에서 살펴보았듯이, 수많은 훌륭한 도구들이 이미 존재하는데, 이들 중 하나를 사용하기로 결정한다면, 교사들이 협력하여 자신들의 상황에 맞도록 바꾸는 것이 바람직하다. 이에 대한 대안으로는 먼저 기본적인 기준을 가지고 시작하고, 후에 이러한 기준을 사용할 사람들에게 관계가 있고 의미 있는 방식으로 다듬는 것인데, 이때 사용해 보면서 쉽게 바꿀 수 있도록 해야 한다. 두 방법 모두 교사개발의 기회를 제공하며, 교사들에게 더 큰 주인의식을 느끼도록 할 것이다.

체계적인 교과서 예측 평가는 선정된 교재의 부족한 부분을 밝혀낼 수 있는데, 이는 자원 개발을 통해서만 채워질 수 있다. 이러한 자원을 만들어내기 위한 협동적 노력은 모두에게 실질적으로 도움이 될 것이다. 이는 또한 교사들에게 비판의식을 고취시키고, 서로를 통해서 배울 수 있는 기회를 제공하며, 교재를 개작하고 만드는 자신의 능력에 대한 자신감을 키워줄 수 있을 것이다.

8장은 '왜 교사들이 그들이 하도록 기대되는 것을 하지 않는가?'라는 질문을 던졌다. 이에 대한 대답 중 어떤 것은 교사의 통제권 밖에 있는 요소들이지만(지정된 교재와 시험 사이의 부합성과 같은-4절 참조), 다른 것들은 대부분 관리자들의 손에 달려 있다. 교재 선정에 있어 의사결정의 책임을 교사와 나눌 것인가에 대한 관리자의 의지와는 별개로, 이러한 대답에는 다음이 포함될 것이다: (1) 사용하고 있는 교재에 대해 논의하고, 개작과 보충에 대한 아이디어를 나누는 회의를 위해 시간을 마련하는 것; (2) 교사들이 교재를 비판적이고 창의적으로 사용할 수 있는 자신감을 줄 수 있는 내부 교육과정과 지속적인 지원을 제공하는 것; 그리고 (3) 개발된 자원들을 나눌 수 있는 체제를 구축하는 것. 훌륭한 관리자는 구입한 교과서와 다른 교재들이 선정된 과정이 신뢰할 만 했는지를 확인하기 위해서 이들을 사용한 후에 평가하기를 원할 것이다(3장 참조).

3.2 교사 자율성

교사의 자유를 제약하는 교육기관 정책은 그 의도는 좋을 수 있지만, 학습자와 교사에게 가장 도움이 되는 것은 아닐 수도 있다. 교사 자율에 대한 제안에 있어 계속해서 회자되는 주제는, 한 명의 개인이 다른 사람들의 서로 구별되는 활동들을 지시하는 관료적 구조에서 탈피하여, 한 개인이 다른 사람들의 협동적 활동을 조율하는 책임을 가지거나 또는 그러한 책임을 실제로 협동적 활동을 하는 이들에게 넘겨주는 민주적인 구조로 변화해야 한다는 것이다. 후자의 구조는 조직 내의 인적자원을 좀 더 완전하게 활용하도록 하고, 동료 간의 협력과 전문화를 북돋운다.

교사와 관리자의 관점에서 교사의 자유에 대해 언급하면서, Twine(2010: 51)은 다음과 같이 결론 내린다.

학습자와 교사는 그들이 확실하고 효과적이며 전문적인 방식으로 일이 처리되는 기관에 속해있다고 느낄 필요가 있다. 이는 순응conformity의 정도를 통해서만 성취될 수 있으며, 관리자들은 한계를 정해야 할 수도 있다. ... 수업 계획하기, 학생의 필요에 의미 있게 대응하기, 그리고 교실 내에서 학습활동을 선택하고 만들어내는 것은 교사의 자유가 있어야 하는 활동들이다.

이는 교사가 그들에게 기대되는 것과 그들의 자율성에 대한 한계에 대해 이해하는 것을 암시하는 것뿐만 아니라 관리자들이 교사의 전문성을 신뢰하고 있다는 것을 가정한다. 이 두 조건 모두 부족한 상황에서는 관리자 측에서의 긍정적 형태의 조치가 필요할 것이다. Tsui(2003)는 자신의 연구에서 홍콩의 패널 체어 중 한 명이었던 Marina에 대해서 다음과 같이 설명한다:

> Marina는 교과서를 변경하고 개작하는 전통을 유지하려고 열심히 일했다. 이는 교과서를 그냥 따르는 것이 더 쉽다고 여기는 몇몇 동료들이 이러한 활동에 의문을 가졌기 때문에 쉽지는 않았다. Marina는 교과서를 분석적으로 살펴보고 향상시켜야 한다고 계속해서 주장해야 했다. 그녀는 만약 그들이 이러한 활동을 포기한다면 영어과는 침체할 것이라고 느꼈다. 선례를 보이기 위해서, 그녀는 교재를 개작했고 동료들과 이를 나누었다. (p. 97)

이 인용문이 보여주듯이, 조직 내의 자유의 부족에 대한 반대말이 완전한 자유나 개인주의일 필요는 없다. 오히려 특정 목표의 필요성에 대해 동의가 이루어지는 분위기일 수가 있는데, 이때 교사들은 이러한 목표를 이루기 위해 자신들이 선호하는 방법을 사용할 수 있으며 아이디어와 교재를 나누면서 서로를 지지하고 자극을 줄 수 있다. 개작이 기본이라고 여겨지고 개작의 모델이 있는 상황이라면, 경험이 부족한 교사들은 개작하는 데 자신감을 얻을 수 있을 것이다. 웹사이트를 통해 서로의 아이디어를 나누는 상황이라면, 경험이 부족한 교사도 동등하게 공헌할 수 있으며, 필요하다면 관리자들이 먼저 적극적으로 앞장서야 할 수도 있다.

4. 교육부에 대한 제언

4.1 교수요목, 교과서 그리고 시험의 통합

교사들은 종종 그들이 사용해야 하는 교재와 학생들이 준비해야 하는 시험 사이의 부조화에 대해 불평을 한다. 더 심각한 것은 교사들은 사용하는 교재에 대해 어떠한 의견도 내지 못하는 경우가 자주 있다는 것이다. Lee와 Bathmaker(2007)의 연구에서 직업학교에 근무하는 싱가포르 교사들의 반응은 전형적이라고 할 수 있다. '비록 교사들은 교과서가 학습자의 언어학습과 언어사용에 있어 더 큰 목표를 지향하도록 하는 유용한 교육 자료를 포함하고 있다는 것을 알지만, 실제로는 교과서를 시험형식의 연습문제지처럼 사용한다'(p 368).

외부자의 관점에서는 중앙집권화 된 체제에 있어 이러한 일관성 결여의 문제에 대한 해결책은 쉬워 보인다-실제 해결책을 도입하는 것은 더 어려울 수 있더라도 말이다. 즉, 교수요목 개발, 교과서 제작 그리고 시험이 통합적 운영의 일부가 되어야 한다는 것이다. 이 모두가 같은 건물 안에 있다면 더 도움이 되겠지만, 정기적인 회의가 *필수불가결*할 것이다. 이 위원회에 교사(만약 가능하다면 장학사) 대표가 있다면 교사의 관심사를 가장 잘 반영할 수 있을 것이다.

4.2 연구결과를 반영하는, 현실적인, 상황에 민감한 교수요목

상기 제시한 것만큼 중요한 또 다른 종류의 괴리가 존재하는데, 이는 바로 한 국가 내의 교수환경의 다양성(보통 도시-시골의 차이로 알려져 있는)이다. 이런 경우에는 보통 공식적/교육기관의 목표와 교수요목이 교실의 현실과 조화를 이루지 못하며 의미가 없다. 따라서 교육체제를 구성하고 있는 교수환경, 교사와 학습자라는 모든 스펙트럼을 고려한 상황별 연구가 필요하다. 이러한 연구를 통해 현실적인 교육목표를 설정할 수 있으며, 내용 면에서 적합한 (그리고 유연한) 교수요목을 확립할 수 있다. 또한 이러한 교수요목의 목표, 내용 그리고 강조하는 부분을 반영하는, 그리고 무엇보다 학습자들이 이미 알고 있고 할 수 있는 것을 보여줄 수 있도록 하는 평가를 만들 수 있다.

4.3 교재

국정교과서를 집필하는 저자의 출발점은 교수요목, 국가시험 체제, 그리고 언어학습과 교수의 최신 이론일 것이다. 그러나 교수와 학습을 증진시키는 교재를 만들기 위해서 저자는 효과적인 교수/학습활동과 상황의 제약에 대해 알려진 것, 즉, 앞서 언급한 연구들을 고려해야 할 필요가 있다. 성공적인 교과서 집필 프로젝트가 보여주듯이(루마니아 교과서 집필 프로젝트에 관해서는 Popovici & Bolitho, 2003, 그리고 Brian Tomlinson이 지휘한 나미비아 프로젝트에 관해서는 Tomlinson, 2011b: 24-5와 Lund, 2010 참조), 개별 저자는 이전의 교과서 집필 경험이 필요하지는 않지만 전문가 집단의 전문 지식에 접근할 수는 있어야 한다. 집필부와 교육부 간의 정기적인 회의 또한 바람직하다.

집필 과정에서 파일럿하는 것은 매우 바람직하지만, 이와 함께 교과서의 전면적인 소개 이후 정기적인 검토/평가도 필요하다. 장학사/교장(적합하다면), 교사 그리고 학습자로부터 피드백을 받아야 하며, 이러한 피드백이 수정 과정에 영향을 주어 피드백을 제공한 이들이 자신의 목소리가 반영되었다는 것을 알도록 해야 한다. 장기적인 관점에서 평가는 시험의 결과로 측정될 수 있는 학습의 결과를 고려해야 하며, 이와 함께 교육체제에 있어 다음 단계에서의 수행(예, 초등에서 중등으로, 중등 저학년에서 중등 고학년으로, 고등학교에서 대학으로의 전환)도 고려해야 한다. 교육부 역시 학습자에게 교재가 부족할 때, 교사가 교사용 책을 이용할 수 없을 때, 또는 새로운 교과목의 구성요소가 제공되지 않을 때, 교사의 업무가 훨씬 더 어려워진다는 것을 기억해야 한다.

교육부가 모든 교과서가 승인을 받도록 요구하는 상황에서는 승인 과정이 명확하고 승인 기준은 투명해야 한다. 교과서 승인 위원회는 선출된 교사 대표를 포함해야 한다. 교육기관이 승인 목록에서나 또는 자유롭게 교과서를 선택할 수 있다면, 교과서 선정(그리고 지속적인 평가) 과정에 대한 지침이 제공되어야 한다. 교과목 계획 시 학교와 학생들은 서로 다르다는 것에 대한 조언을 제공하는 것도 바람직하다.

4.4 교사교육

특정 교육체제 안에, 예비교사와 경력교사 프로그램이 같은 목표하에 있고, 경력교사 프로그램이 예비교사 프로그램을 토대로 만들어진다면, 예비교사들의 필요(예를 들어, 교육실습에 대한 필요)와 경력교사들의 필요를 차별화하는 교재 평가 및 디자인에 대한 접근법을 계획할 수 있을 것이다. 하지만 현실은 예비교사 프로그램에 교재 개발 요소가 항상 존재하는 것은 아니고, 존재한다고 하더라도 이러한 구성요소의 목표와 내용이 각 교육기관마다 현저하게 차이가 난다. 다음의 인용문은 대략 25년 전에 출판된 책에서 나온 것이다.

> 학술지와 국제/지역 교사 협회의 노력에도 불구하고 ELT는 여전히 매우 고립주의적이다. 전 세계의 따로 격리된 교육집단에는 자신들을 위해서 쓸데없이 시간을 낭비하느라 바쁜 열성가들이 있다. ELT 교사교육과 교육활동에 내재되어 있는 다양성이 전문성 개발을 방해하는 혼돈에 불과한 그런 지점이 있다. *이제 막 시작 단계인 교과서 개발과 평가를 둘러싼 상황보다 이를 더 명확하게 보여주는 것은 없다.* (Sheldon, 1987b: 5, 강조 추가)

그동안 진전이 있었지만, 교재 평가와 개발의 주제를 다루는 수많은 교과목에서 확인할 수 있듯이, Sheldon의 기본 요지는 여전히 유효하다: 즉, 이러한 교과목의 목표와 내용에 대한 동의가 아직까지 이루어지지 않았다는 것이다(3장과 4장 참조).

이와 함께 교사의 언어 자신감(그들의 언어능력 또는 언어에 대한 지식과 관계되는)이 교재의 언어적 내용을 비판하고 개작할 수 있는 정도에 영향을 미칠 것이라는 것을 인식할 필요가 있다. 따라서 영어 훈련을 받지 않은 또는 영어실력이 약해서 자신감이 부족한 교사에 대한 지원은 교사들의 교과서 사용방식을 바꾸고자 하는 노력과 함께 이루어져야 한다.

5. 출판사와 교과서 저자에 대한 제언

5.1 디자인

학생용 그리고 교사용 교재의 시각적 디자인에 대한 비판은(3장 참조) 교재의 명확성, 일관성, 다양성 그리고 시각적 매력을 향상시키기 위해 많은 것들이 필요하다는 것을 의미한다.

5.2 관련성에 대한 수요 충족시키기

시간이 부족한 교사들은 준비를 거의 하지 않아도 되는 교재를 필요로 한다는 것은 이미 앞선 장에서 논의했다. 이러한 교사들은 또한 학습자와 관계가 있는 교재를 원한다. 국정교과서와 민간출판사들이 출판한 지역 교과서는 매력과 재미가 덜 하기 때문에 종종 글로벌 교과서에 비해 더 못하다고 여겨지지만, 글로벌 교과서는 학생들의 삶과 관계가 없다는 점 때문에 비판을 받아왔다. 국제출판사들은 수많은 방식으로 이러한 필요와 수요에 응해왔다. 여기에는 다양한 구성요소를 갖춘 교과서, 복사가 가능하며 지역에 맞도록 고칠 수 있는 교재의 제공(시험과 같이), 그리고 글로벌 교과서의 지역판local versions 개발 등이 포함된다.

다양한 구성요소를 갖춘 교과서는 출판사가 제작하기에 비싸고 따라서 구입하기에도 비싸다. 또한 이를 충분히 활용하기 위해서는 테크놀로지 자원이 사용 가능해야 한다. 교사의 수업 계획 측면에서도 '믹스 앤 매치'(또는 '픽 앤 믹스') 접근법은 많은 시간을 요구한다. Tomlinson 외 3인(2001: 98)은 다음과 같이 언급한다: '많은 출판사들은 다양한 구성요소를 갖춘 교과서를 출판하는 이유는 오직 경쟁사에서 그렇게 하기 때문이라고 말하며, 사실 적자를 내는 많은 요소들(비디오나 리소스팩과 같은)을 기꺼이 버리고, 교과서가 학생용 책, 카세트 그리고 교사용 책으로 구성되었던 시절로 돌아가고 싶다고 한다.'

출판사 입장에서 지역판은 추가 비용을 의미하기 때문에 재정적인 면에서 그 정당성이 입증되어야 한다. Tomlinson(2010b)은 주로 교재의 관련성에 대해 생각하면서, 출판사가 좀 더 많은 교재를 온라인으로 제공해서 교사 스스로 쉽게 변경할 수 있도록 해야 한다고 제안한다. 하지만 Masuhara 외 3인(2008: 298)은 교수법적 근거를 바탕으로(교재가 '언어능력을 발달시키거나' '상호적 면대면face-to-face 피드백을' 제공하기보다는, '명시적이고 개별적 지식을 가르치고 평가하는 것을 선호한다') 복사가능하고 지역에 맞도록 고칠 수 있는 교재에 대한 경향을 비판하며 다른 관점을 견지한다. 이러한 비판이 설득력이 있기는 하지만, 개별 지식이 다른 유형의 학습 및 연습의 기회와 함께 균형있게 제시된다는 전제하에, 언어학습에 있어 개별 지식의 중요성도 인정되어야 할 것이다. 또한 상호적 피드백은 꼭 면대면 방식일 필요는 없으며, 많은 학습자들은 컴퓨터가 제공하는 즉각적인 중립적 피드백을 좋아한다. 그러나 복사 가능한 교재와 지역에 맞도록 고칠 수 있는 교재 사이에는 중요한 차이점이 있다. 교수법적 관점에서 본다면, 복사 가능한 교재는 사용자가 생각도 하지 않고 사용하도록 하지만, 그럼에도 여타 일반 목적의 교재처럼 개작할 필요가 있을 수 있다. 실행 차원에서는 둘 다 복사기가 필요한 반면, 지역에 맞도록 고칠 수 있는 교재는 컴퓨터와 프린터가 필요하다. 이러한 시설은 여전히 교육기관에서 보편적으로 사용가능한 것은 아니다.

5.3 후속 단계

출판사와 저자는 더 간단하고 비용 면에서 더욱 효율적인 후속 단계를 밟을 수 있다.

- 개작에 대한 아이디어(특히 개인화와 지역화)와 추가 활동이 있는 교사용 책(글로벌 또는 지역 교과서에 따라 오는) 제공. 좀 더 구체적으로, 교사용 책은 교재가 다양한 수업 길이에 맞도록 어떻게 개작될 수 있는지를 보여주는 수업계획서를 포함할 수 있고, 어떻게 교재가 서로 다른 학습자 요구와 언어능력 수준을 수용하도록 개작될 수 있는지를 보여줄 수 있으며, 추가의 복사 가능한 교재를 제공할 수 있다 (Bell & Gower, 2011).

- 학생용 책에 흥미로운 본문 제공.
  교과서는 무엇보다 본문을 포함하고 있는 책이다. 우리가 살펴본 바와 같이, 교사는 본문이─교사들은 주로 읽기용 본문을 생각하는 듯하다 ─학습자들에게 흥미로워야 한다는 것에 관심을 가진다. 성인 대상의 교과서에 대해 설문조사를 한 Tomlinson 외 3인(2001) 연구의 주요 발견 중 하나는 다음과 같다: '제공된 읽기 본문은 무언가에 대해 생각하거나 얘기할 수 있도록 하기에는 보통 너무 짧거나 단조롭다. 듣기 본문 또한 취미, 직업, 여행, 관습, 일상 등에 대한 지극히 일상적인 인터뷰나 독백인 경향이 있다. 이들 중 많은 내용이 현실적이지만 (흥미롭기까지 하지만), 이러한 본문에 반응하는 것은 인지적이고 감정적인 참여를 거의 요구하지 않는다'(p. 299). 성인을 대상으로 한 또 다른 여덟 권의 책을 검토한 Masuhara 외 3인(2008)의 연구는 이들 책 대부분이 듣기와 말하기 활동으로 되어있다는 것을 발견했다.

- 교사와 학습자는 또한 **차별화의 여지**, 즉, 학습자 활동 선호도를 충족하는 다양한 수준의 난이도와 옵션─다시 말해, 선택권─을 제공하는 교재를 필요로 한다. Tomlinson(2008b)은 같은 본문의 다양한 판 versions을 제공할 것을 제안한다.

● 학습자들로 하여금 비교를 하도록 하는 활동(예를 들어, 자신의 문화와 경험과 교재에 그려져 있는 문화와 경험 사이의 비교)은 글로벌 교재가 학습자들이 느끼는 소외감을 줄이기 위해 시도해볼 수 있는 방법 중 하나이다. 만약 주제, 상황, 이미지 및 제시된 가치관이 학습자의 경험과 너무 동떨어져 있다면, 문제는 여전히 있을 것이다.

● Tomlinson 외 3인(2001)이 살펴본 교과서는 '다른 대륙과 문화의 사진을 몇 장 포함하는 형식적인 노력을 했음에도 불구하고'(p. 89) 매우 유럽식으로 보였다. Masuhara 외 3인(2008)은 '최신 교과서에 있는 거의 대부분의 사진은' 비록 몇몇 책이 '다른 민족과 다양한 나이대의 인물을 묘사하기는 하지만' '대부분은 젊고, 건강하고, 웃고 있는 얼굴에 편중되며 ... 영국이나 서양의 것들인 듯하다'(p. 303)라고 말한다. 문화적 가치관에 있어서도 비슷한 논점이 적용된다(3장 참조). 학습자들은 교재가 그들의 세상, 그들의 삶과 관계가 있다고 느낄 필요가 있다. 교사는 지역화하고 개인화하려고 노력할 수 있지만, 이는 공감이라는 문제에 부분적인 해답일 뿐이다. 출판사가 이에 대해 더 적극적으로 임한다면 교사는 신경을 덜 써도 될 것이다.

5.4 다를 수 있는 용기

지난 수년 동안 교사와 학습자, 그리고 학습자들 간의 역동적이고 창의적인 상호작용, 즉 학생들의 학습동기를 고취시키고 진정한 학습으로 이끄는 상호작용은 유연하게 사용될 수 있는 핵심 자원을 제공함으로써 가장 잘 촉진될 것이라는 제안이 있어 왔다(Brumfit, 1979; Allwright, 1981; Sheldon, 1988; Maley, 2011 참조). 이러한 제안의 문제점 중 하나는 한 집단의 학생들이 사용하는 '교과서'는 또 다른 학생들이 사용하는 것과는 매우 다를 것이며, 학생들이 수업 교재를 미리 살펴보거나 검토하는 기회는 크게 줄어들 것이라는 사실을 받아들이기 위해, 한편으로는 교사의 전문성과 능력, 그리고 또 다른 한편으로는 학습자(그리고 학습자의 부모와 행정부)의 의지가 있을 것이라는 추정에 기반하고 있다는 것이다. 그럼에도 불구하고 교사가 능력이 있고 학습자들이 열려있는 상황이라면 이는 흥미로운 가능성이 될 것이다. 그러나 이것이 가능성 이상의 것이 되기 위해서는 출판사가 경제적인 위험 부담을 감수할 의지가 있어야 한다.

또한 무엇이 핵심을 구성할지를 결정하는 중요한 문제가 있다.

교과서에 대한 비판 중 하나는 교과서가 응용언어학 연구의 결과를 반영하지 못한다는 것이다(3장 참조). 이에 대해, Richards(2006: 23)는 다음과 같이 주장한다: '교재의 성공은 연구에서 영향 받은 정도에 좌우되는 것이 아니다. ... 연구에 근간을 둔 교재는 때때로 시장에서 엄청난 실패를 맛보기도 하는데, 이는 상황적 제약을 고려하지 못했기 때문이다.' 상황적 연구에 대한 논점은 4절에서 이야기했다. 교재 개발자(교과서 저자와 출판사)가 관심을 가져야 할 문제는 당연히 상황적 연구 외에 어떤 다른 연구가 관계가 있느냐를 결정하는 것이다.

1장에서 링구아 프랑카로서의 영어English as a Lingua Franca, ELF에 대해 잠시 언급했었다. 이러한 운동의 잠재적 영향력은 지금까지 실현된 것보다 훨씬 더 광범위하고 아마도 더 중요할 수 있다. Ur(2009)가 서술한 개요에 따르면, 이러한 중요한 잠재적 영향력은 다음을 포함한다:

- '영어'가 무엇인지에 대한 개념의 변화: 하나의 '원어민' 모델보다는 국제적으로 이해 가능한 다양한 영어 변이형.

- 영어교육 목표의 변화: 가짜imitation 원어민보다는 능숙한, 영어를 아는 English-knowing 이중 언어 사용자를 만들어 내는 것.

- 영어교과서의 문화적 배경의 변화: '자국의' 문화와 '국제적' 문화가 지배.

- 내용과 언어에 있어 교재와 평가 디자인의 변화.

- 영어교사 이미지의 변화: '원어민인 것'이 언어능력, 교수능력, 문화 간 이해능력보다 덜 중요함.

네 번째 요점의 타당성은 무시할 수 없다. 이 요점이 출판사가 다르고자 하는 용기를 가질 수 있도록 할 것인가?

6. 연구에 대한 제언

6.1 향후 연구의 필요성

이 책의 앞선 장에서는 교사가 교과서 저자 및 다른 이들이 그들에게 기대하는 것을 하지 않을 수도 있다는 것을(특히 교재 평가와 관련하여) 보여주었다. 왜 그런지를 아는 것은 도움이 될 것이다. 이론이 실제 현실을 고려하지 못한 것인가, 또는 실행가들이 이론을 모르고 있는 것인가? 우리는 또한 영어교육 문헌에 있는 개작 과정과 원리에 대한 설명이 다소 혼란스러우며, 보충에 대한 논의도 매우 제한적이라는 것을 살펴보았다. 바람직한 교사활동을 설명하는 데 더 확고한 이론적 기반을 확립하기 위해서, 이 두 분야에 있어 교사의 실제 활동에 대한 향후 연구가 필요해 보인다.

물론 지금까지 교재에 관해 집필해 온 다수의 저자들이 이러한 연구계획에 대해서 제안을 했었다(예, Byrd, 1995b; McGrath, 2002, 10장; Tomlinson, 2003c: 455-6, 2011d; Harwood, 2010b; Masuhara, 2011). 이 절의 목적은 이러한 제안들을 요약하려는 것이 아니고 이전 장에서 제시된 증거를 바탕으로 제언을 하고자 함이다. 아마도 다소 겹치는 부분이 있을 것이다.

6.2 제안된 연구 초점

6.2.1 교육기관

모든 체제는 때때로 새로운 시각을 가지고 철저히 살펴봄으로써 혜택을 받을 수 있다. 다음의 제안은 교육기관 관리자가, 예를 들어, 품질보증 검토의 형태로서 사용할 수 있을 것이다. 또한 다양한 관점을 비교하는 연구의 일부로서도 사용할 수 있을 것이다(따라서 6.2.2절과 6.2.3절의 질문 중 겹치는 것은 의도된 것이다).

- 교과목 계획 시 어떤 단계가 포함되는가? 이러한 단계가 어떻게 정당 화되는가?

- 교재는 어떻게 선정되는가? 교재 선정 과정은 어떠하며 어떤 기준이 사용되는가? 이러한 과정이 최적으로 운영되고 있다는 것을 보여주는 증거는 무엇인가?

- 교과서가 사용된다면, 교사는 책을 개작하고 보충하도록 기대되는가? 만약 그렇다면, 교사들이 실제로 그렇게 한다는 것을 보여주는 증거는 무엇인가? 실제적인 도움이 있는가? 예를 들어, 교사들은 적절한 보충 교재의 자원을 알 수 있도록 되어있는가?

- 교재 선정과 평가에 대한 결정이 교사에게 주어졌다면, 어떠한 형태의 도움, 지원과 점검체계가 있는가?

- 보충 교재 또는 교사들이 집필한 교재를 공유하거나 저장하는 공식적 인 체계가 있는가?

- 교과서는 사용 중 그리고 사용 후에 평가되는가? 만약 그렇다면, 이 정보는 어떻게 사용되는가?

6.2.2 교사 관점

다음 질문은 개별 교사, 한 그룹의 교사 또는 교사교육자와 일하는 경력교사 가 탐구할 수 있다. 교사교육에서 효과적인 교수활동에 대한 설명으로 사용될 수 있는 기반을 제공하기 위해서, 가능하다면 장기 연구의 형태로 관찰에 근 거한 연구가 특별히 필요하다. 다음의 질문은 또한 교육기관이나 개인적, 전 문적 신장의 차원에서 다른 목적을 충족시킬 수도 있다. 몇몇 질문에 대한 대 답은 교과서 저자들에게 특별히 흥미로울 것이다.

● 교과목을 위한 계획은 어떻게 구성되어 있는가— 어떤 단계가 포함되어 있는가? 교사는 계획 과정이 효과가 있다고 느끼는가?

● 교사는 교재의 역할을 무엇이라고 바라보는가(특히 교과서)?

● 교재는 어떻게 선정되는가(과정과 기준)? 선정 과정에서 교사의 역할은 무엇인가? 교사는 선정 과정이 효과적이라고 생각하는가?

● 교사는 교재 및 학습자와 관련하여 자신의 역할이 무엇이라고 생각하는가?

● 교사는 어떤 교재들이 사용가능한지(온라인 교재 포함)에 대해 충분히 알고 있다고 느끼는가? 교사는 충분한 교재에 쉽게 접근할 수 있는가?

● 교사가 한 권 이상의 교과서를 사용한다면, 이러한 교과서에 대해 어떻게 생각하는가? 무엇을 좋아하고 싫어하는가? 교사는 교과서에서 무엇을 원하는가?

● 교사가 한 권의 교과서를 사용한다면, 그들이 원하는 방식으로 개작할 자유가 있는가(예, 연습문제나 활동을 생략하거나 개작함으로써)? 이러한 자유가 있다면, 교사는 이를 사용하는가? 교사는 교과서를 보충할 자유가 있는가? 만약 그렇다면, 교사들은 보충하는가?

● 수업 계획 단계에서, 무엇이 교사가 교과서 및 다른 교재를 특정 방식으로 개작하려는 결정에 영향을 주는가(예, 어떤 연습문제를 생략하고/개작할지, 개작의 경우, 어떻게 개작할지)? 무엇이 특정 방식으로 보충하려는 결정에 영향을 미치는가(예, 이미 존재하는 자료에서 빌릴 것인지, 새로운 실제 자료를 찾아볼 것인지, 원교재를 집필할 것인지)?

● 무엇이 그 외 수업 중 교재와 관련된 결정을 내리는 데 영향을 미치는가?

● 교사는 교재를 함께 나누는가? 교재를 개발하기 위해 함께 일하는가?

● 교사는 학습자들에게 수업시간 이외에 어떻게 교재를 사용하고 교재에 접근할 수 있는지 조언을 하는가?

- 교사는 교과서를 사용하면서 평가하는가? 만약 그렇다면, 어떤 방식으로 이러한 과정을 기록하며, 이러한 기록이 추후 어떻게 사용되는가?

- 교사는 학습자들을 교재 평가, 선정 및 집필의 과정에 참여시키는가? 만약 그렇다면, 어떻게? 그렇지 않다면, 왜?

- 교사는 교재 사용을 마친 후 평가하는가? 만약 그렇다면, 어떤 방식으로 어떻게 이러한 정보가 사용되는가?

- 교사는 교과목을 계획하고 교재를 선정, 개작, 보충, 집필 그리고 평가하기 위해 필요한 지식과 기술을 갖추고 있어야 한다는 것에 동의하는가? 교사는 이러한 분야에 있어 어떤 교육을 받았으며, 이러한 교육은 교사의 활동에 어떤 영향을 주었는가? 교육현장에서 어떤 교사연수와 지속적인 지원이 있는가? 교사는 자신에게 지속적으로 필요한 것은 무엇이라고 생각하는가?

6.2.3 학습자 관점

우리는 교재, 교사의 역할, 또는 학습자 스스로의 역할에 대한 학습자들의 관점에 대해서 아는 것이 거의 없다. 다음의 질문에 대한 답은 개별 교사 및 좀 더 폭넓게는 교과서 저자와 교사교육자에게 유용한 정보를 제공할 것이다.

- 교과서가 사용될 때, 학습자들은 책의 목적이 무엇이라고 생각하는가? 그들은 사용하는 교과서에서 무엇을 좋아하고 싫어하는가? 그들은 교과서 그리고 좀 더 일반적으로 교재에서 무엇을 원하는가?

- 학습자들은 교재와 관련해서 그들의 역할이 무엇이라고 생각하는가? 교과서가 있다면, 수업 외에 교과서를 어떻게 사용하는가? 교사가 강조한 부분(또는 외부 시험과 관계된 부분)만을 집중하는 경향이 있는가? 수업 후 유인물을 가지고 무엇을 하는가?

- 학습자들은 교과서와 관련해서 교사의 역할을 무엇이라고 생각하는가?

- 학습자들은 교사가 교과서를 사용하는 방식에 대해서 어떻게 느끼는가? 그들은 교사가 교과서를 너무 많이/충분치 않게 사용한다고 느끼는가? 교사가 한 개작에 대해서 알고 있는가? 만약 그렇다면, 이에 대해 어떻게 생각하는가?

- 학습자들은 교사가 제공한 교과서가 아닌 교재에 대해서 어떻게 느끼며, 이러한 교재의 흥미와 가치에 대해서 어떻게 생각하는가?

- 학습자들은 사용하고 있는 교재(교과서 그리고/또는 다른 교육 자료)에 대한 의견, 흥미 또는 선호하는 수업활동에 대해서 교사로부터 질문을 받아 본 적이 있는가? 그들은 자신들의 흥미, 선호도와 의견이 고려되어야 한다고 생각하는가?

- 학습자들은 어떤 교재를 사용할지에 대한 결정(예, 교과서를 선정하고, 본문을 선택하는 결정)을 하는 데 역할을 해야 한다고 느끼는가? 그들은 교사가 그들에게 유용한 교재를 교실에 가져오도록 하거나 또는 만들도록 하는 것이 좋은 아이디어라고 생각하는가?

- 학습자들은 다른 학습자들이 선정하거나 만든 교재를 사용하도록 요구되었을 때, 또는 그러한 교재를 만들 기회가 주어졌을 때 어떻게 반응하는가?

6.2.4 교사교육

교사들이 교재, 교재 선정 그리고 교재 사용과 관련하여 지금까지 연구된 많은 문헌들을 읽지 않아왔다는 것은 거의 의심의 여지가 없어 보인다. Crookes 와 Arakaki(1999)는 미국에서 진행한 소규모 연구에서 교사교육자들에게 다음과 같은 농담조의 제안을 하며 연구를 마무리한다. '자신들의 연구가 혜택을 주고자 하는 집단에게 잘 받아들여질 것인가의 문제에 얼마나 낙관적인 지를 연구할 수 있는 상황에 있는 특혜를 받은 사람들은'(p. 8) 그러한 연구를 진행하는 것이 도움이 될 것이라고 생각할 수도 있을 것이다.

만약 정말로 교사들이 영어교육 문헌을 읽지 않는다면, 이는 교재 평가와 교재 개발이 예비교사교육과 현직교사교육 프로그램의 핵심 요소가 되어야 한다는 주장을 더욱 강력하게 만든다. 다음에 나오는 이 책의 마지막 장은 교사교육자에게 일련의 선택권, 즉, 교수법적 구성'요소'building blocks와 '스레드'threads(Woodward, 2001)를 제시한다. 이러한 교수법적 구성요소와 스레드는 다양한 방식으로 특정 상황에 있는 특정 참여자들의 필요에 맞도록 버려지거나, 삭제되고 변형되거나, 새롭게 추가될 수 있다. 하지만 교사교육 프로그램이 내린 결정(목표, 내용, 과정과 평가)과 그 결정의 효과 역시 연구의 초점이 되어야 하며, 이러한 연구의 결과가 가능한 널리 전파되는 것이 필수적이다. Sheldon(1987b: 5)이 불평했던 다양성, 소외 그리고 새로운 방식을 고안하느라 시간을 낭비하는 것으로 특징지어진 '이제 시작하는 단계의 상황'을 우리는 충분히 오랫동안 겪어왔다.

10장

교사교육자에 대한 제언:
실제에 기반을 둔 제안

> 아랍 에미리트 연합국의 영어 교사교육에 있어 최신 접근법의 주요 문제점 중 하나는 교사교육이 강의식 접근법에 많이 의존하고 있다는 것이다. 두 번째 문제점은 대학교수와 교사 간의 접촉이 부족하다는 것이다. 사실, 대학교수들은 중등 그리고 초등학교에서 어떤 일이 벌어지고 있는지 거의 알지 못한다.
>
> (Guefrachi & Troudi, 2000: 189)
>
> 현직교사교육 과정이나 프로그램이 연수생들의 경험, 가정 그리고 그들이 인식하고 있는 문제점을 바탕으로 만들어진다면 가장 유용할 것이다.
>
> (Breen et al., 1989: 134)

1. 서론

교재 평가와 디자인에 있어 교사교육의 성공 또는 실패에 관해 출판된 자료가 거의 없다(그러나 Breen et al., 1989; McGrath, 2000; González Moncada, 2006: Akbulut, 2007 참조). 따라서 실제와 이론 사이의 간극이 교육의 부족이나 비효율적인 교육의 결과인지 또는 이 둘 중 한 가지와 상황 및 개별 요소 사이의 상호작용의 결과인지를 알기란 어렵다. 현재 교재 평가와 개발에 대한 교과목(또는 교과목 요소)이 존재하지 않는다면, 무엇보다 첫 번째 할 일은 이러한 교과목을 만드는 것이다. 두 번째 할 일은 이러한 교과목이 목표한 대상에 맞도록 적절히 구성되어 있고 가능한 효과적일 수 있도록 보장하는 것이다.

후자의 고려사항을 염두에 두고, 이 장은 교사교육의 방법론, 그리고 특히 예비교사와 경력교사가 이전 장에서 밝힌 역할을 완수하기 위해서 필요한 인식, 지식, 능력과 태도를 발전시키는 데 도움을 줄 수 있는 방법에 중점을 둘 것이다. 이는 일련의 기초적인 구성'요소'의 형태로 표 10.1에 제시되어 있다. 왼쪽에서 오른쪽으로 교재 평가에서 교재 디자인으로 그 초점이 조금씩 바뀐다(비록 평가는 모든 디자인 중심의 활동에서 중요하지만). 모든 요소가 모든 상황에 똑같이 관계있는 것은 아니며, 예비교사교육 과정에서 교과서 선정은 당연히 수업 계획 뒤에 올 것이다.

표 10.1 교과목 구성요소

교과서에 바탕을 둔 교수					교재 집필
교과서 평가		수업 계획			
선정	과정 중/ 과정 후	분석	개작	보충	

교재 평가 ─────────────────────────→ 교재 디자인

물론 교사교육에 대한 상당한 문헌이 이미 존재하고 있으며, 1990년대 이후에는 언어 교사교육에 대한(예, Richards & Nunan, 1990; Wallace, 1991; Roberts, 1998) 그리고 심지어 교사교육자 교육에 대한(예, McGrath, 1997; Malderez & Wedell, 2007; Wright & Bolitho, 2007) 책 분량의 출판물이 점점 더 늘어나고 있는 추세이다. 언어교사들을 위한 교과목을 어떻게 운영할 것인가라는 차원에서의 방법론이 Woodward(1991)의 주요 주제라면,

Woodward(1992)의 *Ways of Training*은 실용적인 아이디어에 대한 매우 유용한 자원을 담고 있다. 일반적으로 언어 교사교육에 있어 중요하다고 여겨지는 많은 것들은-위의 두 권의 책에 제시되었듯이-교재 평가와 디자인에 관한 교사교육에도 관련이 있다. 이 장에서 우리는 교재 평가와 디자인 교사교육에 있어 과정 옵션(절차, 활동 그리고 과업)에 관심을 가질 것이다. 이러한 옵션에는 교수의 가르침이나 읽어야 할 책들이 포함되지만, 이 장에서 전반적으로 강조하고자 하는 것은 실제 과정 속의 이론을 보여주는 활동들이다.

구성요소를 선정하고 조직화하는 것과 과정 옵션에 대한 결정을 내리는 것은 교사교육 과정 디자인의 일부일 뿐이다. 다른 무언가가 교사교육 과정의 여러 구성요소들은 결속할 필요가 있다. 이러한 응집력은 표 10.2에 제시된 되풀이되어서 나타나는 활동 또는 스레드threads를 통해서 제공될 수 있다. 스레드는, 만약 교사가 언어학습을 위한 교재의 잠재력을 충분히 활용하고자 한다면, 이에 필수적인 교사의 전문적 책임감과 역할을 지속적으로 재고하도록 할 것이다. 더 넓은 관점에서 보자면, 스레드는 분석력과 창의성을 개발하도록 촉진시킬 것이며 따라서 교사의 개인적 성장과 교사 자율성의 능력에 도움을 줄 것이다.

표 10.2 교사교육 과정 스레드

신념, 태도, 인식, 지식, 기술 이끌어내기				
공유하기	⇨	비판성과 창의성	⇨	전문적 자율성
구조화된 실험과 연구				
성찰				

2절은 표 10.1에서 제시한 각각의 구성요소에 있어 교사의 인식과 능력을 개발하기 위해 사용할 수 있는 과정 옵션을 고려하고자 교사교육 문헌을 살펴볼 것이다. 3절은 스레드에 대해 논할 것이다. 이 두 절에서 예를 제시할

것인데, 이는 단지 활동의 유형을 보여주기 위함이다. 교사교육자는 자신만의
내용과 실험을 절차로 대신할 것이라고 가정하였다.

2. 구성요소

2.1 교과서 선정

교재 선정 목적을 위한 체계적인 교과서 평가를 장려하고 촉진시키는 방법으
로 두 가지 기본적인 접근법이 제안되었다. 이 중 한 가지는 이미 존재하는
평가 체크리스트를 가지고 시작하는 것이다. Tanner와 Green(1998)은 자신들
의 '평가 차트'를 제시한다. 연수생들은 교과서를 평가하기 위해서 이를 사용
하고 그 후 평가 차트 자체를 평가한다.

    좀 더 경험이 많은 교사들에게는 다른 접근법이 더 적절할 것이다.
Cunningsworth(1979)는 다음의 과정을 추천했는데, 이 과정에서 참여자들은
교사교육자가 체크리스트를 제시하기 전에 먼저 평가를 위한 자신만의 기준을
개발하고 정리하도록 도움을 받는다.

1. 참여자들은 소그룹으로 교과서의 유용성을 결정하기 위해 자신들의 기
   준에 대해 논의한다.

2. 그룹들은 서로의 결론을 공유한다. 교사교육자는 언어, 방법론, 그리고
   심리적 요인과 같이 제목을 붙여 이러한 기준을 정리하고 추가할 사항
   을 제안한다.

3. 교사교육자는 체크리스트의 형식으로 자신만의 기준을 제시한다(이때
   위와 같은 제목을 사용할 수 있다). 이러한 기준은 참여자들이 제시한
   기준과 비교된 후 받아들여지거나 변경된다.

4. 다시 소그룹으로 모인 참여자들은 합의한 기준을 사용해서 교과서를
   평가하고 수업 전체에 보고해야 한다. 각 그룹에게 서로 다른 책과 보

조 자료가 주어지고, 책을 전체적으로 살펴보지만, 특히 하나의 (특정) 단원을 깊이 있게 조사하도록 지시된다.

Cunningsworth(1979)가 제안하고, Guefrachi와 Troudi(2000)가 예를 들고, Tanner와 Green(1998)의 마지막 단계에서 명확하게 드러나는 워크숍 접근법의 장점은 참여자들에게 그들이 만든 기준/체크리스트를 분석적으로 살펴볼 수 있도록 하거나 또는 그렇게 하도록 장려한다는 것이다. Richards(1998a)는 그가 제공한 제목하에(교사 요인, 학습자 요인 그리고 과업 요인) 한 그룹의 교사들이 만든 기준을 보여준다. 이러한 활동을 따라서 해보고 싶은 교사교육자들은 이러한 기준(그리고 카테고리)을 토론을 위한 초기 자료로 사용하거나 또는 교사들이 자신의 기준을 만들고 나서 비교의 대상으로 사용할 수 있다. McGrath(2002)는 교사교육 과정 참여자들이 기존의 체크리스트(부록에 제시된 발췌본)를 비평하고 자신의 것을 개발하도록 장려하는 다수의 과업을 제시한다.

Cunningsworth는, 장기 교사교육 과정이나 방법론의 역사를 다루는 것이 포함된 과정에서는, 참여자들이 다양한 시대에 만들어진 교재를 평가하도록 할 수 있다고 제안한다. 이는 어떻게 'TEFL 이론이 발전했고 여전히 발전해 나가고 있는지'에 대한 인식을 높이고, '만약 이러한 기회가 없었다면 언어교수이론 강의에서 들어보기만 했을법한 그런 방법론과 접근법의 실제 예에 접근할 수'(1979: 32) 있도록 할 것이다.

Harmer(2001: 9)는 네 단계로 구성된 좀 더 광범위한 교과서 접근법을 제안한다. 비록 그는 예비교사교육 과정을 염두에 두고 제안했지만, 약간의 수정을 거친다면 현직교사교육 과정에서도 잘 적용될 것처럼 보인다. 1단계에서 연수생들은 다음의 질문을 받는다. '당신이 교과서를 집필해야만 한다면 어떻게 교과서를 집필할 것인가요?' Harmer는 토론을 통해 다음과 같은 이슈들을 다룰 수 있을 것이라고 말한다:

... 언어학습, 교수요목(유형), 주제(잠재적 사용자의 문화와 문화적 현실을 살펴보는 것을 포함), 균형(다른 성gender과 민족에 대한 공정한 제시), 사용된 언어는 얼마나 실제적이어야 하는지, 그리고 가격, 디자인, 길이와 구성요소와 같은 이슈들에 대한 이론과 신념. ... 연수생들이 무엇을 생각해봐야 하는지를 상상하는 것은 수많은 중요한 이슈들을 고려해 보도록 하고, 따라서 교육과정에 포괄적인 이론체계를 제공한다. (ibid.)

이는 2단계 및 두 번째 질문을 위한 발판을 마련한다. '당신이 교과서를 선정할 수 있는 위치에 있다면 어떻게 교과서를 선정할 것인가요?' 연수생들이 이 질문에 답할 수 있도록 출판된 체크리스트를 참조하도록 할 수도 있고, 대안으로 그들에게 교과서 디자인의 한 부분을 선택하고 자신들의 신념을 표현하는 서술문을 쓰라고 요구할 수도 있다:

따라서 레이아웃과 디자인에 집중하는 연수생들은 '페이지는 깨끗해 보이고 복잡하지 않아야 합니다/예시는 매력적이고 적절해야 합니다' 등과 같이 쓸 수 있다. 이러한 신념 서술문은 일련의 책을 평가할 수 있는 새로운 체크리스트의 기반을 만들 수 있다. 핵심은 연수생들이 그들이 믿고 있는 것에 대해서 생각해 보도록 요구받는 가운데(서술문을 쓰기 위해) 그들이 언어학습에 대해서 알고 느끼고 있는 모든 것에 대해서 성찰적으로 돌아봐야 한다는 것이다. (ibid.)

Breen 외 3인(1989)은 '현직교사교육 과정이나 프로그램이 연수생들의 경험, 가정 그리고 그들이 인식하고 있는 문제점을 바탕으로 만들어진다면 가장 유용할 것이다'(p. 134)라고 주장한다. 이는 '대학교수들이 중등 그리고 초등학교에서 어떤 일이 벌어지고 있는지 거의 알지 못할 때'(Guefrachi & Troudi, 2000: 189) 더욱 중요하며, 예비교사교육 과정에도 똑같이 관계가 있다. 상기 설명한 활동들은 체계적인 교과서 선정을 위한 절차를 소개하며, 참여자의 경험을 바탕으로 한다. 그러나 이러한 논의에 포함되지 않은 것이 바로 참여자들이 그들의 교과서에 대한 태도와 경험에 대해서, 그리고 현직교사의 경우에는 그들에게 친숙한 선정 절차에 대해서 이야기할 기회이다. 교과서 사용과 선정이 먼저 문제제기가 되어야 한다.

2.2 과정 중 그리고 과정 후 교재 평가

McGrath(2002, 9장)와 Masuhara(2011)에서 우리는 토론의 기초가 될 수 있는 과정 중 그리고 과정 후 교재 평가에 대한 다양한 실용적 제안을 찾을 수 있다.

2.3 교재 분석

교재 분석 활동은 원칙적으로 범위, 초점 그리고 제안되거나 암시된 접근법에 따라 다양하다.

　매크로 수준에서, 이러한 활동은 교과서에 그리고 잠재적으로는 교과서를 구성하고 있는 다양한 요소들에 초점을 두고 있다. Graves(2000, 9장)는 다수의 질문을 제안한다:

- 내용은 무엇인가?(저자는 언어, 학습 또는 사회적 상황의 어떤 부분에 초점을 두고자 하는가? – 예를 들어, 언어능력, 학습전략, 미국 문화)
- 교재는 어떻게 구성되어 있는가(예, 주제, 문법적 특징 ... 에 따라?)
- 교재는 어떤 근거로 순차적으로 제시되는가?
- 각 단원의 내용은 무엇인가?
- 목표(의도된 학습의 결과)는 무엇인가?
- 교재는 어떻게 학습자가 목표를 성취하도록 도울 것인가?

Richards(1998)가 제안한 특별 중점 사항은 다음을 포함한다:

- 문화적 내용(예를 들어, 성, 소수 민족, 노인에 대한 내용)

- 언어적 내용(특정 언어형식이 교과서에 어떻게 제시되어 있는지를 비교. 예를 들어, 하나의 문법형식이 참고 문법 부분에 설명되어있는 것과 말뭉치 자료에서 그 사용의 실례를 제시한 것을 비교)

- 교수법적 내용(어떻게 특정 목표가 과업을 통해 실현되는가). 읽기 능력에 대한 예가 제시되어 있다.

학문적 과정에서는 상기 제시한 모든 것이 적절한 연구 주제가 될 것이다. Littlejohn(2011)과 Ellis(2011)는 과업분석의 예를 보여준다.

McGrath(2002, 5장)는 교과서 연습문제의 목표, 언어 그리고 형식에 초점을 둔 분석지향적 과업을 제시한다. Scrivener(2005)는 분석과 교수법적 제언에 대한 고려를 합친 과업의 예를 보여 준다. 예를 들어, 한 과업에서 참여자들은 학습자들이 활동을 수행할 수많은 다양한 방법-예를 들어, 개별적으로 쓰기, 짝끼리 토론하기(과업 15, p. 42)-의 장점과 단점을 고려해 볼 것을 요구받는다. 이 과업은 따라서 성찰을 북돋는 것뿐만 아니라 아이디어도 제공한다. 좀 더 확장된 과업(과업 17, pp. 47-9)은 교과서 활동의 목표에 대한 분석과 이러한 분석을 사용하는 단계를 통합한다. Wright(1987)이 제시한 일련의 과업은 교재와 교사의 역할에 대해 성찰하도록 한다(과업 40-3).

2.4 교재 개작

개작에 초점을 둔 구조화된 활동은 두 가지 주요 목적이 있다. 바로 개작의 일반적인 형식에 대한 인식을 높이고, 특정 예를 살펴봄으로써 비판성과 창의성을 개발하는 것이다.

Tanner와 Green(1998)은 이러한 두 목표의 차이를 보여주는 유용한 과업 두 가지를 제시한다. 첫 과업에서, 참여자들은 교과서를 개작하는 방법에 대해 스스로 생각해보고, 이미 추천된 활동들(삭제하기, 추가하기, 바꾸기, 대체하기)과 자신들이 생각한 방법들을 비교한 후, 각 활동을 하는 데 필요한 일의 양-중요한 고려사항-에 대해서 돌아보게 된다. 두 번째 과업에서, 참여자들은 교과서 한 단원의 일부를 개작한 것을 평가한 후 대안에 대한 아이디어를 제시하게 된다. 교수 경력이 있는 교사들을 위한 제언에서, McGrath (2002, 5장)는 참여자들에게 출판된 교재를 개작하는 이유와 그들이 일반적으로 하는 개작의 유형에 대해서 되돌아보도록 한다(과업 4.5, p. 67). 다른 과업들은 다양한 개작의 형태를 가지고 실험을 해보는 것, 그리고 이미 제시된 결정과 자신의 결정을 비교해 보는 기회를 갖는 것을 장려한다.

교사교육 활동은 종종 수업 계획 과정을 시뮬레이션 한다. 예를 들어, Harmer의 접근법 마지막 단계는 연수생들에게 특정 교과서를 제시하고 '만약 당신이 이 책을 사용한다면, 이 부분을 사용할 것인가요?'라고 묻는다. Harmer는 다음과 같이 말한다:

> 책의 모든 단원 또는 발췌 부분에 대해 연수생들은 사용해야 할지 그렇지 않을지를 결정해야 한다. ... 만약 사용하지 않기로 결정한다면, 연수생들은 그저 생략할 것인지 또는 더 나은 것으로 대체할 것인지 이야기해야만 한다. 만약 발췌문을 사용하기를 원한다면, 어떤 방식으로든 바꿀 것인지, 그리고 만약 바꾼다면 어떻게 바꿀 것인지를 이야기해야만 할 것이다. (Harmer, 2001: 9)

비록 대부분의 교사교육자들(과 연수생들)은 아마도 '책의 ... 모든 단원을' 평가하는 것에 대해서 망설일 수도 있지만, 초보교사에게 이러한 종류의 반복적인 연습은 의심의 여지없이 가치가 있다. 물론 똑같은 기본적인 과정이 다양한 책의 발췌문에 사용될 수도 있고, 또는 그 과정이 다를 수도 있다. 하지만 필요한 결정을 내리기 위해서는 교사교육 과정 참여자들은 기본적인 상황적 정보(예, 학습자들, 교과목의 목표 그리고 수업의 길이에 대한 정보)가 필요하다. 또는 그들 스스로 먼저 이러한 정보를 결정할 것이다.

Brown(2007)이 제시한 활동은 훨씬 더 많은 도움을 제공한다. 여기에는 여덟 개의 연습문제가 있는 두 페이지의 수업계획표가 재현되어 있다. Brown

은 각 연습문제를 유형/목적(예, 예비 활동, 질문-답(전시), 정보-교환)으로 분류하고, 일반적인 상황을 설정한 후 연습문제들이 어떻게 실행되거나 개작/보충될지에 대해서 생각해보도록 하는 일련의 질문을 던진다. 예는 다음과 같다:

- 연습문제 1이 정말로 수업을 시작하는 가장 좋은 방법인가요? ...

- 연습문제 7은 배경 설정 및 학생들이 읽는 동안 무엇을 해야 하는지 – 읽는 동안 기사에서 무엇을 찾아야 하는지 – 에 대한 지시사항이 필요한 것처럼 보입니다. 이 활동 후에 학생들이 이해했는지를 점검하기 위해서 구두로 전체 질문을(연습문제 8 대신에) 해야 할까요?

- 저는 연습문제 8 대신에 연습문제 1에 열거된 몇몇 음식들을 학생들이 얼마나 좋아하는지에 따라 줄을 서도록 하는 '믹서'mixer를 고려할 것 같습니다. 그렇게 하면 단 음식이 건강에 그렇게 좋지 않다는 메시지에 중점을 두며 이 과를 끝낼 수 있을 것입니다.

이러한 과업은 교과서에 바탕을 둔 수업 계획을 할 때 꼭 해야 하는 질문 유형의 좋은 예를 제공한다. 이뿐만 아니라, 교사의 교수법적 레퍼토리를 확장시킬 수 있는 답을 제안하는 것, 그리고 교사 스스로 자신의 답을 찾도록 격려하는 것, 이 둘 사이의 균형을 잘 맞추도록 한다. 여기에서 살펴본 것처럼 이미 분류화된 연습문제를 교사들에게 제공하는 것보다는, 오히려 그들 스스로 분류를 해보도록 할 수도 있다(Brown은 유용한 분류체계를 제공한다).

경험이 좀 더 많은 교사들을 대상으로 한 과업을 설명하며, McGrath (2002, pp. 85-9)는 이러한 절차를 약간 바꾸어서 먼저 참여자들에게 Acklam (1994)의 연구에서 재현된 두 페이지 분량의 교과서 수업을 바탕으로 자신만의 수업계획서를 만들라고 한 후, 교사들의 결정을(선정하고, 거부하고, 개작하고 보충하는) Acklam의 논문에 나온 교사의 수업계획서와 비교해 보도록 했다. 참여자들이 똑같은 교재를 사용하는 교과목에서, 교사들 스스로 만든 수업계획서를 서로 비교하도록 하는 것은 토론과 성찰을 위해 좀 더 유의미한 자극을 제공할 것이다.

다른 예들은 보통 이러한 절차에 변형을 준 것들이다. 즉, 참여자들에게 개작이 이루어진 교과서 발췌문을 주고 평을 하거나 또는 자신만의 개작 아이디어를 제안하라고 한 후, 이미 주어진 것과 자신들의 아이디어를 비교하도록 한다. Graves(2003)는 자신의 논문에서 개작과 보충의 예시를 보여주는 세 유형의 데이터(수업 교재에 대한 교사 노트, 수업에 대한 설명, 그리고 수업을 전사한 것)를 제시한다. 그녀는 독자들에게 왜 제시된 다양한 결정이 내려졌는지에 대해서 생각해 보도록 권장하고, 자신의 설명도 제공한다. 연습문제지에 대한 매우 짧고 실용적인 논문에서, Hughes(2006)는 연습문제지의 첫 번째 판에 대해서 비평과 개작을 하도록 요청한 후, 더 향상된 판을 제시한다. 이와 함께 수많은 추가로 고려해야 할 사항들을 제공하기도 한다. 이 논문은 다음과 같이 단계별로 제시하는 것에 매우 적합하다: 참여자들은 먼저 첫 번째 판을 비평하고 개작한다; 그 후 자신이 개작한 연습문제를 Hughes의 두 번째 판과(마지막 판이라고 제시되지 않은) 비교하고, 마지막으로 그가 제시하는 추가 제안에 대해 논의한다. Graves의 예도 비슷한 방식으로 – 예를 들어, 참여자들에게 먼저 개작이 정말로 필요했었는지 또는 어떤 다른 형태의 개작이 사용되었을 수 있는지를 고려해보도록 하면서 – 활용될 수 있으며, 참여자들이 자신의 관점을 발표한 후에 Graves의 설명을 제시할 수 있다.

현직교사교육 과정을 염두에 두고, Tomlinson(2003c: 451)은 참여자들이 다음의 과정을 밟을 수 있도록 하는 체계적인 접근법을 주장한다:

● 학급의 개요 만들기
● 한 세트의 교재 분석하기
● 교재 평가하기
● 교재의 부분을 빼기
● 교재의 부분을 줄이기
● 교재의 부분을 대체하기

- 교재의 부분을 늘리기
- 교재의 부분을 변경하기
- 교재의 부분을 추가하기

그는 참여자들이 이러한 과정을 '몇 차례' 거치면서 이 접근법을 빠르게 그리고 너무 많이 의식적으로 생각하지 않으면서 적용할 수 있다고 주장한다. 이상적으로 다음 단계는 참여자들에게 이 접근법을 그들이 평상시 사용하는 교재에 적용할 수 있는 기회를 제공하여 교사교육 과정과 교사의 실제 상황 간의 연결고리를 만드는 것이다.

하지만 Tomlinson의 틀에서 아쉬운 것은 개작을 안내할 원칙에 대한 언급이 하나도 없다는 것이다. Graves(2000)는 참여자들이 수업 및 그들에게 익숙한 교과서의 활동을 떠올린 후 다음의 질문 중 하나에 답을 해야 한다고 제안한다: 예를 들어, '어떻게 이 활동을 더 어렵도록/더 개인적일 수 있도록/네 가지 언어영역을 통합하도록 하기 위해서 개작할 것인가?' 어려움 또는 수준에 따른 차별화, 그리고 개인화는 3장에서 논의한 원칙들 중 두 가지일 뿐이다. 이 두 가지 원칙 및 다른 원칙들을 강조하며 참여자들의 인식을 높이는 활동이 바람직하다.

2.5 보충

수업 계획을 하는 것은 자연스럽게 개작뿐만 아니라 보충에 대해서 생각해보도록 한다(Acklam, 1994). 사용 가능한 다양한 자원에 대해 잘 알지 못하는 경험이 부족한 교사들에게는 적절한 교재를 찾는 것은 어려운 일이다. Morley (1993)는 연수생들이 평가 설문지를 받고 두서너 명이 짝을 지어 전시된 책들 중에서 한 권(교과서, 언어능력 책 또는 언어연습 책)을 선택해서 검토하는 '도서 전시회'에 대해 설명한다. 이후 보고서를 작성해야 하고, 서로의 보고서에 논평과 제안을 해야 한다. 보고서의 마지막 판은 과정이 끝나면 배포된다.

따라서 이 활동은 참여자들이 그들에게 친숙하지 않을 수도 있는 교재를 검토하도록 하는 것뿐만 아니라 평가와 협동에 대한 경험을 제공한다. 인터넷에 쉽게 접근할 수 있는 곳이라면, 경험이 부족한 교사와 경험이 많은 교사 모두에게 본문, 연습문제지 또는 게임이라는 자원으로서 온라인 웹사이트를 검토해 보도록 할 수 있다.

2.6 교재 집필

참여자들이 교재를 개발할 수 있도록 돕는 것을 주요 목표로 한 교사교육 과정에서는 집필에 대한 경험을 제공하는 것이 핵심 구성요소여야만 한다. 이에 대해 Tomlinson(2003c)은 다음과 같이 주장한다: 교재 집필에 필요한 기술은 '수업을 통해서 얻어질 수 없고, 양질의 직접 경험의 결과로써만 서서히 개발될 수 있다'(p. 452).

Graves(2000, 10장)는 본문으로 사용할 수 있는 자료(네 개의 짧은 실제 주택광고가 예로 제공되었다)를 바탕으로 한 소규모의 교재 개발 과업을 제안한다. 과업을 한 후에 과업에 대한 자신들의 접근법에 대해 성찰해 보는 것은 참여자들로 하여금 그들이 중요하게 생각하는 것-결국, 자신의 신념-에 대해 깨달을 수 있도록 한다. 이 과업에 대해 참여자들이 제안한 15가지의 교재 개발 고려사항이 제시되었다.

물론 교재 집필이 출발점이 될 필요는 없다. Tomlinson(2003c)에게는 '혁신적인' 교재를 보여주는 것은 '호기심을 자극하고, 참여자들에게 "학습자"로서 잠재적으로 흥미로운 경험을 제공하며, 그들이 생각해보고 논의할 수 있는 새로운 절차의 구체적인 예를 제시하는 것이다'(p. 449). 이렇게 예를 제시하는 것은 특별한 방식으로 체계화되어 있는데, 먼저 참여자들에게 학습자로서의 역할(수업을 경험하는 것)에서 교사의 역할(수업의 단계와 각 단계에 내포되어 있는 목표와 원칙에 대한 그룹 분석)로 전환하도록 하고, 그 후 이 수업이 목표로 한 학습자들과 사용될 교재의 잠재적 효과성에 대한 개요를 정리하도록 한다. 각 그룹이 자신의 평가 내용을 발표하는 마지막 전체 토론에서,

교사교육자는 논의에서 언급되지 않고 넘어간 의도나 원칙에 대해서 언급할수도 있다. 교사교육 과정의 기간에 따라 이러한 예시를 제시하는 것이 몇 차례 더 있을 수도 있다.

참여자들은 다른 교재 집필자의 원칙이나 절차에 대한 설명을 읽는 것을 통해서도 혜택을 받을 수 있다. 전문성에 대한 연구에서 밝혀진 것은 다양한 수준의 전문적 경험을 가진 교사들이 만든 언어학습 과업 간에는 질적인 차이가 있다는 것이다. 이러한 과업에 대해 논하면서 Samuda(2005: 232)는 다음과 같이 결론 내린다.

이러한 연구는 전문가와 비전문가 교재개발자들의 실제 교재 개발 활동에 초점을 둠으로써 과업 디자인을 하는 전문가뿐만 아니라 과업을 사용하는 교사, 교사들이 과업을 사용할 수 있도록 준비시키는 교사교육자, 그리고 과업 실행을 연구하는 연구자들에게 잠재적으로 관련이 있는 수많은 이슈들을 강조한다.

Graves(2000, 10장)는, 교재 및 교사-저자의 교재에 대한 성찰의 형태로, 왜 교재가 특정 방식으로 개발되는지에 대한 통찰력을 제시한다. Byrd(1995a), Hidalgo 외 2인(1995), Alexander(2007), Harwood(2010a) 및 Tomlinson과 Masuhara(2010)의 편저들, 그리고 Tomlinson(1998a, 2003a, 2011a) 책의 논문들에는 더 넓은 범주의 집필 목적에 맞는 추가적으로 유용한 자원들이 있다.

Richards(1998a)는 개작이라는 제목하에 앞서 논의된 활동과 유사한 흥미로운 대안을 제안한다. 즉, 교사교육 과정 참여자들에게 목표 및 출판된 교재에서 가져온 본문을 제시하고(이와 함께 교수환경/학습자 프로파일을 제공할 수도 있다), 본문을 바탕으로 활용 교재를 개발하도록 하는 것이다. 이는 그 후 전문 저자들이 내린 결정과 비교된다. 참여자들이 개발한 것이 꼭 더 못하지 않을 수도 있다.

개별 집필 대 소규모 집필의 문제를 고려하면서, Kennedy와 Pinter (2007)는 15명의 국제 대학원생들이 스스로 선택한 그룹에서 자신의 교수 상황에 사용할 수 있는 교수요목, 교재 그리고 교사용 지침서를 개발했던 영국의 대학원 교과목에 대해 설명한다. 비록 시간관리나 대인관계와 같은 요소가 몇몇 그룹이 원활하게 활동하는 것에 영향을 끼쳤지만, 적어도 한 학생이 이야기한 것을 보면, 이러한 방식이 혼자서 집필하는 것보다 더 유용한 경험이라는 것을 알 수 있다. '다른 사람들이 저의 교재를 살펴보도록 하는 것이 중요했어요. 자기 스스로 모든 부족한 점을 쉽게 찾을 수는 없습니다'(Susie, 인터뷰)(p. 212), 그리고 '제가 교재를 집필할 수 있을 거라고 한 번도 생각해 본 적이 없습니다. 교사로서 그저 교재를 가르치기만 했어요. 이제 교재 집필은 교사라면 누구나 할 수 있는 일이고, 어떤 점에서는 우리가 가르칠 때 본능적으로 교재를 변경하기 때문에 이미 교사로서 하고 있는 일이라고 생각하게 되었습니다'(Susie, 성찰)(p. 213). 저자들은 '모든 구성요소가 다 즐거울 순 없다'(ibid)는 것을 지적하면서도, 교사교육 과정의 이론적 목적에 비추어서 그룹으로 활동하는 것이 더 큰 가치가 있다고 여겼다. '몇몇 교사들은 교과목 디자인의 원칙을 이해하는 데 있어 스스로 부족함이 있다는 것을 깨닫게 되었고'(p. 212), 따라서 이러한 원칙들을 연구하고자 자기주도적인 노력을 할 것이다.

3. 스레드

3.1 서론

Tomlinson(2003c)은 교재 집필 경험이 효과적이기 위해서는 특정한 방식으로 체계화되어야 하며 특정 기준을 충족해야 한다고 주장한다. 그에 따르면 교재 집필 경험은:

- 참여자를 '개인으로서' 존중하고, 그들이 가지고 있는 지식, 인식과 기술을 존중해야 한다.
- '단계별로 그리고 순차적으로 진행되어서 새롭게 습득한 인식과 기술이 즉시 사용되어 또 다른 인식과 기술 습득이 용이하도록 해야 한다.'
- '안정감과 안도감을 제공하면서 동시에 실험해보고 위험을 감수할 수 있도록' 격려해야 한다.
- 교재 개발자로서 신임을 얻은 교사교육자들에 의해 *세심하고 힘이 되는 방식으로* 점검받아야 한다.
- *집필한 교재를 서로 공유하도록* 하여 모든 참여자들이 모은 자료로부터 혜택을 얻도록 해야 한다.
- '*성찰과 변경*'을 위한 기회를 제공해야 한다.
- '참여자들에게 *자극이 되고* 즐거워야 한다.' (Based on Tomlinson, 2003c: 452, 강조 추가)

제대로 경험을 쌓은 교사교육자에 의한 재미있고 세심한 모니터링 및 지원과 같은 중요한 고려사항뿐만 아니라, 본 장의 서론에서 밝힌 스레드의 유형에 대한 언급도 여기에 있다. 즉, 참여자가 이미 가지고 있는 인식, 지식과 기술에 의존하는 것의 중요성; 실험의 필요성; 공유하고 성찰적으로 되돌아보는 기회; 그리고 점진적인 능력의 개발.

3.2 신념, 태도, 인식, 지식, 기술을 이끌어 내는 것

우리는 교재 평가 및 디자인 과목이 참여자들의 인식, 지식과 기술을 점진적으로 발전시킬 것이며, 이러한 과정을 통해서 참여자들의 신념과 태도가 영향을 받을 것이라고 가정할 수도 있다. 이러한 가정의 문제점은 우리가 참여자들의 출발점이 무엇인지를 알려고 노력하지 않는 이상 그들이 어떻게 변화했는지 또는 심지어 변화하기는 했는지에 대해서 알 방법이 없다는 것이다.

교사교육 과정 참여자들이 그들의 신념에 대해서 구체적으로 말하도록 하기 위한 가장 확실한 방법 중 하나는 설문지이다. Wright(1987)의 연구에는 교재에 대한 교사의 신념을 묻는 짧은 설문(76-7쪽의 과업 40의 첫 번째 부분)을 포함하고 있는데, 이 설문은 가르친 경험이 있는 교사들에게 적합한 것이다.

또 다른 방식은 참여자들에게 그들이 동의하는지 또는 동의하지 않는지 체크할 수 있는 서술문 목록을 제시하는 것이다. 이러한 방식의 변형으로서 더 흥미롭고 가치 있는 것은 '서술문 변경하기'statement modification(Woodward, 1992; Tomlinson, 2003c)이다. 참여자들은 먼저 일련의 범주화된 서술문에 개별적으로 동의하는지 또는 그렇지 않은지에 답하고, 그 후 동의하지 않는 것에 대해서는 자신의 신념을 드러내는 서술문을 다시 쓰게 된다. 전체 토론 후에 그룹 토론을 하는데, 그 목적은 '동의에 이르는 것이 아니라 이슈를 탐구하고자 하는 것이다 ... "본문"이라는 목록하의 서술문의 예는 "낮은 수준의 학습자들은 짧은 본문을 제공해서 읽고 듣도록 해야 한다"이다'(Tomlinson, 2003c: 450). 마지막으로 참여자들은 각 서술문에 대한 반응을 써야 한다. Woodward(1992: 159-60)는 위와 같은 활동의 전체 예(사전의 사용과 관계된)를 제시한다. 그녀는 다음과 같이 이야기한다: '자신의 생각에 따라 다른 사람의 서술문을 부분적으로 또는 모두 다 자세하게 바꾸는 것은 당신을 더 강력하게 느끼도록 할 것이다. 한번 변경된 서술문은 다시 변경될 수 있다. 의견이란 것은 일단 줄을 긋거나 또는 단어를 다시 쓰게 되면 더 유연해지는 듯하다'(p. 160). 이 활동의 전체 토론 단계는 교사교육자가 개인 참여자의 태도와 신념에 대해서 알 수 있도록 하는 것뿐만 아니라, 필요하다면 교사교육자 자신의 아이디어를 제시하도록 한다. 따라서 이는 교과목의 첫 번째 시간에 굉장히 적합한 활동이 될 수 있다. Tomlinson(2003c)은 참여자들이 수업의 마지막에 자신의 서술문을 다시 보고 그들의 관점이 변화했는지를 고려하도록 할 것을 제안한다. 성찰일지(3.5절 참조)도 참여자들과 교사교육자들에게 그들의 인식과 태도의 변화에 대해, 그리고 무엇이 이러한 변화를 가져 오도록 했는지에 대해 통찰력을 갖도록 할 수 있다.

초보교사들에게는 경력교사들이 교과서를 어떻게 사용하며 어떻게 느끼는지를 이해하는 것이 많은 것을 깨우치게 하고 흥미로울 것이다. 이를 위한 하나의 가능한 방법은 교사가 교과서에 대해서 이야기한 것을 녹음해서 틀거나 또는 교사를 교사교육 과정 수업 시간에 초대해서 연수생들의 질문에 답을 하도록 하는 것이다. Tanner와 Green(1998)은 연수생들이 두 명의 교사를 선택해서 그들이 사용하는 교과서에 대해 인터뷰하도록 하는 것을 제안한다.

수업 계획이 어떻게 수업으로 변화하는지에 대한 예시를 경험하는 것 역시 초보교사들에게 도움이 될 것이다. 이는 수업 계획과 녹화된 수업 또는 수업을 전사한 것을 비교함으로써 가능하다. 또한 교사들이 변경한 이유를 설명한 것을 녹음한 것은 유용한 보완책이 될 것이다.

3.3 실험과 연구

실용에 중점을 둔 교과목은 교재(다시 디자인 되거나 또는 원교재), 그리고, 아마도, 평가 체크리스트를 제작하도록 할 것이다. 당연히 이러한 것들은 이상적으로는 참여자의 교수 상황에서 시험적으로 사용되어야 한다. 국제 석사과정에서 이는 참여자의 나라에 있는 적극적인 동료들에게 교재를 사용하고 피드백을 제공하도록 설득할 수 있을 때, 즉 학위 논문을 쓰는 단계에서만 가능할 것이다. 물론 체크리스트는 처음에는 동료들에게 시험 삼아 사용해 볼수 있다.

실행에 어려움이 없는 것은 아니지만 이러한 종류의 체계적으로 구성된 실험과 평가는, 교재 개발 과정을 통해서 그리고 교재 개발 과정에 대해서 학습하도록 한다는 점에서 단지 교재가 얼마나 효과가 있는지를 발견하는 것 이상으로 더 큰 목적을 이룰 수 있다. 이것이 바로 Wright(1987)이 제시하는 과업의 기저에 있는 의도인데, 이러한 과업에는 사용 중인 교재를 관찰하고(과업 62, 68, 69) 교재에 대한 학습자 피드백을 얻는 것을(과업 65, 66, 69) 포함한다. McGrath(2006)는 교사가 먼저 교과서에 대한 자신의 이미지(은유와 직유)를 제공하고 범주화함으로써 연구참여자로서 연구과정을 경험하고, 그후 학생들로부터 같은 종류의 데이터를 모으고 분석하며, 이 두 세트의 데이터를 비교하는 절차를 설명한다. 이러한 과정을 경험한 경력교사 중 한 명은 이 경험이 그녀가 처음으로 학생들의 목소리에 진심으로 귀 기울였던 때였다고 언급했다.

연구research는 오만Oman의 자격증을 가지고 있는 사람들을 위해서 9년간 (1999-2008) 진행된 리즈 대학의 교육학 (TESOL) 학사학위 프로그램을 관통하는 주요 스레드였다(Al-Sinani, Al-Senaidi & Etherton, 2009). 다음 과업의 예가 보여주듯이, 이 접근법은 시간이 지나면서 서서히 전개되었다:

- 초기 코호트cohorts는 학생들의 듣기와 말하기 능력을 발전시킬 수 있는 의사소통 과업을 만들고 그 효과성을 판단할 수 있는 이론적 배경과 기준에 대해 논하도록 요구된다. 후기 코호트는 과업을 가지고 가르치고 평가하며, 학생들의 수행능력을 분석한 후 향후 변화를 가져와야 할 부분을 제안하도록 요구된다.

- '언어학습의 이야기들'이라는 교과목에서는, 초기 코호트의 참여자들은 자신만의 '큰 책' 이야기를(어린 아이들에게 사용될) 개작하거나 만드는 과업이 주어지고, 후기 코호트 참여자들은 큰 책 사용 시 서로 다른 접근법(예, 스토리텔링, 함께 읽기, 파워포인트 사용, 또는 이야기 실연하기)의 효과를 평가하도록 요구된다.

Al-Sinani 외 2인의 보고서의 자기비판적인 어조—즉, 초기 코호트의 평가에 대한 접근법이 전통적인 관점에 의해서 지나치게 제약이 있었다는 것을 인식하는 어조—는 주목할 만하다. 시간이 지남에 따라 '제안 + 근거'라고 특징지을 수 있는 것(이는 시간 및 실행 시 고려사항에 의한 제약이 많은 외부 교과목에 있어서는 실행할 수 있는 유일한 것일 수 있다)에서 실험/시도해 보는 것, 평가 그리고 성찰에 이르기까지 구체적인 변화가 있었다:

이 프로그램은 첫 과제부터 교사들로 하여금 자신의 학습자들과 학급을 조사하도록 장려함으로써 그들에게 교사연구에 대한 지식과 기술을 발전시킬 수 있도록 시작했었을 수도 있다. 이는, 예를 들어, 교사들에게 간단한 관찰과 인터뷰를 통해 한 명 또는 그 이상의 학생들과 사례연구를 하도록 함으로써도 행해졌을 수 있다. 또는 교수가 인도하고 도움을 주는 실행연구를 통해서도 행해졌을 수 있는데, 이때 수업에서 배운 아이디어를 좀 더 탐구하기 위해서 교사들이 자신의 교실에서 변화를 도입해 보고, 이러한 변화의 효과를 수업관찰, 문서 그리고 회의 자료를 분석함으로써 조사해볼 수 있다. (Al-Sinani et al., 2009: 103)

리즈-오만 프로젝트의 교사교육자들이 느꼈듯이 현장중심 교과목에서 실제 수업에 바탕을 둔 과업은 연구, 학습자들 그리고 교사 자신의 능력에 대해서 배울 수 있는 많은 기회를 제공한다.

3.4 공유하기

토론 과업과 실용적 과업은 참여자들에게 자신의 경험과 아이디어를 나눌 수 있는 기회를 제공한다. 참여자들은 또한 자신의 연구나 교재를 개별 또는 그룹으로 발표하는 과업을 할 수도 있다. Gebhard(1993)는 교사교육 과정 참여자들이 자신의 프로젝트 교재가 전시된 이벤트를 기획하고 손님을 초대하는 '교재/미디어 축제'에 대해 설명한다(이때 교재는 프린트 교재뿐만 아니라 비디오, 컴퓨터 활동과 게임을 포함할 수 있다). '곧 손님들은 가장 인기 있는 전시, 즉 음식 테이블에 집중할 것이다'(p. 57).

공유한다는 개념은 교과목을 넘어서 널리 퍼뜨리는 것을 포함할 수도 있다. Tomlinson(2003c)이 설명한 루턴 대학의 제2언어교재개발 대학원 수업에서 참여자들은 내부와 외부 학회에서 발표하도록 되었는데, 이때 개별 지도와 '구두 발표하기'라는 단기강좌의 형태로 지원이 있었다. 참여자들은 또한 학술지에 논문을 내도록 요구될 수도 있다(Woodward, 1992: 83-4 참조). 처음으로 논문을 쓰는 저자들에게는 *English Teaching Professional*, *Modern*

English Teaching, RELC Journal, 그리고 *English Teaching Forum*과 같은 학술지에 출판하는 것이 적절한 목표가 될 수 있을 것이고, 만약 참여자가 교사교육 과정에서 이러한 학술지의 논문을 이미 읽어본 경험이 있다면 무엇이 요구되는지에 대해서 어느 정도 이해하고 있을 것이다. 어떤 경우에는 지역 학술대회에서 발표를 하고 발표문을 출판하는 것이 좀 더 성취 가능한 첫 번째 단계일 수도 있다.

3.5 성찰

Tomlinson(2003c: 453-4)이 강조하듯이, 성찰은 교사교육 과정의 주요 특징이어야 한다. 참여자들은 '교사교육 과정의 모든 단계에서 ... 교사교육 과정 밖에서 그리고 끝난 후에도 자신의 관점, 이론과 교재에 대해서 성찰하도록 장려되어야 한다.' 예를 들어, 교사교육 과정 초기에, '참여자들은 언어학습과 언어학습에 있어 교재의 역할에 대한 그들의 신념에 대해서 생각해보고 설명해보라고 요구될 수 있다.' 참여자들은 '그들이 교재를 평가, 개작 또는 만들 때, 그리고 자신과 다른 참여자들의 교재를 평가하는 교사교육 과정의 마지막에도' 성찰한다. 비록 여기에서 Tomlinson은 교재 개발에 초점을 둔 교과목을 생각하고 있지만, 그가 강조하는 성찰의 중요성은 다른 분야에도 관계가 있다.

　글쓰기가 수업에서의 토론보다 더 깊은 성찰을 장려한다는 가정에 근거해서, 많은 교사교육자들은 참여자들에게 그들이 교사교육 과정에서 배운 것과 경험한 것에 대해서 성찰할 수 있는 저널/일기/학습 로그learning logs를 기록하도록 한다. 교육실습 요소가 있는 시간제 과정이나 예비교사 과정에서는, 교재의 사용에 대한 성찰은 수업을 녹음하거나 동료 관찰을 포함한 관찰을 통해서 행해질 수 있다(Wright, 1987; Richards & Lockhart, 1994). 그러나 저널이 단순히 묘사하는descriptive 것이 아니라 성찰적이 되도록 하기 위해서는 세심한 도움과 감독이 필요하다(Jarvis, 1992; Richards & Ho, 1998 참조). 가용한 시설이 있다면, 참여자들이 함께 사용하는 웹 로그(블로그)가 개별 교사 저널의 대안이 될 수 있다. Kiss(2007)는 필리핀에서 2주의 기숙 현직교사교육 과정 기간 동안 온라인 블로그를 사용한 경험에 대해서 보고한다. 첫 주의 끝에 쓴 다음의 발췌문이 보여주듯이, 교사들은 현재 그들이 하고 있는 것과 그들이 전에 배운 것들에 대해 어려움을 느꼈지만, 이러한 경험에 대해 매우 긍정적이었다:

> 어제 한 활동을 돌아봤을 때, 성장할 수 있는(제가 이 그룹에서 가장 나이가 어린 사람 중 한 명입니다) 기회가 주어졌다고 말할 수 있을 것 같아요. 제가 좀 더 성숙하게 행동해서 우리에게 주어진 과업을 성취할 수 있도록 해야 합니다. 성장한다는 것이 꼭 우리가 대학에서 배운 모든 것들로부터 멀어져야 한다는 것을 의미하지는 않지만, 우리가 배운 것을 활용하고 합쳐서 더 좋은 교재를, 우리가 아니라 학생들을 위한 교재를 만드는 것이 요구됩니다. 성장한다는 것은 또한 교재 디자인에 있어 우리가 독립적이고 비판적일 수 있도록 우리를 위해 기술을 더 연마한다는 것을 의미하기도 합니다. (Kriscentti Exzur Barcelona, 2007, 1월 17일)

함께 사용하는 블로그를 통해서 지속적인 연락과 교사교육 과정 후의 성찰도 촉진될 수 있다.

3.6 발전

Tomlinson(2003c)이 목록화한 교과목 디자인 원칙 중 하나는 단계화하고 순차화하는 원칙이다(3.1절 참조). 이 원칙은 다음에 제시된 교재 집필에 중점을 둔 교사교육 과정/구성요소의 단계별 과업의 순서에 잘 나타나 있다:

1. 참여자들은 학습자들에게 이야기할 때 그들이 채택하기를 희망하는 '목소리'를 선택한다(예, '격식을 차린, 권위적인' 또는 '편안한, 수다스러운').
2. 지시문 쓰기

3. 질문 쓰기

4. 설명 제공하기

5. 예시 제공하기

6. 본문 선택하기

7. 본문 쓰기

8. 본문 활용하기

9. 삽화 사용하기

10. 레이아웃과 디자인

11. 교사용 노트 쓰기

12. 교재의 단원 쓰기. (Tomlinson, 2003c: 451)

똑같은 원리가 표 10.1에 나타난 과업 진행 과정의 기초를 이룬다. 이 표는 어떻게 비판성이 교사교육 과정에서 체계적으로 개발될 수 있는지를 보여준다.

표 10.1: 비판성을 장려하는 과업

1. 동료(교사교육 과정의 다른 참여자)의 아이디어와 교재에 대한 비판성 과업:

● 토론 중에 피드백 주기

● 동료가 제작한 교재(예, 연습문제지, 본문의 선택, 과업 디자인, 교과서 선정 체크리스트)에 대한 비평(구두 또는 서면)

주의(엄격한 프로토콜): 먼저 장점을 인정하고, 그 후 제안을 한다.

2. 자신에 대한 비판성 과업:

- 교과서와 교과서 사용에 대한 자신의 태도에 대한 서면 성찰
- 제공된 기준을 따라 자신의 교재에 대한 자가평가
- 학우나 동료의 피드백에 대한 반응

3. 학문적 권위에 대한 비판성

   과업:

   - 웹사이트를 포함한 출판된 교재에 대한 비평(구두 또는 서면)과 개작과 보충에 대한 제안
   - 출판된 교재의 저자 아이디어에 대한 서면 비평(관계가 있다면 교사교육자의 아이디어도 포함하여)

4. 교수환경 내의 체제와 태도에 대한 비판성

   과업:

   - 자신의 교수환경에서 사용되는 절차에 대한 성찰
     (예, 교과서를 선정하고 그 효과성을 평가하는 데 사용된 기준과 과정; 교과서가 어떻게 사용될 것인가와 관련된 기대; 아이디어와 교재를 공유할 기회)
   - 시험, 교수요목 그리고 교재 간의 관계에 대한 성찰. (McGrath, 2009)

상기 제시된 과업에서도 명백하듯이, 여기에서 '비판성'은 장점과 단점을 인식할 수 있는 능력을 뜻한다. 대부분의 참여자들에게는 동료(요점 1)의 아이디어와 교재에 대해 비판적인 것이, 예를 들어, 이미 출판된 교재의 저자들로 대표되는 학문적 권위(요점 3)에 대해 비판적인 것보다—특히 이러한 저자들 중 한 명이 자신들이 수업을 듣고 있는 교사교육자일 경우에는 더욱—더 쉬울 것이다. 그러나 여기에는 기본적인 규칙이 있다. 예를 들어, 긍정적인 평이 교재를 더 향상시킬 수 있는 제안보다는 앞서 제시되어야 한다.

위에서 언급한 방식으로 비판적이기 위해서는—특히 요점 3과 4와 관련하여—자신감이 필요한데, 이러한 자신감은 자신이 내린 판단이 근거할 수 있는 기준이 있다는 것을 인식하는 것을 통해서, 그리고 격려를 통해서 발달될

수 있다. 똑같은 논리가 창의성에도 적용된다. '모든 사람이 그 정도는 다르지만 창의성이라는 능력이 있다'(Maley, 2003: 184). 이는 교사교육 과정이 원교재를 집필하는 것이 목표가 아닐 때에도 손쉽게 그 실례를 찾을 수 있을 것이다. 어떤 교사들에게는 모든 일들이 꼭 특정한 방식으로 진행되지 않아도 되고 다른 가능성이 있다는 것을 깨닫는 것은 뜻밖의 새로운 일일 것이다.

4. 요약과 결론

이전 장에서 우리는 한편으로는 교사의 교수활동, 그리고 다른 한편으로는 교사의 바람직한 행동과 관계있는 이론 사이의 간극에 대해 다양한 집단을 위한 제언들을 살펴보았다. 이전 장의 결론은 연관된 집단 간의 관계 회복이 필요하다는 것이었다. 출판사와 교과서 저자, 교육부와 교육기관 관리자 모두 교사들이 주어진 역할을 완수하고 자신들의 업무를 좀 더 수월하게 하도록 노력하기 위해서 필요한 도구와 지원에 대해 잘 알고 있어야 한다. 또한 교사 스스로도 그들에게 기대되는 바를 잘 알고, 그들이 생각하기에 새로운 책임감이라고 할 수 있는 것들에 기꺼이 응해야 한다. 교사교육은 교사의 태도를 형성하고 그들의 능력을 개발하는 데 매우 중요한 역할을 한다. 이 장에서 제안한 것에 바탕을 두어, 교재 평가와 디자인에 대해 신중하게 설계되고, 상황에 민감하며, 실제에 기반을 둔 교사교육 접근법은 진정한 변화를 가져올 수 있을 것이다.

참고문헌

Acklam, R. 1994. 'The role of the coursebook'. *Practical English Teaching* 14.3: 12-14.

Adrian-Vallance, D. and Edge, J. 1994. *Right Track*. Harlow, Essex: Longman.

Akbulut, Y. 2007. Exploration of the beliefs of novice language teachers at the first year of their teaching endeavours. Retrieved 13 February 2010 from www.sosyalbil.selcuk.edu.tr/sos_mak/makaleler/YAVUZ%20AKBULUT/AKBU LUT,%20YAVUZ2.pdf

Alamri, A. 2008. 'An evaluation of the sixth Grade English language textbook for Saudi Boys'. Unpublished MA in Applied Linguistics dissertation, College of Arts, King Saud University, Saudi Arabia. Retrieved 26 April 2010 from http://repository.ksu.edu.sa/jspui/handle/123456789/8806/

Alexander, O. (ed.) 2007. *New Approaches to Materials Development for Language Learning*. Proceedings of the 2005 joint BALEAP/SATEFL conference. Bern: Peter Lang.

Allwright, D. 1981. 'What do we want teaching materials for?' *ELT Journal* 36.1: 5-18.

Allwright, R. 1979. 'Abdication and responsibility in language teaching'. *Studies in Second Language Acquisition* 2.1: 105-21.

Alptekin, C. and Alptekin, M. 1984. 'The question of culture: EFL teaching in non-English-speaking countries'. *ELT Journal* 38.1: 14-20.

Al-Sinani, S., Al-Senaidi, F. and Etherton, S. 2009. 'Developing teachers as researchers: The BA Educational Studies (TESOL) programme'. In J. Atkins, M. Lamb and M. Wedell (eds) *International Collaboration for Educational Change: The BA Project* (pp. 95-104). Muscat: Ministry of Education, Sultanate of Oman. Retrieved 05 March 2011 from www.moe.gov.om/Portal/sitebuilder/Sites/EPS/Arabic/IPS/Importa/tesol/4/conten ts.pdf

Altan, M. 1995. 'Culture in EFL contexts — classroom and coursebooks'. *Modern*

English Teacher 4.2: 58-60.

Al-Yousef, H. 2007. 'An evaluation of the third grade intermediate English coursebook in Saudi Arabia'. Unpublished MA in Applied Linguistics dissertation, King Saud University, Saudi Arabia. Retrieved 21 April 2010 from ksu.edu.sa/

Amrani, F. 2011. 'The process of evaluation: A publisher's view'. In B. Tomlinson (ed.) 2011a: 267-95.

Angouri, J. 2010. 'Using textbook and real-life data to teach turn taking in business meetings'. In N. Harwood (ed.) 2010a: 373-94.

Ansary, H. and Babaii, E. 2002. 'Universal characteristics of EFL/ESL textbooks: a step towards systematic textbook evaluation'. *The Internet TESL Journal* 8.2. Retrieved 17 September 2010 from http://iteslj.org/Articles/Ansary/ -Textbooks/

Appel, J. 1995. *Diary of a Language Teacher*. Oxford: Heinemann.

Arikan, A. 2004. 'Professional development programs and English language instructors: A critical-postmodern study'. *Hacettepe Üniversitesi Eğitim Fakültesi Dergisi* 27 (40-9). Retrieved 13 September 2010 from www.efdergi.hacettepe.edu.tr/200427ARDA%20ARIKAN.pdf

___ 2005. 'Age, gender and social class in ELT coursebooks: A critical study'. *Hacettepe Üniversitesi Eğitim Fakültesi Dergisi* 28: 29-38. Retrieved 28 August 2011 from www.eric.ed.gov/PDFS/ED494162.pdf

Arva, V. and Medgyes, P. 2000. 'Native and non-native teachers in the classroom'. *System* 28.3: 355-72.

Bahumaid, S. 2008. 'TEFL materials evaluation: A teacher's perspective'. *Poznan Studies in Contemporary Linguistics* 44.4: 423-32. Retrieved 08 November 2010 from http://versita.metapress.com/content/93h1466444p1274n/fulltext.pdf

Balajee, D. 2011. B.Ed. coursework, National Institute of Education, Singapore.

Barbieri, F. and Eckhardt, S. 2007. 'Applying corpus-based findings to form-focused instruction: The case of reported speech'. *Language Teaching Research* 11.3: 319-46.

Bardovi-Harlig, K., Hartford, B., Mahan-Taylor, R., Morgan, M. and Reynolds, D. 1991. 'Developing pragmatic awareness: Closing the conversation'. *ELT*

Journal 45.1: 4-15.

Bell, J. and Gower, R. 2011. 'Writing course materials for the world: A great compromise'. In B. Tomlinson (ed.) 2011a (135-50) [revised version of paper with same title in Tomlinson, B. (ed.) 1998a: 116-29].

Berardo, S. 2006. 'The use of authentic material in the teaching of reading'. *The Reading Matrix* 6.2: 60-8.

Block, D. 1991. 'Some thoughts on DIY materials design'. *ELT Journal* 45.3: 211-17.

Bolitho, R. 1990. 'An eternal triangle? Roles for teacher, learners and teaching materials in a communicative approach'. In S. Anivan (ed.) *Language Teaching Methodology for the Nineties* (pp. 22-30). Singapore: SEAMEO Regional Language Centre.

Botelho, M. 2003. 'Multiple intelligence theory in English language teaching: An analysis of current textbooks, materials and teachers' perceptions'. Unpublished MA dissertation, Ohio University. Retrieved 12 April 2010 from http://etd.ohiolink.edu/view.cgi?acc_num=ohiou1079466683.

Boxer, D. and Pickering, L. 1995. 'Problems in the presentation of speech acts in ELT materials: The case of complaints'. *ELT Journal* 49.1: 44-58.

Breen, M. and Candlin, C. 1987. 'Which materials? A consumer's and designer's guide'. In L. Sheldon (ed.) 1987a: 13-28.

Breen, M., Candlin, C., Dam, L. and Gabrielsen, G. 1989. 'The evolution of a teacher training course'. In R. K. Johnson (ed.): 111-35.

Breen, M. and Littlejohn, A. 2000. *Classroom Decision-Making: Negotiation and Process Syllabuses in Practice*. Cambridge: Cambridge University Press.

British Council. 1975. *English for Academic Study with special reference to Science and Technology: Problems and Perspectives*. ETIC Occasional Paper. English Teaching Information Centre, British Council.

___ 1978. *English for Specific Purposes*. ELT Documents 101. English Teaching Information Centre, British Council.

___ 1980. *Projects in Materials Design*. ELT Documents Special. London: The British Council.

Bromseth, B. and Wigdahl, L. 2006. *New Flight 8*. Textbook, Teacher's Book and

Workbook. Oslo: Cappelen.

Brown, H. 2007 (3rd edn).*Teaching by Principles*. New York: Pearson.

Bruder, M. 1978. 'Evaluation of foreign language textbooks: a simplified procedure'. In H. Madsen and J. Bowen (eds). *Adaptation in Language Teaching* (Appendix 2) (pp. 209-17). Rowley, MA: Newbury House.

Brumfit, C. 1979. Seven last slogans. *Modern English Teacher* 7.1: 30-1.

Brumfit, C. and Rossner, R. 1982. 'The "decision pyramid" and teacher training for ELT'. *ELT Journal* 36.4: 226-31.

Burnaby, B. and Sun, Y. 1989. 'Chinese teachers' views of Western language teaching'. *TESOL Quarterly* 23.2: 219-38.

Byrd, P. (ed.) 1995a. *Materials Writer's Guide*. Boston: Heinle and Heinle.

__ 1995b. 'Writing and publishing textbooks'. In P. Byrd (ed.) 1995a: 3-9.

__ 2001. 'Textbooks: Evaluation for selection and analysis for implementation'. In M. Celce-Murcia (ed.) (3rd edn) *Teaching English as a Second or Foreign Language* (pp. 415-27). Boston: Heinle & Heinle [Appendix A reproduces the checklist in Daoud & Celce-Murcia (1979) and Appendix B a checklist designed by Byrd & Celce-Murcia].

Çakit, I. 2006. 'Evaluation of the EFL textbook 'New Bridge to Success 3' from the perspectives of teachers and students'. Unpublished MSc thesis, Middle East Technical University, Ankara, Turkey. Retrieved 27 April 2010 from http://etd.lib.metu.edu.tr/upload/12607694/index.pdf

Campbell, C. and Kryszewska, H. 1992. *Learner-based Teaching*. Oxford: Oxford University Press.

Canagarajah, A. 1993. 'American textbooks and Tamil students: Discerning ideological tension in the ESL classroom'. *Language, Culture and Curriculum* 6.2: 143-56.

__ 1999. *Resisting Linguistic Imperialism in English Teaching*. Oxford: Oxford University Press.

Candlin, C., Bhatia, V. and Jensen, C. 2002. 'Developing legal writing materials for English second language learners: Problems and perspectives'. *English for Specific Purposes* 21.4: 299-320.

Canniveng, C. and Martinez, M. 2003. 'Materials development and teacher training'. In B. Tomlinson (ed.) 2003a: 470-89.

Carroll, M. and Head, E. 2003. 'Institutional pressures and learner autonomy'. In A. Barfield and M. Nix (eds) *Autonomy You Ask!* (pp. 69-84). Tokyo: Learner Development Special Interest Group, Japanese Association of Language Teachers.

Caterina. 2003. 'A student-centered language course'. *Humanising Language Teaching* 5.2: 1.

Chambers, F. 1997. 'Seeking consensus in coursebook evaluation'. *ELT Journal* 51.1: 29-35.

Chan, C. 2009. 'Forging a link between research and pedagogy: A holistic framework for evaluating business English materials'. *English for Specific Purposes* 28.2: 125-36.

Chandran, S. 2003. 'Where are the ELT textbooks?' In W. Renandya (ed.): 161-9.

Chavez, E. 2006. 'In-service teachers' beliefs, perceptions and knowledge in the Nicaraguan EFL context'. *Encuentro* 16: 27-39. Retrieved 24 February 2011 from www.encuentrojournal.org/textos/16.4.pdf

Chowdhury, R. 2003. 'International TESOL training and EFL contexts: The cultural disillusionment factor'. *Australian Journal of Education* 47.3. Retrieved 10 September 2010 from www.questia.com/PM.qst?a=o&d= 5008899023

Clarke, D. 1989. 'Materials adaptation: Why leave it all to the teacher?' *ELT Journal* 43.2: 133-41.

Coleman, H. 1985. 'Evaluating teachers' guides: Do teachers' guides guide teachers?' In C. Alderson (ed.) *Evaluation*. Lancaster Practical Papers in English Language Education Vol.6 (pp. 83-96). Oxford: Pergamon.

Cowie, A. and Heaton, J. (eds) 1977. *English for Academic Purposes*. Centre for Applied Language Studies, University of Reading: BAAL/SELMOUS.

Crawford, J. 2002. 'The role of materials in the language classroom: Finding the balance'. In J. Richards and W. Renandya (eds) *Methodology in Language Teaching: An Anthology of Current Practice* (pp. 80-91). Cambridge: Cambridge University Press.

Crookes, G. 2009. *Values, Philosophies, and Beliefs in TESOL: Making a*

Statement. Cambridge: Cambridge University Press.

Crookes, G. and Arakaki, L. 1999. 'Teaching idea sources and work conditions in an ESL program'. *TESOL Journal* 9.1: 15-19. Retrieved 17 February 2011 from www2.hawaii.edu/~crookes/CandA.html/

Cullen, R. and Kuo, I.-C. 2007. 'Spoken grammar and ELT course materials. A missing link?' *TESOL Quarterly* 41.2: 361-86.

Cunningsworth, A. 1979. 'Evaluating course materials'. In S. Holden (ed.) *Teacher Training* (pp. 31-3). Oxford: Modern English Publications.

__ 1984. *Evaluating and Selecting ELT Materials*. London: Heinemann.

__ 1995. *Choosing Your Coursebook*. Oxford: Heinemann.

Cunningsworth, A. and Kusel, P. 1991. 'Evaluating teachers' guides'. *ELT Journal* 45.2: 128-39.

Daoud, A.-M. and Celce-Murcia, M. 1979. 'Selecting and evaluating a textbook'. In M. Celce-Murcia and L. McIntosh (eds) *Teaching English as a Second or Foreign Language* (pp. 302-7). Rowley, MA: Newbury House.

Darian, S. 2001. 'Adapting authentic materials for language teaching'. *English Teaching Forum Online* 39.2. Retrieved 03 May 2010 from http://eca.state.gov/forum/vols/vol39/no2/p2.htm

Dat, B. 2003. 'Localising ELT materials in Vietnam: A case study'. In W. Renandya (ed.): 170-91.

Davis, P., Garside, B. and Rinvolucri, M. 1998. *Ways of Doing*. Cambridge: Cambridge University Press.

Deller, S. 1990. *Lessons from the Learner*. Harlow, Essex: Longman.

Dendrinos, B. 1992. *The EFL Textbook and Ideology*. Athens: N. C. Grivas.

Dickinson, L. 1987. *Self-instruction in Language Learning*. Cambridge: Cambridge University Press.

Donovan, P. 1998. 'Piloting: A publisher's view'. In B. Tomlinson (ed.) 1998a: 149-89.

Duarte, S. and Escobar, L. 2008. 'Using adapted material and its impact on university students' motivation'. *PROFILE* 9 (online): 63-87. Retrieved 19 April 2010 from www.scielo.org.co/pdf/prf/n9/n9a05.pdf

Dubin, F. and Olshtain, E. 1986. *Course Design. Developing Programmes and*

Materials for Language Learning. Cambridge: Cambridge University Press.

Dudley-Evans, T. and St. John, M. 1998. *Developments in English for Specific Purposes.* Cambridge: Cambridge University Press.

Dunford, N. 2004. 'How do teachers interpret the need for the adaptation and supplementation of coursebooks, with specific reference to data collected by questionnaire from Shane English Schools Japan?' Unpublished MA dissertation, University of Nottingham.

Eduge, J. and Wharton, S. 1998. 'Autonomy and development: Living in the materials world'. In B. Tomlinson (ed.) 1998a: 295-310.

Edwards, T. 2010. Review of Meddings, L. and Thornbury, S. 2009. T*eaching Unplugged: Dogme in English Language Teaching.* Peaslake, Surrey: Delta Publishing.

Ellis, M. and Ellis, P. 1987. 'Learning by design: Some design criteria for EFL coursebooks'. In L. Sheldon (ed.) 1987a: 90-9.

Ellis, R. 1997. 'The empirical evaluation of language teaching materials'. *ELT Journal* 51.1: 36-42.

___ 2010. 'Second language acquisition research and language teaching'. In Harwood, N. (ed.) 2010a: 33-57.

___ 2011. 'Macro- and micro-evaluations of task-based teaching'. In B. Tomlinson (ed.) 2011a: 212-35.

Erdoğan, S. nd. Learner training via course books, and teacher autonomy: A case of need. Retrieved 30 January 2007 from http://lc.ust.hk/~ailasc/ newsletters/onlinepaper/sultan.htm

Ewer, J. and Boys, O. 1981. 'The EST textbook situation – an enquiry'. *The ESP Journal* 1.2: 87-105.

Farooqui, S. 2008. 'Teachers' perceptions of textbook and teacher's guide: A study in secondary education in Bangladesh'. *The Journal of Asia TEFL* 5.4: 191-210.

Farrell, T. (ed.) 2008. *Novice Language Teachers: Insights and Perspectives for the First Year.* London: Equinox.

Fauziah Hassan and Nita Fauzee Selamat. 2002. 'Why aren't students proficient in ESL: The teachers' perspective'. *The English Teacher* XXVIII, June 2002.

Retrieved 21 May 2010 from www.melta.org.my/ET/2002/wp10.htm

Fenner, A. and Newby, D. 2000. *Approaches to Materials Design in European Textbooks. Implementing Principles of Authenticity, Learner Autonomy, Cultural Awareness.* Graz/Strasbourg: European Centre for Modern Languages.

Flack, R. 1999. 'Coursebook deficiency disorder'. *Modern English Teacher* 8.1: 60-1.

Fortune, A. 1992. 'Self-study grammar practice: Learners' views and preferences'. *ELT Journal* 46.2: 160-71.

Fredriksson, C. and Olsson, R. *English Textbook Evaluation: An Investigation into the Criteria for Selecting English Textbooks.* Malmo, Sweden: Malmo University. Retrieved 08 March 2010 from http://dspace.mah.se/handle/2043/2842

Freebairn, I. 2000. 'The coursebook – future continuous or past?' *English Teaching Professional* 15: 3-5.

Freeman, D. and Cornwell, S. (eds) 1991. *New Ways in Teacher Education.* Alexandria, VA: TESOL.

Gardner, H. 1983. *Frames of Mind: The Theory of Multiple Intelligences.* New York: Basic Books.

___ 1999. *Intelligence Reframed: Multiple Intelligences for the 21st Century.* New York: Basic Books.

Garinger, D. 2002. *Textbook selection for the ESL Classroom.* Report No. EDO-FL-02-10. US Department of Education, Office of Educational Research and Improvement, National Library of Education. ERIC Document Reproduction Service No. ED-99-Co-0008.

Garton, S., Copland, F. and Burns, A. 2011. *Investigating Global Practices in Teaching English to Young Learners.* ELT Research Papers 11-01. London: British Council/Aston University.

Gearing, K. 1999. 'Helping less-experienced teachers of English to evaluate teachers' guides'. *ELT Journal* 53.2: 122-7.

Gebhard, J. 1993. 'The materials/media fair'. In D. Freeman and S. Cornwell (eds) 1993: 56-9.

___ 1996/2006 (2nd edn). *Teaching English as a Foreign or Second Language.* Ann Arbor: University of Michigan Press.

Gilmore, A. 2007. 'Authentic materials and authenticity in foreign language learning'. *Language Teaching* 40.2: 97-118.

___ 2010. 'Exploiting film discourse in the foreign language classroom'. In F. Mishan and A. Chambers (eds): 109-48.

Gomes de Matos, F. 2000. 'Teachers as textbook evaluators: An interdisciplinary checklist'. *IATEFL Issues* 157. Retrieved 20 June 2008 from www.iatefl.org/content/newletter/157.php

González Moncada, A. 2006. 'On materials use training in EFL teacher education: Some reflections'. *Profile* [online] 7: 101-16. Retrieved 03 November 2010 from http://redalyc.uaemex.mx/redalyc/pdf/1692/169213802008.pdf

Grant, N. 1987. *Making the Most of Your Textbook.* Harlow, Essex: Longman.

Graves, K. (ed.) 1996. *Teachers as Course Developers.* Cambridge: Cambridge University Press.

___ 2000. *Designing Language Courses.* Boston: Heinle and Heinle.

___ 2003. 'Coursebooks'. In D. Nunan (ed.) *Practical English Language Teaching* (pp. 225-46). New York: McGraw Hill.

Gray, J. 2000. 'The ELT coursebook as cultural artefact: How teachers censor and adapt'. *ELT Journal* 54.3: 274-83.

___ 2002. 'The global coursebook in English Language Teaching'. In D. Block and D. Cameron (eds) *Globalization and Language Teaching* (pp. 151-67). London: Routledge.

Greenall, S. 2011. '*New Standard English*—the first ten years ...' In Ken Wilson's blog. Retrieved 11 May 2011 from www.kenwilsonelt.wordpress.com/2011/03/02 [edited and updated version of article first published in *The Author*, autumn 2007].

Guefrachi, H. and Troudi, S. 2000. 'Enhancing English language teaching in the United Arab Emirates'. In K. E. Johnson (ed.) *Teacher Education* (pp. 189-204). Case Studies in TESOL Practice Series. Alexandria, VA: TESOL.

Hadfield, J. and Hadfield, C. 2003a. 'Hidden resources in the language classroom: Teaching with (next to) nothing'. *Modern English Teacher* 12.1: 5-10.

___ 2003b. 'Hidden resources in the language classroom: Teaching with nothing'. *Modern English Teacher* 12.2: 31-7.

Haig, E. 2006. 'How green are your textbooks? Applying an ecological critical awareness pedagogy in the language classroom'. In S. Mayer and G. Wilson (eds) *Ecodidactic Perspectives on English Language, Literatures and Cultures* (pp. 23-44). Trier: Wissenschaftlicher Verlang.

Haines, S. and Stewart, B. 2000. *Landmark*. Oxford: Oxford University Press.

Harmer, J. 1991. *The Practice of English Language Teaching*. Harlow, Essex: Longman.

___ 2001. 'Coursebooks: A human, cultural and linguistic disaster'. *Modern English Teacher* 10.3: 5-10.

___ 2007. *The Practice of English Teaching* (4th edn) Harlow, Essex: Longman.

Harwood, N. 2005. 'What do we want EAP teaching materials for?' *Journal of English for Academic Purposes* 4.2: 149-61.

Harwood, N. (ed.) 2010a. *English Language Teaching Materials: Theory and Practice*. Cambridge: Cambridge University Press.

Harwood, N. 2010b. 'Issues in materials development and design'. In N. Harwood (ed.) 2010a: 3-10.

Hayashi, C. 2010. 'A teacher's perceptions of students' transformational creativity in a secondary language classroom in Japan: A case study of professional development'. Unpublished PhD thesis, University of Nottingham.

Haycraft, J. 1978. *An Introduction to English Language Teaching*. Harlow, Essex: Longman.

Hayes, D. 2008. 'Occupational socialization in the first year of teaching: Perspectives from Thailand'. In T. Farrell (ed.): 57-72.

___ 2009. 'Learning language, learning teaching: Episodes from the life of a teacher of English in Thailand'. *RELC Journal* 40.1: 83-101.

Head, K. and Taylor, P. (eds) 1997. *Readings in Teacher Development*. Oxford: Heinemann.

Helgesen, M. nd. 'Adapting and supplementing textbooks to include language planning'. *Selected Papers from the Twelfth International Symposium on English Teaching and Learning* (pp. 56-64). Retrieved 07 October 11 from www.mgu.ac.jp/~ic/helgesen/adapting_-_LP_ETA_PDF

Henrichsen, L. 1983. 'Teacher preparation needs in TESOL: The results of an international survey'. *RELC Journal* 14.1: 18-45.

Hidalgo, A., Hall, D. and Jacobs, C. 1995. *Getting Started: Materials Writers on Materials Writing*. Singapore: SEAMEO Regional English Language Centre.

Holden, S. (ed.) 1977. *English for Specific Purposes*. Oxford: Modern English Publications.

Holliday, A. 1994. *Appropriate Methodology and Social Context*. Cambridge: Cambridge University Press.

Holmes, J. 1988. 'Doubt and certainty in ESL textbooks'. *Applied Linguistics* 9.1: 21-44.

Horsley, M. 2007. 'Textbooks, teaching and learning materials and teacher education'. In M. Horsley and J. McCall (eds): 249-60.

Horsley, M. and McCall, J. (eds) 2007. *Peace, Democratization and Educational Media*. Papers from the Ninth International Conference on Textbooks and Educational Media. September, 2007, Tonsberg, Norway. Retrieved 15 July 2010 from www.iartem.no/documents/9thIARTEMConferenceVolume.pdf

Howard, J. and Major, J. 2004. 'Guidelines for designing effective English language teaching materials'. *Proceedings of the 9th conference of the Pan-Pacific Association of Applied Linguistics* (pp. 101-9). Retrieved 11 September 2010 from www.paaljapan.org/resources/proceedings/PAAL9/pdf/Howard.pdf

Howatt, A. with Widdowson, H. 2004. *A History of English Language Teaching* (2nd edn). Oxford: Oxford University Press.

Hsiao, J. 2010. 'Suggestions for using "A Very Practical Guide to the New TOEIC"'. Coursework assignment, MA TESOL module in Materials Evaluation and Design, University of Nottingham (Malaysia).

Hu, Z. 2010. 'EFL teacher development: A reflective model'. *Modern English Teacher* 19.2: 60-3.

Huang, S-E. 2010. *Ideal and Reality in Coursebook Selection*. Paper presented at IATEFL Conference, Harrogate, April, 2010.

Hubbard, R., Jones, H., Thornton, B. and Wheeler, R. 1983. *A Training Course for TEFL.* Oxford: Oxford University Press.

Hughes, J. 2006. 'Over to you ... designing an exercise'. *English Teaching Professional* 43: 8-9.

Humanising English Teaching. 2001. Turkish voices. *Humanising English teaching* 3.2: 1-2.

Hutchinson, T. and Torres, E. 1994. 'The textbook as agent of change'. *ELT Journal* 48.4: 315-27.

Hutchinson, T. and Waters, A. 1987. *English for Specific Purposes: A Learning-Centred Approach.* Cambridge: Cambridge University Press.

Hyland, K. 1994. 'Hedging in academic writing and EAP textbooks'. *English for Specific Purposes* 13.3: 239-56.

Inal, B. 2006. 'Coursebook selection process and some of the most important criteria to be taken into consideration in foreign language teaching'. *Journal of Arts and Sciences* 5: 19-29 (Cankaya University, Turkey). Retrieved 19 April 2010 from http://jas.cankaya.edu.tr/gecmis/yayinlar/jas5/03-bulent.pdf/

Ioannou-Georgiou, S. 2002. 'Selecting software for language classes'. *Modern English Teacher* 11.3: 63-8.

Islam, C. and Mares, C. 2003. 'Adapting classroom materials'. In B. Tomlinson (ed.) 2003a: 86-100.

Jarvis, J. 1992. 'Using diaries for teacher reflection on in-service courses'. *ELT Journal* 46.2: 132-43.

Jazadi, I. 2003. 'Mandated English teaching materials and their implications to teaching and learning: The case of Indonesia'. In W. Renandya (ed.) 2003: 142-60.

Jiang, X. 2006. 'Suggestions: What should ESL students know?' *System* 34.1: 36-54.

Johansson, T. 2006. Teaching material in the EFL classroom: Teachers' and students' perspectives. Växjö University, Sweden. Retrieved 20 September 2010 from lnu.diva-portal.org/smash/get/diva2:207078/FULLTEXT01

Johnson, K. (ed.) 1977. *SELMOUS Occasional Papers No.1.* Centre for Applied Language Studies, University of Reading

___ 2003. *Designing Language Teaching Tasks.* Basingstoke: Palgrave Macmillan.

Johnson, K., Kim, M., Liu, Y.-F., Nava, A., Perkins, D., Smith, A.-M., Soler-Canela, O. and Lu, W. 2008. 'A step forward: investigating expertise in materials evaluation'. *ELT Journal* 62.2: 157-63.

Johnson, R. K. (ed.) 1989. *The Second Language Curriculum*. Cambridge: Cambridge University Press.

Jolly, D. and Bolitho, R. 2011. 'A framework for materials writing'. in B. Tomlinson (ed.) 2011a: 107-34. [revised version of paper with same title in Tomlinson, B. (ed.) 1998a: 90-115].

Jones, K. 1997. 'Beyond "listen and repeat": Pronunciation teaching materials and theories of second language acquisition'. *System* 25.1: 103-12.

Jordan, R. (ed.) 1983. *Case Studies in ELT*. Glasgow: Collins.

Kanchana, P. 1991. 'Cooperative learning in a humanistic English class.' *Cross Currents* 18.1: 37-40. Retrieved 14 July 2008 from http://pioneer.chula.ac.th/~pkanchan/html/coop.htm

Karamoozian, F. and Riazi, A. (nd) Development of a new checklist for evaluating reading comprehension textbooks. Retrieved 24 September 2011 from www.esp-world.info/Development_of_a_New_Checklist.doc/

Katz, A. 1996. 'Teaching style: A way to understand instruction in language classrooms'. In Bailey, K. and Nunan, D. (eds) *Voices from the Language Classroom* (pp. 57-87). Cambridge: Cambridge University Press.

Kayapinar, U. 2009. 'Coursebook evaluation by English teachers'. *Inonu University Journal of the Faculty of Education* 10.1: 69-78. Retrieved 21 April 2010 from http://web.inonu.edu.tr/~efdergi/101/69-78.pdf

Kennedy, J. and Pinter, A. 2007. 'Developing teacher autonomy through teamwork'. In A. Barfield and S. Brown (eds) *Reconstructing Autonomy in Language Education* (pp. 209-21). Houndmills, Basingstroke: Palgrave Macmillan.

Kesen, A. 2010. 'Turkish EFL learners' metaphors with respect to English language coursebooks'. *Novitas ROYAL* (Research on Youth and Language) 4.1: 108-18. Retrieved 09 November 2010 from www.novitasroyal.org/Vol_4_1/kesen.pdf

Kiss, T. 2007. Unpublished report on British Council summer school in the

Philippines on the use of authentic materials in English language teaching.

Kivistö, A. 2005. 'Accents of English as a lingual franca: A study of Finnish textbooks'. Unpublished MA thesis. University of Tampere, Finland.

Kopperoinen, A. 2011. 'Accents of English as a lingua franca: A study of Finnish textbooks'. *International Journal of Applied Linguistics* 21.1: 71-93.

Krajka, J. 2001. 'Online lessons—using the Internet to help the coursebook'. In K. Cameron (ed.) *CALL and the Challenge of Change: Research and Practice*. Exeter: Elm Bank Publications.

Lackman, K. 2010. 'The student as input'. *English Teaching Professional* 67: 28-31.

Lamie, J. 1999. 'Prescriptions and cures: Adapting and supplementing'. *Modern English Teacher* 8.3: 49-53.

Law, W.-H. 1995. 'Teachers' evaluation of English textbooks: An investigation of teachers' ideas and current practices and their implications for developing textbook evaluation criteria'. Unpublished M.Ed dissertation, University of Hong Kong. Retrieved 30 April 2010 from http://sunzi.lib.hku.hk/hkuto/view/B3195785/ft.pdf/

Lee, R. and Bathmaker, A.-M. 2007. 'The use of English textbooks for teaching English to 'vocational' students in Singapore secondary schools'. *RELC Journal* 38.3: 350-74.

Li, D. 1998. "'It's always more difficult than you plan and imagine": Teachers' perceived difficulties in introducing the communicative approach in South Korea'. *TESOL Quarterly* 32.4: 677-703.

Liao, K.-M. 2009. 'Using a checklist to evaluate Taiwanese junior high school textbooks'. Unpublished MA TESOL dissertation, University of Nottingham, UK.

Littlejohn, A. 1983. 'Increasing learner involvement in course management'. *TESOL Quarterly* 17.4: 595-608.

__ 2011. 'The analysis of language teaching materials: Inside the Trojan Horse'. In B. Tomlinson (ed.) 2011a: 179-211. [revised version of paper with same title in Tomlinson, B. (ed.) 1998a: 190-216].

Littlejohn, A. and Windeatt, S. 1989. 'Beyond language learning: Perspectives on materials design'. in R. K. Johnson (ed.): 155-75.

Litz, D. 2005. 'Textbook evaluation and ELT management: A South Korean case study'. *Asian EFL Journal* (online). Retrieved 02 April 2011 from www.asian-efl-journal.com/Litz_thesis.pdf

Loewenberg-Ball, D. and Cohen, D. 1996. 'Reform by the book: What is − or might be − the role of curriculum materials in teacher learning and instructional reform?' *Educational Researcher* 25.9: 6-8. Retrieved 23 May 2010 from www.compassproject.net/Sadhana/teaching/readins/ballcohen1996.pdf

Low, G. 1989. 'Appropriate design: The internal organisation of course units'. In R. K. Johnson (ed.): 136-54.

Lund, R. 2010. 'Teaching a world language for local contexts: The case of Namibian textbooks for the teaching of English'. *IARTEM e-Journal* 3.1: 57-71. Retrieved 09 October 2011 from www.biriwa.com/iartem/ejournal/volume3.1/Lund/_paper_IARTEM_eJournal_Vol3_No1.pdf

Lund, R. and Zoughby, K. 2007. 'English language textbooks in Norway and Palestine'. In M. Horsley and J. McCall (eds): 203-11.

Lynch, T. 1996. 'Influences on course revision'. In M. Hewings and T. Dudley-Evans (eds) *Course Evaluation and Design in EAP* (pp. 26-35). Hemel Hempstead, Herts: Prentice Hall.

___ 2007. 'Learning from the transcripts of a communication task'. *ELT Journal* 61.4: 311-20.

Mackay, R. and Mountford, A. (eds) 1978. *English for Specific Purposes*. London: Longman.

Madsen, H. and Bowen, J. 1978. *Adaptation in Language Teaching*. Rowley, MA: Newbury House.

Malderez, A. and Wedell, M. 2007. *Teaching Teachers: Processes and Practices*. London: Continuum.

Maley, A. 1994. *Short and Sweet 1*. London: Penguin Books.

___ 1995. 'Materials writing and tacit knowledge'. In Hidalgo, Hall and Jacobs (eds): 220-39.

___ 2001. Interview with *ELT News*. Retrieved 18 February 2010 from www.eltnews.com/features/interviews/2001/06/interview_with_alan_maley.html/

__ 2003. 'Creative approaches to writing materials'. In Tomlinson, B. (ed). 2003a: 183-98.

__ 2011. 'Squaring the circle — reconciling materials as constraint with materials as empowerment'. In B. Tomlinson (ed.) 2011a: 379-402 [revised version of paper with same title in Tomlinson, B. (ed.) 1998a: 279-94.

Mares, C. 2003. 'Writing a coursebook'. In B. Tomlinson (ed.) 2003a: 130-40.

Masuhara, H. 2011. 'What do teachers really want from coursebooks?' In B. Tomlinson (ed.) 2011a: 236-66 [revised version of paper with same title in Tomlinson, B. (ed.) 1998a: 239-60].

Masuhara, H., Hann, M., Yi, Y. and Tomlinson, B. 2008. 'Adult EFL courses'. *ELT Journal* 62.3: 294-312.

Masuhara, H. and Tomlinson, B. 2008. 'Materials for General English'. In B. Tomlinson (ed.) 2008a. *English Language Learning Materials: A Critical Review* (17-37). London: Continuum.

Matsumara, T. 2010. Coursework as part of MA TESOL module in Materials Evaluation and Design, University of Nottingham.

Mattews, A. 1985. 'Choosing the best available textbook'. In A. Mattews, M. Spratt and L. Dangerfield (eds) *At the Chalkface* (pp. 202-6). London: Nelson.

McGarten, J. and McCarthy, M. 2010. 'Bridging the gap between corpus and course book: The case of conversation strategies'. In F. Mishan and A. Chambers (eds): 11-32.

McDonough, J. and Shaw, C. 1993. *Materials and Methods in ELT*. Oxford: Blackwell.

__ 2003 (2nd edn). *Materials and Methods in ELT*. Oxford: Blackwell.

McDonough, J., Shaw, C. and Masuhara, H. (3rd edn, in press). *Materials and Methods in ELT*. Oxford: Blackwell.

McElroy, H. 1934. 'Selecting a basic textbook'. *The Modern Language Journal* 19.1: 5-8. Retrieved 18 May 2010 from www.jstor.org/stable/pdfplus/315419.pdf/

McGrath, I. 1994. 'The open slot'. *Practical English Teaching* 14.4: 19-21.

__ (ed.) 1997. *Learning to Train*. Hemel Hempstead, Herts: Prentice Hall.

__ 2000. 'Teaching autonomy'. In B. Sinclair, I. McGrath and T. Lamb (eds)

Learner Autonomy, Teacher Autonomy: Future Directions (pp. 100-10).
Harlow, Essex: Longman/British Council.

__ 2002. *Materials Evaluation and Design for Language Teaching*. Edinburgh:
Edinburgh University Press.

__ 2004. 'The representation of people in educational materials'. *RELC Journal*
35.3: 351-8.

__ 2006. 'Teachers' and learners' images for coursebooks: Implications for teacher
development'. *ELT Journal* 60.2: 171-80.

__ 2007. 'Textbooks, technology and teachers'. In O. Alexander (ed.) *New
Approaches to Materials Development for Language Learning. Proceedings
of the Joint 2005 BALEAP/SATEFL Conference* (pp. 343-58). Bern: Peter
Lang.

__ 2009. Aligning English Language Teacher Education in Materials Evaluation
and Design with Teacher Needs. Paper presented at 18th MELTA
International Conference, 11-13 June, 2009, Johor Bahru, Malaysia.

__ 2013. 'Can primary-age pupils produce teaching materials?', In Zhang, J. and
Ben Said, S. (eds) *Language Teachers and Teaching: Global Perspectives,
Local Initiatives*. London: Routledge.

Meddings, L. and Thornbury, S. 2009. *Teaching Unplugged: Dogme in English
Language Teaching*. London: Delta Publishing.

Mishan, F. 2005. *Designing Authenticity into Language Learning Materials*.
Bristol: Intellect.

Mishan, F. and Chambers, A. (eds) 2010. *Perspectives on Language Learning
Materials Development*. Bern: Peter Lang.

Morley, J. 1993. 'Textbook evaluation: The anatomy of a textbook'. In D.
Freeman and S. Cornwell (eds) 1991: 101-4.

Mosback, G. 1984. 'Making a structure-based course more communicative'. *ELT
Journal* 38.3: 178-86.

Mukundan, J. and Ahour, T. 2010. 'A review of textbook evaluation checklists
across four decades (1970-2008)'. In B. Tomlinson and H. Masuhara (eds)
2010: 336-52.

Mukundan, J. and Nimehchisalem, V. 2008. 'Gender representation in Malaysian secondary school English language textbooks'. *Indonesian Journal of Language Teaching* 4.2: 155-73.

Nguyen Thi Cam Le 2005. 'From passive participant to active thinker: A learner-centred approach to materials development'. *English Teaching Forum* 43.3. Retrieved 24 February 2011 from http://eca.state.gov/forum/vols/vol43/no3/p2.htm

Ning Liu. 2009. 'When communicative approaches don't work'. *Modern English Teacher* 18.2: 64-9.

Nishigaki, C. nd. A study of learner's attitudes towards listening materials. Retrieved 15 November 2010 from http://mitizane.ll.chiba-u.jp/metadb/up/AN10494742/KJ00004297069.pdf

Nunan, D. 1988a. *The Learner-Centred Curriculum.* Cambridge: Cambridge University Press.

___ 1988b. 'Principles for designing language teaching materials'. *Guidelines* 10.2: 1-24.

___ 1989. *Designing Tasks for the Communicative Classroom.* Cambridge: Cambridge University Press.

___ 1991. *Language Teaching Methodology.* Hemel Hempstead, Herts: Prentice Hall.

___ 1992. 'The teacher as decision-maker'. In J. Flowerdew, M. Brock and S. Hsia (eds) *Perspectives English Language Learning Materials: A Critical Review on Second Language Teacher Education* (pp. 135-65). Hong Kong: City University of Hong Kong.

O'Neill, R. 1982. 'Why use textbooks?' *ELT Journal* 36.2: 133-8.

Paltridge, B. 2002. 'Thesis and dissertation writing: An examination of published advice and actual practice'. *English for Specific Purposes* 21.2: 125-43.

Paran, A. 1996. 'Reading in EFL: Facts and fictions'. *ELT Journal* 50.1: 25-34.

___ 2003. 'Helping learners to become critical: How coursebooks can help'. In Renandya, W. (ed.) 2003: 109-23.

Peacock, M. 1997a. 'Choosing the right book for your class'. *Essex Graduate Papers in Language and Linguistics.* Retrieved 10 September 2010 from www.essex.ac.uk/linguistics/publications/egspll/volume_1/pdf/PEACOCK1.pdf

___ 1997b. 'The effect of authentic materials on the motivation of EFL learners'. *ELT Journal* 51.2: 144-54.

Pennycook, A. 1994. *The Cultural Politics of English as an International Language*. London: Longman.

Perren, G. (ed.) 1969. *Languages for Special Purposes*. CILT Reports and Papers No.1. London: Centre for Information on Language Teaching.

___ (ed.) 1971. *Science and Technology in a Second Language*. CILT Reports and Papers NO.7. London: Centre for Information on Language Teaching.

___ (ed.) 1974. *Teaching Languages to Adults for Special Purposes*. CILT Reports and Papers No.11. London: Centre for Information on Language Teaching.

Phillipson, R. 1992. *Linguistic Imperialism*. Oxford: Oxford University Press.

Pogelschek, B. 2007. 'How textbooks are made: Insights from an Austrian publisher'. In M. Horsley and J. McCall (eds): 100-7.

Popovici, R. and Bolitho, R. 2003. 'Personal and professional development through writing: The Romanian Textbook Project'. In B. Tomlinson (ed.) 2003a: 505-17.

Prodromou, L. 1990. 'A mixed ability class'. *Practical English Teaching* 10.3: 28-9.

___ 1992a. 'What culture? Which culture? Cross-cultural factors in language learning'. *ELT Journal* 46.1: 39-50.

___ 1992b. *Mixed Ability Classes*. London: Macmillan.

___ 2002. 'The great ELT textbook debate'. *Modern English Teacher* 11.4: 25-33.

Prowse, P. 2011. 'How writers write: Testimony from authors'. In B. Tomlinson (ed.) 2011: 151-73 [revised version of paper with same title in Tomlinson, B. (ed.): 1998a: 130-45].

Ramírez Salas, M. 2004. 'English teachers as materials developers'. *Revista Electrónica Actualidades Investigativas en Educación* 4.002: 1-18. Retrieved 27 June 2010 from redalyc.uaemex.mx/pdf/447/44740214.pdf

Ramasamy, A. 2011. B.Ed coursework. National Institute of Education, Singapore.

Rashad, R. 2011. B.Ed coursework. National Institute of Education, Singapore.

Ravelonanahary, M. 2007. 'The use of textbooks and educational media: The Malagasy experience'. In M. Horsely and J. McCall (eds): 166-75.

Reinders, H. and Lewis, M. 2006. 'An evaluation checklist for self-access materials'. *ELT Journal* 60.3: 272-8.

Renandya, W. (ed.) 2003. *Methodology and Materials Design in Language Teaching: Current Perceptions and Practices and their Implications*. Anthology Series 44. Singapore: SEAMEO Regional Language Centre.

Riazi, A. 2003. 'What do textbook evaluation schemes tell us? A study of the textbook evaluation schemes of three decades'. In W. Renandya (ed.): 52-68.

Richards, J. (ed.) 1976. *Teaching English for Science and Technology*. Selected papers from the RELC seminar, Singapore April 21-25. Singapore: Singapore University Press.

___ 1985. 'The secret life of methods'. In *The Context of Language Teaching* (pp. 32-45). Cambridge: Cambridge University Press.

___ 1995. 'Easier said than done: An insider's account of a textbook project'. In Hidalgo et al. (eds) 1995: 95-135.

___ 1998a. 'Textbooks: Help or hindrance?' In *Beyond Training* (pp. 125-40). Cambridge: Cambridge University Press.

___ 1998b. 'What's the use of lesson plans?' In *Beyond Training* (pp. 103-21). Cambridge: Cambridge University Press.

___ 2001a. 'The role of instructional materials'. In *Curriculum Development in Language Teaching* (pp. 251-85). Oxford: Oxford University Press.

___ 2001b. 'The role of textbooks in a language program'. *RELC Guidelines* 23.2: 12-16.

___ 2006. 'Materials development and research – making the connection'. *RELC Journal* 37.5: 5-26.

Richards, J. and Ho, B. 1998. 'Reflective thinking through journal writing'. In *Beyond Training* (pp. 153-70). Cambridge: Cambridge University Press.

Richards, J. and Lockhart, C. 1994. *Reflective Teaching in Second Language Classrooms*. Cambridge: Cambridge University Press.

Richards, J. and Mahoney, D. 1996. 'Teachers and textbooks: A survey of beliefs and practices'. *Perspectives* (Working Papers of the Department of English, City University of Hong Kong) 8.1: 40-63.

Richards, J. and Nunan, D. (eds) 1990. *Second Language Teacher Education*.

Cambridge: Cambridge University Press.

Richards, J. and Rodgers, T. 1986. *Approaches and Methods in Language Teaching*. Cambridge: Cambridge University Press.

___ 2001. *Approaches and Methods in Language Teaching* (2nd edn). Cambridge: Cambridge University Press.

Riley, L. 2001. 'Pedagogical implications of an EFL materials evaluation'. *Proceedings of PAC 3 at JALT 2001* (pp. 813-24). November 22-25, Kitakyushu, Japan. Retrieved 03 June 2011 from http://jalt-publications.org/archive/proceedings/2001/812.pdf

Rinvolucri, M. 2002. *Humanising Your Coursebook*. Peaslake, Surrey: Delta.

Rix, J. 2009. 'A model of simplification: The ways in which teachers simplify texts'. *Educational Studies* 35.2: 95-106.

Roberts, J. 1996. 'Demystifying materials evaluation'. *System* 24.3: 375-89.

Robinett, B. 1978. *Teaching English to Speakers of Other Languages*. University of Minnesota Press.

Robinson, P. 1980. *ESP: English for Specific Purposes*. Oxford: Pergamon.

Rossner, R. 1998. 'Materials for communicative language teaching and learning'. In Brumfit, C. (ed.) *Annual Review of Applied Linguistics* 8 (pp. 140-63). Cambridge: Cambridge University Press.

Rubdy, R. 2003. 'Selection of materials'. In B. Tomlinson, 2003a: 37-57.

Salusbury, M. 2010. 'Global EFL industry gets tech appeal'. *EL Gazette*, April 2010: 29.

Sampson, N. 2009. Teaching materials and the autonomous language teacher: A study of tertiary English teachers in Hong Kong. Unpublished Ed.D thesis, University of Hong Kong. Retrieved 06 February 2011 from http://handle.net/10722/56640

Samuda, V. 2005. 'Expertise in pedagogic task design'. In K. Johnson (ed.) *Expertise in Second Language Learning and Teaching* (pp. 230-54). Houndmills, Basingstoke: Palgrave Macmillan.

Saraceni, C. 2003. 'Adapting courses: A critical view'. In B. Tomlinson (ed.) 2003a: 72-85.

Schön, D. 1984. *The Reflective Practitioner: How Professionals Think in Action.*

New York: Basic Books.

Scrivener, J. 2005. *Learning Teaching* (2nd edn). Oxford: Macmillan.

Sengupta, S. 1998. 'Peer evaluation: "I am not the teacher"'. *ELT Journal* 52.1: 19-28.

Senior, R. 2006. *The Experience of Language Teaching*. Cambridge: Cambridge University Press.

Sercu, L., Mendez Garcia, M. and Castro Prieto, P. 2004. 'Culture teaching in foreign language education: EFL teachers in Spain as cultural mediators'. *Porta Linguarum* 1: 85-102. Retrieved 20 January 2011 from www.ugr.es/~portalin/articulos/PL-numero1/sercu.pdf

Shaffie, A. 2011. M. Ed. coursework, National Institute of Education, Singapore.

Shawer, S., Gilmore, D. and Banks-Joseph, S. 2008. 'Student cognitive and affective development in the context of classroom-level curriculum development'. *Journal of the Scholarship of Teaching and Learning* 8.1: 1-28.

Sheerin, S. 1989. *Self-access*. Oxford: Oxford University Press.

Sheldon, L. (ed.) 1987a. *ELT Textbooks and Materials: Problems in Evaluation and Development*. ELT Documents 126. Oxford: The British Council/Modern English Publications.

___ 1987b. 'Introduction'. In L. Sheldon (ed.) 1987a: 1-10.

___ 1988. 'Evaluating ELT textbooks and materials'. *ELT Journal* 42.4: 237-46.

Skierso, A. 1991. 'Textbook selection and evaluation'. In M. Celce-Murcia (ed.) (2nd edn) *Teaching English as a Second or Foreign Language* (pp. 432-53). Boston: Heinle & Heinle.

Smotrova, T. 2009. 'Globalization and English language teaching in Ukraine'. *TESOL Quarterly* 43.4: 727-32.

Spratt, M. 1999. 'How good are we at knowing what learners like?'. *System* 27.2: 141-55.

___ 2001. 'The value of finding out what classroom activities students like'. *RELC Journal* 32.2: 80-103.

St George, E. 2001. 'Textbooks as a vehicle for curriculum reform'. Unpublished doctoral dissertation, University of Florida.

St Louis, R., Trias, M. and Pereira, S. 2010. 'Designing materials for a twelve-week course for pre-university students'. In F. Mishan and A. Chambers (eds): 249-70.

Stevick, E. 1980. *Teaching Languages: A Way and Ways*. Rowley, MA: Newbury House.

Stillwell, C., Curabba, B., Alexander, K., Kidd, A., Kim, E., Stone, P. and Wyle, C. 2010. 'Students transcribing tasks: Noticing fluency, accuracy, and complexity'. *ELT Journal* 64.4: 445-55.

Stranks, J. 2003. 'Materials for the teaching of grammar'. In B. Tomlinson (ed.) 2003a: 329-39.

Swales, J. 1980. 'ESP: The textbook problem'. *English for Specific Purposes* 1.1: 11-23.

Swales, J. and Feak, C. 2004. *Academic Writing for Graduate Students*. Ann Arbor: University of Michigan Press.

Swan, M. 1992. 'The textbook: Bridge or wall?' *Applied Linguistics and Language Teaching* 2.1: 32-5.

Tanner, R. and Green, C. 1998. 16. 'You can't always get what you want: Materials evaluation and adaptation'. In *Tasks for Language Teacher Education* (pp. 120-9). Harlow, Essex: Longman.

Tarnopolsky, O. 1996. 'EFL teaching in the Ukraine: State regulated or commercial'. *TESOL Quarterly* 30: 616-22.

Thornbury, S. 1999. 'Window-dressing vs cross-dressing in the EFL sub-culture'. *Folio* 5.2: 15-17. Retrieved 28 August 2011 from www.thornburyscott.com/assets/windowdressing.pdf

__ 2000. 'A dogma for ELT'. *IATEFL Issues* 153 (Feb./Mar. 2000). Retrieved 16 April 2010 from www.thornburyscott.com/tu/sources.htm

__ 2010. T is for Taboo. Retrieved 15 September 2011 from http://scottthornbury.wordpress.com/2010/06/27/t-is-for-taboo

Thornbury, S. and Meddings, L. 2001. 'Coursebooks: The roaring in the chimney'. *Modern English Teacher* 10.3: 11-13.

__ 2002. 'Using a coursebook the Dogme way'. *Modern English Teacher* 11.1: 36-40.

Tice, J. 1991. 'The textbook straitjacket'. *Practical English Teaching* 11.3: 23.

___ 1997. *The Mixed Ability Class*. London: Richmond Publishing.

Todd Trimble, M., Trimble, L. and Drobnic, K. (eds) 1978. *English for Specific Purposes: Science and Technology*. English Language Institute, Oregon State University.

Tomlinson, B. (ed.) 1998a. *Materials Development in Language Teaching*. Cambridge: Cambridge University Press.

___ 1998b. 'Glossary of basic terms for materials development in language teaching'. In B. Tomlinson (ed.) 1998a: viii-xiv.

___ 1998c. 'Conclusions'. In B. Tomlinson (ed.) 1998a: 340-4.

___ 1999. 'Developing criteria for evaluating L2 materials'. *IATEFL Issues* Feb.-Mar. 1999: 10-13.

___ 2001. 'Materials development'. In R. Carter and D. Nunan (eds) *Teaching English to Speakers of Other Languages* (pp. 66-71). Cambridge: Cambridge University Press.

___ (ed.) 2003a. *Developing Materials for Language Teaching*. London: Continuum.

___ 2003b. 'Humanizing the coursebook'. In B. Tomlinson (ed.) 2003a: 162-73.

___ 2003c. 'Materials development courses'. In B. Tomlinson (ed.) 2003a: 445-61.

___ (ed.) 2008a. *English Language Teaching Materials: A Critical Review*. London: Continuum.

___ 2008b. 'Conclusions about ELT materials in use around the world'. In B. Tomlinson (ed.) 2008a: 319-22.

___ 2010a. 'Principles of effective materials development'. In N. Harwood 2010a: 81-108.

___ 2010b. 'What do teachers think about EFL coursebooks?' *Modern English Teacher* 19.4: 5-9.

___ (ed.) 2011a (2nd edn) *Materials Development in Language Teaching*. Cambridge: Cambridge University Press.

___ 2011b. 'Introduction: Principles and procedures of materials development'. In B. Tomlinson (ed.) 2011a: 1-31.

___ 2011c. 'Comments on Part B'. In B. Tomlinson (ed.) 2011a: 174-6.

__ 2011d. 'Conclusions'. In B. Tomlinson (ed.) 2011a: 437-42.

__ 2011e. 'Comments on Part C'. In B. Tomlinson (ed.) 2011a: 296-300.

Tomlinson, B., Dat, B., Masuhara, H. and Rubdy, R. 2001. 'EFL courses for adults'. *ELT Journal* 55.1: 80-101.

Tomlinson, B. and Masuhara, H. 2003. 'Simulations in materials development'. In B. Tomlinson (ed.) 2003a: 462-78.

__ 2004. *Developing Language Course Materials*. Singapore: SEAMEO RELC.

__ 2010a. *Research in Materials Development for Language Learning: Evidence for Best Practice*. London: Continuum.

__ 2010b. 'Published research on materials development for language learning'. In B. Tomlinson and H. Masuhara 2010a: 1-18.

__ 2010c. 'Applications of the research results for second language acquisition theory and research'. In B. Tomlinson and H. Masuhara 2010a: 399-409.

Tsobanoglou, S. 2008. 'What can we learn by researching the use of textbooks and other support materials by teachers and learners'. Unpublished MA dissertation, University of Nottingham.

Tsui, A. 2003. *Understanding Expertise in Teaching: Case Studies of ESL Teachers*. Cambridge: Cambridge University Press.

Tucker, C. 1975. 'Evaluating beginning textbooks'. *English Teaching Forum* 13.3/4 (Special Issue Part 2): 355-61 [originally printed in 1968 in *English Teaching Forum* 6.5: 8-15, and subsequently reprinted as Appendix 3 in H. Madsen & J. Bowen (1978) *Adaptation in Language Teaching* (pp. 219-37). Rowley, MA: Newbury House.

Tudor, I. 1993. 'Teacher roles in the learner-centred classroom'. *ELT Journal* 47.1: 22-31.

__ 1996. *Learner-Centredness as Language Education*. Cambridge: Cambridge University Press.

Twine, G. 2010. 'Freedom, what freedom?' *English Teaching Professional* 68: 48-51.

Underhill, A. nd. Teaching without a coursebook. Retrieved 16 April 2010 from www.thornburyscott.com/tu/sources.htm

University of Cambridge ESOL Examinations. 2011. CELTA (Certificate in

Teaching English to Speakers of Other Languages). Retrieved 27 May 2011 from http://www.cambridgeesol.org/exams/celta/index.htm

Ur, P. 1996. *A Course in Language Teaching: Practice and Theory*. Cambridge: Cambridge University Press.

___ 2009. English as a lingua franca and some implications for English teachers. Plenary address at TESOL France, 2009. Retrieved 08 September 2011 from www.tesol-france.org/Colloquium09/Ur_Plenary_Handouts.pdf

Wala, D. 2003a. 'A coursebook is what it is because of what it has to do: An editor's perspective'. In B. Tomlinson (ed.) 2003a: 58-71.

___ 2003b 'Publishing a coursebook: Completing the materials development circle'. In B. Tomlinson (ed.) 2003a: 141-61.

Wallace, M. 1991. *Training Foreign Language Teachers: A Reflective Approach*. Cambridge: Cambridge University Press.

Wang, L.-Y. 2005. 'A study of junior high school English teachers' perceptions of the liberalization of the authorized English textbooks and their experience of textbook evaluation and selection'. Unpublished MA dissertation, National Yunlin University of Science and Technology, Taiwan.

Watkins, P. 2010. 'Giving learners a voice in correction and feedback'. *ELTWorldOnline* Vol 2. Retrieved 26 April 2011 from http://blog.nus.edu.sg/eltwo/2010/01/29/giving-learners-a-voice-in-correction-and -feedback

Williams, D. 1983. 'Developing criteria for textbook evaluation'. *ELT Journal* 37.3: 251-5.

Williams, M. 1988. 'Language taught for meetings and language used in meetings. Is there anything in common?' *Applied Linguistics* 9.1: 45-58.

Williams, R. 1981. 'A procedure for ESP textbook analysis and evaluation on teacher education courses'. *ESP Journal* 1.2: 155-62.

Wong, J. 2001. 'Applying conversation analysis in applied linguistics: Evaluating dialogue in English as a second language textbooks'. *International Review of Applied Linguistics* 40.1: 37-60.

Woodward, T. 1991. *Models and Metaphors in Language Teacher Training*. Cambridge: Cambridge University Press.

___ 1992. *Ways of Training*. Harlow, Essex: Longman.

___ 2001. *Planning Lessons and Courses*. Cambridge: Cambridge University Press.

Wraight, A. and Suzuki, I. nd. Effective use of the textbook — using supplementary materials. Retrieved 22 October 2011 from www.c-english.com/files/effectiveuseofthetext_awraight

Wright, A. 1976. *Visual Materials for the Language Teacher*. London: Longman.

Wright, T. 1987. *Roles of Teachers and Learners*. Oxford: Oxford University Press.

Wright, T. and Bolitho, R. 2007. *Trainer Development*. www.lulu.com

Xu, I. 2004. 'Investigating criteria for assessing ESL textbooks'. Unpublished PhD thesis, University of Alberta, Canada.

Yakhontova, T. 2001. 'Textbooks, contexts, and learners'. *English for Specific Purposes* 20.1: 397-415. Retrieved 23 February 2011 from www.sciencedirect.com

Yalden, J. 1987. *Principles of Course Design for Language Teaching*. Cambridge: Cambridge University Press.

Yan, C. 2007. 'Investigating English teachers' materials adaptation'. *Humanising Language Teaching* 9.4 Retrieved 14 July 2008 from www.hltmag.co.uk/Jul07/mart01.htm/

Young, R. 1980. *Modular course design. ELT Documents special — Projects in Materials Design*. London: The British Council: 222-31.

Yuen, K. 1997. Review of Allwright's (1981) paper 'Why use textbooks?' BEd assignment, University of Nottingham.

Zacharias, N. 2005. 'Teachers' beliefs about internationally-published materials: A survey of tertiary English teachers in Indonesia'. *RELC Journal* 36.1: 23-38.

Zheng, X.-M. and Davison, C. 2008. *Changing Pedagogy: Analysing ELT Teachers in China*. London: Continuum.

저자 색인

Acklam, R.   50, 215, 308
Akbulut, Y.   268
Alamri, A.   164-65
Alexander, K.   244-45
Allwright, D.   36, 128, 148
Al-Senaidi, F.   149, 317-18
Al-Sinani, S.   149, 317-18
Altan, M.   31, 111
Al-Yousef, H.   167, 173, 225-26,
    254, 268
Amrani, F.   62, 65, 67-69
Angouri, J.   33
Appel, J.   108, 120
Arakaki, L.   249, 265, 270, 297
Arikan, A.   256-57
Arva, V.   212

Bahumaid, S.   54, 95
Balajee, D.   243
Banks-Joseph, S.   194, 221-22,
    232-33
Bathmaker, A.-M.   215, 252, 277,
    285
Bell, J.   71, 74, 78-79, 81-83, 250,
    290
Block, D.   55, 121-22, 224
Bolitho, R.   42-47, 80, 125-26,
    149-50, 152, 226
Botelho, M.   30, 181-83, 199
Bowen, J.   52, 102-04, 116

Boys, O.   32
Breen, M.   143, 151, 299, 304
Brown, H.   307-08
Brumfit, C.   35-36, 49, 143-44, 148,
    150-51, 291
Burns, A.   193, 216-17
Byrd, P.   25, 88-89, 92-94, 99, 123,
    131, 152, 293, 312

Çakit, I.   170, 184, 225-26
Canagarajah, A.   30-31
Candlin, C.   32, 93, 123, 127, 143,
    151, 299, 304
Canniveng, C.   54, 158
Castro Prieto, P.   180-82
Caterina   226
Celce-Murcia, M.   93, 97-98
Chandran, S.   173, 185, 215
Chavez, E.   254, 265, 270
Chowdhury, R.   258
Cohen, D.   140-41
Copland, F.   193, 216-17
Crawford, J.   30, 123, 136
Crookes, G.   249, 263, 265, 270,
    297
Cunningsworth, A.   53, 93-95,
    105-06, 127, 167, 302-03
Curabba, B.   244-45

Dam, L.   151, 299, 304

158, 185, 191, 223, 256, 279, 286, 289-91, 293, 309-15, 318-21

Torres, E. 25, 35-36, 38, 53, 102, 202, 225, 266

Trias, M. 60, 238

Troudi, S. 299, 303-04

Tsobanoglou, S. 199, 202, 208, 218-19, 262

Tsui, A. 150, 252, 284

Twine, G. 283

Underhill, A. 37-38

Ur, P. 25, 292

Wala, D. S. 60-61, 63, 70, 75, 80-81

Wallace, M. 124

Wang, L.-Y. 176-77, 185-86, 188, 191, 256-57, 271

Waters, A. 123-24, 143

Woodward, T. 88, 112, 123, 298, 300-01, 315, 318

Wraight, A. 120

Wright, T. 48, 120, 127-28, 300, 306, 315-16, 319

Wyle, C. 244-45

Xu, I. 184

Yakhontova, T. 227

Yalden, J. 88

Yan, C. 197-98, 201, 208-09, 212, 216, 222, 224, 254, 280

Yi, Y. 35, 70-71, 75, 78, 289-91

Yuen, K. 139

Zacharias, N. 208, 211-12

Zheng, X.-M. 250, 274

Zoughby, K. 31, 34, 82

주제 색인

관리자managers,
  교육기관의institutional 13
  ~에 대한 제언implications for
    281-84, 293-94

교과서coursebook,
  교과서 없이 하는 교수활동teaching
    without a coursebook 39-42
  국정national 31-32
  그리고 테크놀로지의 발전and
    technological development 26-28
  글로벌global 30-32
  분석analysis [분석analysis 참조]
  선정selection 92-98
  (실제practice) [교재materials,
    평가evaluation와 교사교육teacher
    education 참조; 교사교육teacher
    education 참조]
  ~에 대한 리뷰reviews of 70-71,
    291
  ~에 대한 비판criticisms of 29-38
  ~에 대한 은유metaphors for 229-31
  ~에 대한 학습자 태도learner attitudes
    to [교재에 대한 학습자 반응learner
    responses to materials 참조]
  ~의 대안alternatives to 36
  ~의 장점advantages of 24-28, 38
  (이론theory) 173-90
  저자writers [교재materials, 저자writers
    참조; 문화culture 참조]

회고적 평가 연구retrospective
  evaluation studies [평가evaluation
  참조]

교사teachers,
  개별 요소individual factors 249-74
    [교사teacher, 경험experience;
    교사teacher, 원어민 교사NESTs와
    비원어민 교사NNESTs 참조]
  경험experience 144, 188-90,
    202-10, 272
  교수활동practices [교과서 선정
    coursebook selection(실제practice);
    교사의 교재 사용에 관한 연구
    research into teachers' use of
    materials 참조]
  교재와 학습자와의 관계relationship
    with materials and learners 42-46
  그리고 교수 상황and teaching context
    249-74
  그리고 테크놀로지and technology
    20-21, 37-38, 120-21, 188,
    219, 288-89 [교사교육teacher
    education 참조]
  비판성criticality [교사교육teacher
    education 참조]
  성찰적 실천가로서의as reflective
    practitioner 124-26
  ~에 대한 제언implications for
    279-81

옮긴이 **최수정**

현재 연세대학교 원주캠퍼스 영어영문학과에 재직 중이며, 미국 University of Illinois에서 영어교육 (TESOL)으로 M.A.와 Ph.D.를 취득했다. 주요 연구 분야는 교사교육, 비판이론, 언어정책, 국제어로서의 영어교육이며, 연세대학교 학부와 대학원 과정에서 영어교육론, 영어교육방법론, 영어교재개발론 및 질적연구방법론 등을 가르치고 있다. 현대영미어문학회 편집이사를 역임했으며, 한국멀티미디어언어교육학회의 편집이사로 활동 중이다.

교재와 EFL/ESL 교사의 역할: 실제와 이론

초판1쇄 발행일 • 2017년 2월 28일
옮긴이 • 최수정 / 발행인 • 이성모 / 발행처 • 도서출판 동인
주소 • 서울시 종로구 혜화로3길 5 118호 / 등록 • 제1-1599호
Tel • (02) 765-7145~55 / Fax • (02) 765-7165
E-mail • dongin60@chol.com

ISBN 978-89-5506-767-5   정가 20,000원